DENIWELACJA

REMIGIUSZ MRÓZ

DENIWELACJA

FILIA

Wydanie I, Poznań 2017

Projekt okładki: Mariusz Banachowicz
Zdjęcie na okładce: © Oleskandr Osipov/Shutterstock

Redakcja i korekta:
Gabriela Niemiec
Mirosław Krzyszkowski

Skład i łamanie:
MELES-DESIGN

ISBN: 978-83-8075-251-1

Wydawnictwo Filia
ul. Kleeberga 2
61-615 Poznań
wydawnictwofilia.pl
kontakt@wydawnictwofilia.pl

Seria: FILIA Mroczna Strona
mrocznastrona.pl
Redaktor prowadzący serii: Adrian Tomczyk

Druk i oprawa: Abedik SA

Ani i Adrianowi,
byście na wspólnym szlaku mieli
jak najwięcej ekspozycji, przewieszeń i trawersowania.
I żadnych pożarów do gaszenia.

Był taki rok pod Tatrami, kiedy milczały skrzypce i basy, nie niosły się po groniach wesołe śpiewki pasterek i juhasów, pustoszały całe zagrody, osiedla, polany.
Pod Tatrami hulała śmierć.
– Opowieści halnego wiatru. Legendy spod Tatr i Beskidów,
Urszula Janicka-Krzywda

CZĘŚĆ PIERWSZA

1

Jej spojrzenie nabrało wyrazistości dopiero, kiedy ją zabiłam. Wcześniej była niekompletna, zupełnie jakby to śmierć dopełniła jej obrazu.

Przez moment przyglądałam się mojej ofierze w zimnym świetle LED-owej latarki. Brak reakcji źrenic na światło potwierdzał, że to koniec. Zarówno dla niej, jak i dla mnie.

Nazywała się Edyta, ale za życia wszyscy mówili na nią Edi. Po śmierci będzie znana przede wszystkim jako N.N. *Nomen nescio.* Tak określi ją osoba sporządzająca protokół z oględzin zwłok.

Nie musiałam przesadnie się trudzić, żeby ukryć jej tożsamość.

Niewiele wysiłku kosztowało mnie też pozbawienie jej życia. Edi zawsze była ufna, choć nieraz powtarzałam, że w końcu ją to zgubi. I tak ostatecznie się stało. Planowałam to od dawna, właściwie od kiedy pamiętam. Byłam skrupulatna, nie popełniłam żadnego błędu.

Rzekomo nie ma zbrodni doskonałej. Bzdura. Wszak gdyby do niej doszło, nikt nigdy by się o niej nie dowiedział.

To tak jak z najlepszym kłamcą, prawda? Jest nim ten, kogo wszyscy uważają za prawdomównego.

Ale czy to, czego dokonałam, mogło być zbrodnią doskonałą? Być może. Zadbałam o to, by śledczy nie dotarli do żadnych śladów wskazujących na mój udział. Zabiłam Edi w miejscu, z którym nie mam nic wspólnego, na niewielkim placu budowy przy Orkana. Za jakiś czas powstanie tutaj nowy hotel, zanim to się jednak stanie, rankiem policja ogrodzi miejsce zdarzenia i ustawi parawan wokół ciała.

Podłoże nie było idealne, zostawiłam odciski butów. Biegły z zakresu traseologii nie dokona jednak żadnego przełomu, zaraz bowiem pozbędę się obuwia, które kupiłam tylko na tę okazję.

Co z innymi śladami? Klucz stanowiło to, bym zostawiła ich nie jak najmniej, ale jak najwięcej. Śledczy zazwyczaj mieli ich do zabezpieczenia setki. Nie sposób było włączyć do materiału dowodowego wszystkich, więc na miejscu zdarzenia dokonywano selekcji. Zazwyczaj opierano się na intuicji i doświadczeniu. I czasem to wystarczało.

A czasem nie. Tak jak w tym przypadku.

Zrobiłam wszystko, by mieć pewność, że policyjni technicy nie znajdą niczego, co mogłoby wskazać na mnie. Oczywiście zostawiłam mnóstwo śladów biologicznych, ale te, które mogłyby się na coś przydać, zniszczyłam.

Ślady zapachowe zniknęły po użyciu wybielacza z chlorem. Specjalista z zakresu osmologii nie będzie zadowolony. Rękawiczki zaraz ściągnę, a potem stopię je razem z butami – to z kolei nie zadowoli technika robiącego badania gantiskopijne. Śladów dermatoskopijnych nie zostawiłam.

Nie pozbyłam się też narzędzia zbrodni, unikając jednego z najpowszechniejszych błędów. Amatorzy sądzili, że da się je ukryć. Że istnieje miejsce, w którym narzędzie w jakiś cudowny sposób zniknie.

Ja jednak do amatorów nie należę. I zdaję sobie sprawę z tego, że ślady zawsze prowadzą do rzeczy. A rzecz do osoby.

Zadbałam więc o to, by ta nie należała do mnie.

Mogłabym pozbyć się ciała, ale nie miałoby to żadnego praktycznego znaczenia. Zawsze z rozbawieniem słuchałam wszystkich tych opinii, w których podkreślano, że gdy nie ma ciała, nie ma zbrodni. Mnóstwo wyroków skazujących zapadło, mimo że do dzisiaj nie odnaleziono zwłok.

Moim największym zmartwieniem były ślady genetyczne. Nawet na kawałku włosa pozbawionego cebulki da się wykonać badanie mitochondrialnego DNA. I z tym jednak sobie poradziłam.

Równie istotny był wybór odpowiedniego momentu. Zależało mi na tym, by tej nocy dyżur prokuratorski pełniła niezbyt doświadczona osoba. Najłatwiej będzie bowiem uniknąć wykrycia, jeśli dojdzie do zwykłych ludzkich błędów.

Czynnik ludzki zawsze był najsłabszym ogniwem. A ja wiedziałam, jak to wykorzystać.

To było moje ostatnie zabójstwo, wisienka na torcie. Nigdy więcej nie odbiorę nikomu życia, wypełniłam swój plan. I nikt nigdy nie dowie się, na czym polegał.

2

Kolejność osób zjawiających się na miejscu zdarzenia zawsze była podobna. Jako pierwsi stawiali się policjanci patrolowi, zaraz po nich wzywano tych dyżurujących, a potem przyjeżdżali technicy. Prokurator zazwyczaj docierał jako ostatni.

Tym razem jednak było inaczej – ostatni przyjechał nowo powołany komendant rejonowy policji. Edmund Osica był starym wyjadaczem, który karierę zaczynał jeszcze w milicji. Widział wiele, spodziewał się wszystkiego, ale nie mógł wyobrazić sobie gorszego zainaugurowania nowego etapu kariery. Zrozumiał to tuż po tym, jak wysiadł z samochodu TPN-u.

Wystarczyło spojrzeć na minę młodego prokuratora, który odpowiadał za przeprowadzenie oględzin. Młokos czekał na niego na parkingu, sprawiając wrażenie, jakby stanął na minie i usłyszał niepokojący chrzęst pod stopami.

Osica zlustrował go wzrokiem. Gdyby minął chłopaka na Krupówkach, nigdy nie powiedziałby, że ma cokolwiek wspólnego z organami ścigania. Był chuderlawy, nosił kremowy polar, miał łagodne rysy twarzy i jasne, kręcone włosy. Wyglądał niewinnie.

Zbyt niewinnie, biorąc pod uwagę widok, jaki musiał zastać na zboczu Giewontu. Ciała z pewnością były dobrze zakonserwowane przez niskie temperatury, ale nawet bez zmian gnilnych niewątpliwie tworzyły makabryczną mozaikę.

Edmund podniósł wzrok i spojrzał w stronę krzyża górującego nad Polaną Strążyską. Jak dziś pamiętał wisielca, od którego rozpoczął się najgorszy okres w jego życiu. Okres, po którym jeszcze do końca się nie podniósł.

Tymczasem teraz zanosiło się na powtórkę. A być może nawet na gorszą wersję tego, czego dopuściła się Bestia z Giewontu.

Inspektor potrząsnął głową. Niepotrzebnie snuł takie myśli, na tym etapie nic nie było jeszcze przesądzone. Szybko złożył to na karb pogody. Nad odległymi szczytami wisiały ciemne, ołowiane chmury, które sprawiły, że nawet szumiący tuż obok Strążyski Potok robił złowrogie wrażenie.

– Wszystko w porządku? – zapytał prokurator.

Osica potrzebował chwili, by przypomnieć sobie, jak nazywa się młodzik. W końcu wyłowił z pamięci imię i nazwisko. Jacek Rapacz. Zaczął pracę w prokuraturze rejonowej zaraz po tym, jak zniknął Wiktor Forst. Po tym, jak wszystkie pożary wygasły. Od tamtej pory w Zakopanem było spokojnie, wydawało się nawet, że dochodziło do mniejszej liczby wypadków w górach. Ludzie byli jakby ostrożniejsi.

Aż do teraz.

– Panie inspektorze?

– Tak, w porządku – odburknął Edmund, a potem ruszył w stronę Giewontu. – Gdzie leżą te ciała?

Rapacz podążył za nim.

– Na zachodnim stoku.

– Widziałeś je już?

Nawet gdyby prokurator nie pokiwał głową, jego trupioblada twarz mówiłaby sama za siebie.

– Ile ich tam jest?

– Pięć.

– Wszystkie ubrane?

Prokurator zawahał się, jakby było to trudne pytanie.

– Tak.

– W co? – dopytał Osica. – Ciuchy górskie, bieliznę, worki pokutne?

Jacek Rapacz spojrzał na niego z rezerwą. Właściwie nie miał obowiązku odpowiadać na jakiekolwiek pytania. To on był panem i władcą na miejscu zdarzenia, to on kontrolował i nadzorował wszystko, co się działo.

I mógł po prostu zignorować bardziej doświadczonego policjanta. Wielu początkujących oskarżycieli publicznych na jego miejscu z pewnością tak by postąpiło. Wydawało im się, że skoro ustawy przyznają im określone kompetencje, w pakiecie wyposażają ich także w umiejętności śledcze.

Praktyka jednak nauczyła Osicę, że w takiej sytuacji to od takich jak on zależy najwięcej. Dlatego pofatygował się osobiście na miejsce. Dlatego wspinał się teraz czerwonym szlakiem w kierunku Przełęczy w Grzybowcu, sapiąc coraz głośniej. I coraz bardziej obawiając się tego, co zastanie na miejscu.

– Wygląda na to, że wszystkie ofiary były względnie dobrze przygotowane do wędrówki – podjął Rapacz. – Miały buty trekkingowe, kurtki nieprzemakalne i…

– Jakiej firmy?

– A to ma jakieś znaczenie?

– Może mieć.

– Wydaje mi się, że… Quechua?

Wymówił to jako „keczła", co niegdyś świadczyłoby o jego obyciu i znajomości wymowy obcych słów. Teraz jednak dowodziło jedynie tego, że swego czasu zapewne przeglądał fanpage na Facebooku, na którym radzono, jak wymawiać nazwy zagranicznych firm.

– To chyba marka własna Decathlonu – dodał.

– Mhm.

Osica oddychał z coraz większym trudem.

– Ale dlaczego pan pyta?

– Bo mniej więcej wiem, co producenci montują w kurtkach.

Prokurator uniósł brwi i popatrzył na Edmunda pytająco.

– W większości jest recco – oznajmił komendant. – Niewielka blaszka, która odbija sygnał z nadajnika. Urządzenie pasywne, ale pomaga w poszukiwaniach. Niektóre modele mają elementy aktywne, pozwalające na lokalizację… ale raczej nie te z Decathlonu.

Osica urwał, nie mając zamiaru kontynuować. Jego kondycja pozostawiała wiele do życzenia, a Rapacz narzucił żwawe tempo.

– Dąży pan do tego, że ofiary mogły przeleżeć tam całą zimę. Nieodkryte.

– Tak.

– I nikt nie zgłosiłby zaginięcia?

Edmund charknął, a potem zaniósł się kaszlem. Niepotrzebnie po latach niepalenia coś podpowiedziało mu, żeby na powrót sięgnąć po papierosy. Nie, nie coś. Głupstwo, rzecz zupełnie prozaiczna. Usłyszał w radiu, że Leonard Cohen nie palił przez trzydzieści lat, a potem – tuż przed osiemdziesiątymi urodzinami – oznajmił, że zamierza wrócić do nałogu. I że czekał na ten moment przez całe te trzy dekady.

Właściwie w tym wieku nie mogło to już chyba niczego zmienić. Osica wyszedł z podobnego założenia, a poza tym nie widział już wielu powodów, by ciągnąć egzystencję na tym padole łez. Po stracie córki jedyną bliską osobą, która mu została, był Forst. Stanowiło to dość dojmującą sytuację.

Wszystko zmieniło się z momentem otrzymania awansu. Nie spodziewał się, że obejmie schedę po komendancie rejonowym, a jednak to właśnie jego wytypowano w komendzie wojewódzkiej.

Początkowo chciał odmówić, ale ostatecznie uznał, że zrobi, co może, żeby Zakopane znów zaczęło być kojarzone z góralskim folklorem, rozrywką i turystyką, a nie krwią niewinnych ludzi spływającą po stokach.

Pracę zaczął w poniedziałek. Dwa dni temu.

– Chce pan zrobić przerwę? – odezwał się Rapacz.

– Tak.

Prokurator się zatrzymał.

– Ale w życiu, nie we wspinaczce – wysapał Edmund, wskazując na szczyt. – Idziemy dalej.

Utrzymując dobre tempo, dotarliby na miejsce po niecałych dwóch godzinach. Koniec końców płuca Osicy kazały mu jednak zrobić kilka przerw. Wraz z prokuratorem stanął pod zboczem po niemal trzech godzinach od opuszczenia Polany Strążyskiej. Na miejscu pracował już zespół policjantów i techników. Wszyscy jak jeden mąż przerwali czynności i wyprostowali się, widząc komendanta.

Edmund odnalazł odpowiednio wiele sił, by zbyć to machnięciem ręki. Jednocześnie kątem oka dostrzegł, że Jacek Rapacz trzymał się dwa kroki za nim.

Osica westchnął.

– Jest pan jednym z tych, co haftują, tak? – zapytał mrukliwie.

– Słucham?

– Rzyga pan na widok śmierci?

– Nie, skąd, po prostu…

Komendant odwrócił się i miał wrażenie, że Rapacz pobladł jeszcze bardziej. A zatem rzeczywiście należał do tych, którzy z kostuchą jeszcze się nie oswoili. Właściwie powinien zdać sobie z tego sprawę już wtedy, gdy prokurator oznajmił, że po niego wyjdzie.

Klasyczne zagranie. Ci słabsi robili wszystko, by opuścić miejsce zdarzenia, mimo że formalnie to oni odpowiadali za zabezpieczanie śladów. W skrajnych przypadkach bywało, że prokuratorzy czekali kawałek dalej, a policjanci przynosili im zdjęcia, referując podejmowane czynności.

Bogiem a prawdą, niewielu było takich śledczych. Dziś jednak najwyraźniej właśnie taki się trafił.

– Niechże pan podejdzie, rzuci okiem.

– Miałem już okazję...

Osica obrócił się, złapał młodego za rękaw i przyciągnął. Wskazał na ciało leżące najbliżej.

Kobieta nie mogła mieć więcej niż trzydzieści lat. Widok zwłok nie był odpychający, przynajmniej nie dla Edmunda, który w życiu naoglądał się gorszych rzeczy. Niska temperatura doskonale zakonserwowała ofiarę. Nie doszło do rozdęcia gazami gnilnymi, co często skutkowało wybałuszeniem trupich oczu. Nie pojawiły się smugi dyfuzyjne, z nozdrzy ani z ust nie wypływały ociekliny gnilne, naskórek nie zaczął schodzić z ciała.

Kobieta wyglądała spokojnie, choć Osica przypuszczał, że w spokoju nie odeszła.

– Co jest z tobą nie tak? – zapytał komendant.

– Po prostu...

– Dziękuj Najwyższemu – wpadł mu w słowo Edmund. – *Frigor mortis* to niemal błogosławieństwo dla śledczego. Naoglądasz się znacznie gorszych rzeczy.

– Wiem.

Nie zabrzmiało to, jakby rzeczywiście miał taką świadomość. Osica przyjrzał mu się, starając się stwierdzić, ile czasu minie, nim młokos zorientuje się, że wybrał złą ścieżkę kariery. To się zdarzało. Rezultaty ludzkiego wynaturzenia szybko weryfikowały, czy ktoś nadaje się do tego zawodu, czy nie.

Edmund przeniósł wzrok na kobietę. Skórę miała białą, jakby spowił ją nieskazitelny całun. W szeroko otwartych oczach Osica dostrzegł kryształki lodu, a w ustach śnieg. Ubranie było nietknięte, podobnie jak plecak, który leżał kawałek dalej, przed kolejnym ciałem.

W powietrzu nie unosił się żaden smród, choć komendant spodziewał się, że to niebawem się zmieni. Śnieg wciąż topniał, ciało nie pozostanie długo w takim stanie. Temperatura wzrośnie, a bakterie natychmiast się uaktywnią, jakby przez ten cały czas od śmierci kobiety tylko czekały, by rozpocząć procesy rozkładu.

Osica przykucnął przy ciele. Coś strzeliło mu w kolanach, poczuł też ból w okolicy kostek. Wyciągnął paczkę viceroyów i zapalił jednego. Stać go było na lepsze papierosy, ale wychodził z założenia, że ostatecznie smak nie ma znaczenia. Trucizna jest trucizną, każda działa tak samo.

Wypuścił dym w bok, jakby w jakiś sposób mógł na świeżym powietrzu doprowadzić do kontaminacji materiału dowodowego. Obejrzał się przez ramię, skinął na Rapacza i wskazał rękę kobiety.

– Wygląda na to, że palce są w całości.

– Słucham?

– Nie doszło do autoamputacji – burknął Osica. – Innymi słowy, kobita się nie połamała podczas zamarzania. Znaczy to najpewniej, że zginęła już wcześniej.

Prokurator ukucnął kawałek za nim.

– Jest pan pewien?

– Nie – odparł bez wahania Edmund. – Pewność będą mieli sekciarze.

– Kto?

– Na litość boską… ci od sekcji zwłok.

– Nie słyszałem, by ktokolwiek tak ich nazywał.

Osica właściwie także nie. Wydawało mu się jednak, że to adekwatne określenie. Ilekroć zachodził do zakładu medycyny sądowej, odnosił wrażenie, że pracujący tam ludzie należą do jakiejś mrocznej sekty.

Sam uważał się za osobę obytą ze śmiercią. Oni jednak zdawali się zaznajomieni z nią lepiej niż z życiem.

– Trzeba szybko przenieść te ciała – zauważył. – Zaraz zacznie się gnicie i będzie po śladach.

Rapacz się rozejrzał.

– No, dzwoń po przewozówkę.

– Tyle że żadna firma pogrzebowa tu nie dojedzie…

– Mam na myśli TOPR – odparł ciężko Osica. – Nie mamy wprawdzie z nimi żadnej umowy, ale pomogą. Sprawdziliśmy to już w praktyce.

Prokurator pokiwał głową, doskonale zdając sobie sprawę, co Edmund ma na myśli.

– Pogoda jest dobra, może podlecą śmigłem – dodał komendant, a potem z trudem się podniósł. Spojrzał na Rapacza. Ten nadal sprawiał wrażenie zagubionego.

Bez wątpienia przyswoił sobie wszystkie procedury, przepisy ustaw i należytą kolejność podejmowania czynności na miejscu zdarzenia. Z jeszcze większą pewnością Osica mógł stwierdzić, że prokurator zapomniał niemal o wszystkim, czego się nauczył na studiach i po nich.

– Jak tylko zabiorą truchła, a technicy powiedzą ci, że ślady zostały zabezpieczone, najważniejsze będzie posprzątanie – bąknął, ruszając powoli ku kolejnej ofierze. – Urządzicie sobie tu ognisko.

– Ognisko?

– Zazwyczaj tak robimy przy oględzinach na otwartym terenie. Palimy wszystko, co zostało użyte do czynności.

Szczególnie lateksowe rękawiczki techników. – Osica zatrzymał się i wymierzył palcem w Rapacza. – To ważne, rozumiesz?

Prokurator niepewnie pokiwał głową.

– Rękawiczki... – mruknął.

– Tak. Jeśli ich nie spalisz, ktoś może je później odnaleźć – ciągnął Edmund, ruszając z powrotem w stronę zwłok. – A jak odnajdzie, może je podłożyć na innym miejscu przestępstwa. Tymczasem to bogactwo śladów. Od daktyloskopijnych przez zapachowe aż po biologiczne. Jasne?

– Tak.

Podeszli do następnej kobiety. Ta była młodsza, miała może dwadzieścia kilka lat. Była ubrana inaczej niż poprzednia, nie wydawała się odpowiednio przygotowana do górskich wędrówek.

Osica zmarszczył czoło i przez moment trwał w bezruchu.

– Coś nie tak? – odezwał się Rapacz.

Edmund milczał.

– Panie komendancie?

Policjant potrząsnął głową, jakby chciał usunąć sprzed oczu powidoki koszmaru, który przed momentem mu się przyśnił. Zbliżył się o krok, przyglądając się dziewczynie coraz uważniej.

– Co to ma być, do cholery? – mruknął.

Potoczył wzrokiem dokoła, po czym przywołał jednego z techników. Wziąwszy od niego parę rękawiczek, naciągnął jedną na dłoń i kucnął przy ofierze. Delikatnie odgiął jej kołnierz i znów na moment znieruchomiał.

– Panie komendancie? – powtórzył Rapacz.

Osica po raz kolejny zignorował pytanie. Wlepiał wzrok we flanelową, czerwono-czarną koszulę w kratę, która jednoznacznie przywodziła na myśl tę noszoną przez Wiktora Forsta.

W pierwszej chwili komendant powiedział sobie, że to niemożliwe. Zwykły przypadek, nic więcej.

Kiedy jednak zobaczył metkę ze Springfielda, opadło go dziwne uczucie. Tym bardziej że koszula nie wyglądała na nówkę. Przeciwnie, zdawała się nawet przetarta w tym samym miejscu, gdzie ta noszona przez Forsta.

Osica przełknął ślinę. Nie, to zupełnie absurdalne, skwitował w duchu. Zresztą takich koszul musiało być na pęczki. Tylko dlaczego ta kobieta ma na sobie męskie ubranie?

Oderwał od niej wzrok i zobaczył leżącą obok czapkę. Starą, zniszczoną czapkę z daszkiem, która z przodu i po bokach miała ślady farby. Edmund sięgnął po nią trzęsącą się ręką.

– O co chodzi? – spytał zaniepokojony prokurator.

– To… to moja czapka.

– Co takiego?

– To znaczy… ja…

Dopiero teraz Rapacz przykucnął obok. Przypatrywał się Osicy, jakby nagle zaczął podejrzewać, że to on odpowiada za wszystko, co tu się wydarzyło. Czapka świadczyła jednak o czymś zupełnie innym.

– Dałem ją Forstowi, kiedy…

Urwał, uświadamiając sobie, że nie może powiedzieć więcej. Pożyczył mu ją, kiedy pomagał mu się ukryć. Forst nigdy jej nie zwrócił. Najwyraźniej zabrał ją ze sobą tam, gdzie się udał.

A teraz była tutaj, pod śniegiem na zboczach Giewontu. Razem z jego czerwono-czarną koszulą.

3

W małopolskiej prokuraturze trwał dzień targowy. Cały czteropiętrowy, podłużny gmach przy Mosiężniczej zdawali się wypełniać handlarze prześcigający się w sprzedawaniu plotek. Dominika Wadryś-Hansen była jednak powściągliwa. Zarówno jeśli chodziło o styl bycia, jak i wymianę tego wątpliwej jakości towaru.

Zamknęła się w swoim gabinecie, otoczona łacińskimi sentencjami wiszącymi na ścianach, i starała się skupić na konkretach. Tych jednak na razie nie było wiele, w dodatku przesłaniała je mgła niedomówień i przypuszczeń.

Kiedy rozległo się pukanie do drzwi, podejrzewała, że opary niewiedzy stężeją jeszcze bardziej. Właściwie tylko jedna osoba mogła jej teraz szukać. Aleksander Gerc, prokurator zazwyczaj przodujący w snuciu wszelkich spekulacji.

Nie pomyliła się. Gerc wszedł do środka, nie czekając na zaproszenie, a potem zajął miejsce przed biurkiem. Założył nogę na nogę i się uśmiechnął.

– Na moje oko to kolejny seryjny – zauważył.

Przez moment miała ochotę powiedzieć, że wypadałoby się przywitać, ale przypuszczała, że zbyłby to niedbałym machnięciem ręki.

– Na szczęście twoje oko często się myli – odparła. – Najpewniej dlatego, że widzisz tylko to, co chcesz.

– Czyli co?

– To, co najgorsze w ludziach.

Skwitował jej uwagę wymownym prychnięciem, a Dominice przeszło przez myśl, że właściwie trafiła w sedno – jedyny wyjątek od tej zasady Gerc przyjmował, gdy patrzył w lustro.

– Ktoś inny powiedziałby po prostu, że mam odpowiednie doświadczenie.

– W takim razie ktoś inny by się pomylił.

– Jak wszyscy, co? – odburknął Gerc. – Bo tylko prokurator Wadryś-Hansen ma rację. Taka jest twoja filozofia życiowa, prawda?

– Nie mam dziś ochoty na przepychanki, Aleks.

– Nigdy nie masz.

Powiedział to z poważnym wyrzutem, jakby rzeczywiście miał jej to za złe.

– A przynajmniej jeśli chodzi o ostatni rok – dodał.

– Dasz spokój?

– Kiedyś, owszem, byłaś drętwa jak kij od szczotki, wyniosła i…

Odchrząknęła głośno. Tyle wystarczyło, by zorientował się, że za moment zabrnie za daleko.

– Mam na myśli, że od dobrego roku jesteś jeszcze gorsza – dodał i wzruszył ramionami. – Kiedyś mówili na ciebie Lady Mary, bo w całej tej swojej arogancji okazywałaś klasę i jakieś… bo ja wiem, dystyngowanie. Teraz jesteś…

– Aspołeczna?

– Nie o tym słowie myślałem.

– Wycofana?

– Raczej towarzysko sflaczała.

Uniosła brwi i przez moment zastanawiała się, jak na to odpowiedzieć. Ostatecznie przyjęła, że najbardziej wymownym komentarzem będzie milczenie. Aleksander miał zresztą trochę racji. Nie przeszkadzało jej, że niegdyś porównywano ją do postaci z brytyjskiego serialu, nawet jeśli kontekst nie był zbyt życzliwy.

Towarzyskie sflaczenie jednak w pewien sposób ją dotykało. Nie dlatego, że przejmowała się opinią innych – raczej ze względu na to, że stanowiło potwierdzenie tego, co ją spotkało. Urealniało ciąg zdarzeń, którego uczestniczką mimowolnie się stała.

Pomyślała, że Bestia z Giewontu nikomu już nie zagraża. Nikomu oprócz niej.

– Chcesz czegoś konkretnego, Aleks?

– Nie.

– W takim razie…

– Ale przynoszę dobre wieści.

Szczerze w to wątpiła. I nie miała zamiaru dopytywać, licząc na to, że Gerc sam zrozumie niewypowiedzianą sugestię, by opuścił jej gabinet. Zawiesiła na nim wzrok, ale jego reakcja sprowadziła się do tego, że rozsiadł się wygodniej.

– Jest kolejny trup w Zakopcu.

– Co takiego?

– Przed momentem się dowiedzieliśmy – dodał z satysfakcją, jakby rzeczywiście była to dobra nowina. – Kobietę znaleziono na jakimś placu budowy, podobno na miejscu jest niezły syf.

Następna ofiara? Związana z pięcioma ciałami, które odnaleziono wcześniej na zboczach Giewontu? Nie, to wydawało się niemożliwe. A mimo to teraz wzmianka Gerca o seryjnym zabójcy zaczynała mieć sens.

– Śladów jest co niemiara – ciągnął. – Od ubrań przez wydzieliny aż po puszki.

Wadryś-Hansen potrząsnęła głową.

– O czym ty mówisz? Jakie wydzieliny?

– Przede wszystkim szczochy, z tego, co słyszałem. Ale cholera wie, co tak naprawdę się tam znajduje. Zobaczysz na miejscu.

Przez chwilę się nie odzywała, nie odrywając wzroku od jego oczu. Nie po raz pierwszy dostrzegała w nich coś niepokojącego. Przy każdej tego typu sprawie cieszył się jak dziecko, wykazywał niemal chorobliwy entuzjazm. Być może jednak nie powinna przywiązywać do tego wielkiej wagi. W gruncie rzeczy był dobrym śledczym, a to, co sobą prezentował, miało drugorzędne znaczenie. Tym bardziej że było zapewne jedynie teatrem.

– Cokolwiek się tam stało, to nie moja sprawa – odparła Dominika.

– Mylisz się.

– Nawet jeśli odbiorą ją rejonówce, dostanie to ktoś z Nowego Sącza.

– Nie.

– Nie?

– Będzie decyzja z prokuratury krajowej o pominięciu zasad właściwości miejscowej.

Dominika przez chwilę milczała. Zbyt wiele myśli nagle pojawiło się w jej głowie.

– Dlaczego? – spytała w końcu.

– Ze względu na dobro prowadzonego śledztwa.

– Tak mówi rozporządzenie, Aleks. Ale ja pytam o to, co mówią ludzie?

Gerc uśmiechnął się pod nosem.

– Mówią, że prokurator krajowy ma do ciebie pełne zaufanie.

– Nigdy go nawet nie spotkałam – zastrzegła, jakby Aleksander w jakiś sposób ją uraził. – Nigdy nie chodziłam z żadnymi politykami na wódkę, nie bywałam na bankietach i nie dostarczałam nikomu kwitów na opozycję. Nie mam żadnych powiązań politycznych.

– Wiem.

Zmarszczyła czoło.

– I on też to wie – dodał Gerc. – I pewnie dlatego chce, żebyśmy to my prowadzili sprawę. A może zaimponowałaś mu sprawą Bestii z Giewontu, cholera go wie.

Rzeczywiście, cholera go wiedziała, uznała w duchu Wadryś-Hansen. Trudno było przejrzeć jego motywacje, ale gdyby miała zgadywać, powiedziałaby, że zwyczajnie nie ma zaufania do nowosądeckiej prokuratury. Sam zresztą pochodził z Krakowa, tutaj się wychował i zapewne miał lepsze rozeznanie w miejscowych śledczych.

A może przyświecał mu inny cel?

Szybko odsunęła tę myśl. Od czasu skandalu z jej mężem była stanowczo zbyt podejrzliwa. Właściwie z zasady przestała ufać wszystkim, nawet własnym dzieciom. Przyjmowała tę refleksję z bólem, ale wiedziała, że jest prawdziwa. W zachowaniu zarówno ich, jak i właściwie wszystkich innych dopatrywała się ukrytych motywacji i niecnych zamiarów.

Ale może to dobrze. Może jako prokurator właśnie tak powinna postrzegać otaczający ją świat. Dzięki temu nie popełni więcej błędów.

Na moment zamknęła oczy. Jeśli Gerc miał rację, przypadnie jej w udziale sprawa, przez którą znów znajdzie się na świeczniku. Zwłoki pięciu kobiet pod Giewontem będą głównym newsem w mediach przez kilka cykli informacyjnych. A szósta kobieta zamordowana w Zakopanem sprawi, że rozpęta się prawdziwa burza.

Wadryś-Hansen początkowo będzie w oku cyklonu. Otoczona iluzorycznym spokojem, obserwująca wszystko na zewnątrz z pozornie bezpiecznego miejsca. W rzeczywistości jednak to ona będzie wystawiona na największe ryzyko.

Otworzyła oczy i przekonała się, że Aleksander bacznie jej się przygląda.

– Myślałem, że się ucieszysz.

– Z czego?

– Masz szansę wrócić w chwale.

– Nigdzie nie odeszłam, żeby wracać, Aleks.

– Ty tak twierdzisz – odparł cicho. – Cała reszta…

– Nie obchodzi mnie cała reszta – ucięła, a potem się wyprostowała. – Co wiemy o ofiarach?

Gerc znów się uśmiechnął, jakby tylko czekał na to, aż przejdą do konkretów. W końcu zmienił pozycję, nachylając się w stronę Dominiki.

– Te na zboczach Giewontu to głównie młode kobiety, podobno najstarsza wygląda na trzydziestkę, najmłodsza na dwudziestkę. Poza tym niewiele ustalono. *Causa mortis ignota.*

Był to jeden z niewielu łacińskich terminów, który stanowił dla Wadryś-Hansen zmorę. Pojawiał się w opiniach biegłych po przeprowadzeniu sekcji zwłok, kiedy nie udało się ustalić przyczyny śmierci.

Przypuszczała, że w tym wypadku tak nie będzie i to tylko czcze gadanie Aleksa. Ciała z pewnością były w dobrym stanie, a zanim zaczną gnić, zostaną przetransportowane do prosektorium. Technicy zdążą ustalić wszystko, co istotne.

– Kiedy je znaleziono?

– Parę godzin temu.

– Kto złożył zawiadomienie?

– Pracownik TPN-u, który się na nie napatoczył.

– Co tam robił?

Gerc wzruszył ramionami, ale nie sprawiał wrażenia, jakby chciał wykonać gest niewiedzy – Dominice wydawało się to raczej sugestią, że wszystko, co dotychczas ustalono, należy traktować z rezerwą.

– Podobno sprawdzał oznaczenia szlaków po zimie.

– Podobno?

– Taką informację dostałem od jakiegoś chmyza z zakopiańskiej rejonówki – odparł ciężko Gerc i zgarbił się jeszcze bardziej. – Nie wiem na pewno, ale wydaje mi się, że gówniarz prowadzi swoją pierwszą sprawę.

– W takim razie mu współczuję.

Wprawdzie miał niebawem pozbyć się tego ciężaru, ale wszystko, co do tej pory zobaczył, zostanie z nim na długo. Dominika nieraz przekonała się, jak głęboko w pamięć potrafią się wgryźć makabryczne obrazy.

– Reszty dowiemy się na miejscu – dodał po chwili Gerc.

Wadryś-Hansen spojrzała na zegarek. Nawet gdyby teraz wyjechała, dotrze na miejsce jeszcze na długo przed tym, jak rozpocznie się badanie *post mortem*. Na pierwsze wyniki będzie musiała poczekać jeszcze trochę.

– A ta dziewczyna na placu budowy? – spytała. – Wiadomo coś więcej?

– Oprócz tego, że to prawdziwy burdel, nie. Dopiero co znaleźli trupa.

Dominika puściła to mimo uszu.

– Ale to wszystko tylko wstęp do tej dobrej wiadomości, z którą do ciebie przyszedłem – zastrzegł z zadowoleniem Aleksander.

– Doprawdy?

Pokiwał ochoczo głową.

– Najlepsze jest to, co znaleźli przy jednej z ofiar pod Giewontem.

– To znaczy?

– Koszulę pieprzonego Forsta.

Dominika miała wrażenie, że się przesłyszała. I być może przyjęłaby tę wersję, gdyby nie fakt, że Gerc wyszczerzył się, jakby wygrał los na loterii. Dla nikogo nie było tajemnicą, jak postrzegał Wiktora Forsta. A już szczególnie dla niej. Przez długie miesiące z bliska obserwowała, jak rosła niechęć Aleksa.

Ale czyżby naprawdę odnaleziono przy zwłokach ślad wskazujący na byłego komisarza policji? Wydawało się to niemożliwe.

– Nie wierzysz?

– A powinnam?

– Oczywiście – zapewnił ją Aleksander. – Nie wspominałbym o tym, gdyby to nie była pewna informacja.

Kiedy powiedział jej o czapce, którą Osica miał niegdyś przekazać Wiktorowi, wiedziała już, że nie może być mowy o żadnej pomyłce. Tyle w zupełności wystarczyło, by mieć pewność.

Poczuła nieprzyjemne ciarki na plecach.

Brytyjczycy określali to jako wrażenie, jakby ktoś chodził po twoim grobie. I być może mieli słuszność, uznała w duchu Dominika.

– Sukinsyn wrócił – oznajmił z satysfakcją Gerc. – I w jakiś sposób jest w to zamieszany.

Dopiero teraz zrozumiała, dlaczego od kiedy wszedł do jej gabinetu, używał liczby mnogiej. Pojedziemy, przekonamy się na miejscu, zobaczymy… Najwyraźniej zrobił wszystko, by wraz z nią prowadzić sprawę. I nie ulegało wątpliwości, co nim kierowało.

– Nie wyciągaj zbyt pochopnych wniosków, Aleks.

– Kiedy w grę wchodzi Forst, żadne nie są pochopne.

– Już raz się przejechałeś.

– Ale drugi raz nie zamierzam – odparł poważnym tonem, a potem się podniósł. – Idziemy?

– Za moment.

– Te trupy same się nie obejrzą.

– Idź. Zaraz zejdę.

Dominika poczekała, aż Gerc wyjdzie z pokoju, po czym opuściła głowę i przez moment trwała w zupełnym bezruchu. Potem zrobiła głęboki wdech, starając się uspokoić. Sięgnęła po telefon, przesunęła po nim palcem i wbiła wzrok w wyświetlacz.

Znów zamarła, zastanawiając się.

Po chwili skasowała ostatni SMS od Wiktora Forsta. Moment później usunęła też wszystkie wcześniejsze.

4

To nic odkrywczego, ale pewne rzeczy są uniwersalne. Umysł ludzki działa w określony sposób, dochodzi do takich samych wniosków i każe ludziom zachowywać się podobnie. Przykłady mogłabym mnożyć.

Łuk w tym samym czasie wymyślono w krajach bałtyckich, Chinach, Grecji czy Afryce. Einstein nie był jedynym, który skonstruował teorię względności – równocześnie zrobili to Poincaré, De Pretto i Langevin. Każdy z nich dotarł do tych samych wniosków.

Podobnie było z Darwinem i Wallace'em – obaj, niezależnie od siebie, ukuli tę samą teorię na temat ewolucji. Czasem dochodziło nawet do tego, że na nowe pomysły wpadano w ten sam dzień – jak w przypadku Bella i niejakiego Elishy Graya. Ci dwaj złożyli nawet wniosek patentowy w tym samym momencie i przez pewien czas nie było jasne, kto ostatecznie powinien figurować jako wynalazca telefonu.

Takie zjawisko w historii nasilało się, kiedy potrzeba rzeczywiście stawała się najbardziej troskliwą matką wynalazków. Jak wtedy, gdy wybuchła pandemia choroby Heinego-Medina. W latach pięćdziesiątych trzech naukowców w tym samym czasie opracowało szczepionkę, choć zapewne nawet nie wiedzieli o swoim istnieniu, a co dopiero o prowadzonych badaniach.

Nie dziwiło mnie to. Wszyscy jesteśmy tak samo skonstruowani i dotyczy to także morderców. Może nawet w szczególności właśnie nas. Nasz najczęstszy błąd powtarzany jest przez zbyt wiele osób, by był to przypadek. Sprowadza do tego, że wracamy na miejsce zdarzenia.

W tym względzie nie różnię się od innych. Chciałabym być u stóp Giewontu, obserwować, jak moje dzieło wprowadza innych w konsternację. Chętnie pojawiłabym się też w tłumie, który zebrał się przy Orkana. To tam na placu budowy leżała Edi.

Mimo chęci, potrzeby, zewu – czymkolwiek to jest – postanowiłam, że będę przyglądać się z oddali. Zostałam w domu, włączyłam telewizję i obserwowałam, co dzieje się w Zakopanem.

Wezwali dwójkę doświadczonych prokuratorów z Krakowa. Spodziewałam się, że prędzej czy później do tego dojdzie. Nie sądziłam jednak, że padnie na Wadryś-Hansen.

Jeszcze kilka miesięcy temu wydawało się, że jest na cenzurowanym. Po tym, jak wyszła na jaw sprawa Gjorda Hansena, cała jej kariera stanęła pod znakiem zapytania. Zresztą wystarczyło na nią spojrzeć, by przekonać się, że coś jest z nią nie tak.

Mężczyzna był jeszcze gorszy. Aleksander Gerc sprawiał wrażenie, jakby nie ścigał psychopatów, ale sam był jednym z nich. Dotychczas zasłynął przede wszystkim tym, że uparcie tropił pewnego byłego komisarza. Komisarza, który ostatecznie uniknął odpowiedzialności, mimo że powinien ją ponieść.

Dlaczego przydzielono do sprawy akurat tych dwoje? Nie miałam pojęcia.

Dopiero po czasie dowiedziałam się, że ma to związek z koszulą, którą miała na sobie jedna z dziewczyn.

Wydawało mi się, że jestem gotowa na wszystko. Wielu rzeczy się spodziewałam, ale nie tego.

Zadziwiające, jak losy ludzkie potrafią się plątać.

5

Osica nie czuł się dobrze w swoim nowym gabinecie. Miał wrażenie, jakby był intruzem, w jakiś sposób odpowiedzialnym za to, że za biurkiem komendanta rejonowego nie siedzi już ten sam człowiek, co jeszcze kilka dni temu.

Prawda była jednak taka, że Edmund nie miał z tym nic wspólnego. Jego poprzednik odszedł na emeryturę, dosłużywszy się słusznego stażu i stopnia. Tudzież emerytury. Corocznie państwo przeznaczało na ich wypłaty piętnaście miliardów złotych. Krowa była dojna, wystarczyło wysłużyć odpowiednio wiele lat.

Osica przypuszczał, że sam nie zabawi za tym biurkiem długo. Poczeka jeszcze rok, może dwa, a potem zajmie się czymś innym. Nic nie stało na przeszkodzie, by policyjny emeryt podejmował inną pracę. A w jego przypadku była to konieczność. Inaczej z pewnością by sfiksował.

Choć właściwie mogło się to zdarzyć znacznie wcześniej.

Inspektor potarł nerwowo czoło, słysząc pukanie do drzwi. Zdawał sobie sprawę, że czeka go nie tylko niełatwa rozmowa, ale także długie, żmudne śledztwo, które będzie musiał osobiście nadzorować. Minister spraw wewnętrznych dał mu to dziś wyraźnie do zrozumienia.

– Wejść – rzucił.

Dominika Wadryś-Hansen powoli otworzyła drzwi, a potem posłała mu ciepły, jakkolwiek zdawkowy uśmiech.

Właściwie nie spodziewał się innej reakcji. Podobnie jak nie sądził, że przyprowadzi ze sobą Gerca.

Uścisnęli sobie ręce, a potem dwoje prokuratorów usiadło przed biurkiem.

– Znów tandem? – zapytał Osica, patrząc to na jedno, to na drugie. – Nie lepiej podzielić się obowiązkami? Jedno bierze dziewczyny spod Giewontu, drugie tę z placu budowy? – To jedna sprawa – zauważył Gerc.

– Tak? Skąd ta pewność?

– Z oparów śmierci, które unoszą się nad tym pieprzonym miastem gęściej niż smog.

Edmund niemal zakrztusił się własną śliną. Spojrzał z niedowierzaniem na prokuratora, a potem przeniósł wzrok na Dominikę. Wyglądała, jakby nie słyszała komentarza swojego towarzysza. Ani nie wychwyciła w jego głosie niezdrowego podniecenia.

– Nie ustalono żadnego związku – zaoponował Osica. – Ofiary na szlaku nie mają zresztą żadnych śladów świadczących o zabójstwie.

– Ta znaleziona przy Orkana ma? – spytała Wadryś-Hansen.

– Tak. Uderzenie tępym narzędziem w tył głowy.

– Jakieś konkrety? – mruknął Aleksander. – Szczegóły?

– Szczegółów jest aż nadto.

– To znaczy?

– Na miejscu przestępstwa znaleźliśmy kilkanaście przedmiotów, które mogły zostać użyte do zadania śmiertelnego ciosu – odparł ciężko Edmund. – Oprócz tego to jeden wielki śmietnik.

Dominika powiodła wzrokiem wokół, jakby szukała swoich sentencji łacińskich na ścianach. Właściwie jakby szukała czegokolwiek. Pokój był niemal pusty, Osica nie zdążył go jeszcze zagospodarować.

– Przepytaliście robotników? – zapytała. – Może to oni zostawili śmieci?

Edmund pokręcił głową.

– Nawet się co do tego nie łudzimy – oznajmił. – Ktoś podłożył cały ten syf.

– Mimo wszystko…

– Tak, tak – uciął Osica i machnął ręką. – Przepytaliśmy, kogo trzeba. Twierdzą, że nie znosili tych rzeczy na budowę, a ja jestem gotów im uwierzyć.

– Bo? – bąknął Gerc.

– Bo znaleźliśmy od cholery zgniłych jabłek, bananów i innych owoców, które nie dość, że stworzyły swoją własną florę bakteryjną, to jeszcze zatarły wszystkie ślady osmologiczne.

– I?

– Robotników nie podejrzewam o grupowe przynoszenie owoców do pracy – odbąknął inspektor. – Chyba że wyciąg z szyszek chmielu możemy pod to podciągnąć.

Dominika przyjęła poprawny uśmiech wyłącznie z sympatii. Osicy przemknęło przez głowę, że jest to jedyna osoba w prokuraturze, która odnosi się do niego z życzliwością.

Poznali się całkiem nieźle podczas sprawy Forsta i Bestii. Początkowo się ze sobą ścierali, ale ostatecznie oboje znaleźli się po dobrej stronie. Mimo że przez ostatni rok właściwie się nie kontaktowali, Edmund odniósł wrażenie, że nadal istnieje między nimi nić wzajemnej serdeczności.

Był zadowolony, że to właśnie ją przydzielono do sprawy. Nie mógł powiedzieć tego samego o Gercu.

– Więc co? – rzucił Aleksander. – Ktoś celowo doprowadził do kontaminacji miejsca zdarzenia?

Osica westchnął, a potem sięgnął do samotnej teczki leżącej na biurku. Otworzywszy ją, rozdzielił kopie fotografii między prokuratorów.

– Spójrzcie sami – powiedział, stukając palcem w jedno ze zdjęć przed Dominiką. – Makro jest całkiem niezłe.

Podnieśli na niego wzrok.

– Tak przynajmniej powiedział fotograf – dodał Osica, wzruszając ramionami. – Mnie interesuje tylko to, że na tych zbliżeniach widać, ile tam jest petów, włosów, zużytych chusteczek, papierowych ręczników, a nawet… – Urwał i pokręcił głową. – Zobaczcie sami.

Przez moment przeglądali zdjęcia w milczeniu. Edmund nie miał wątpliwości, że ostatecznie dotrą do takiego samego wniosku jak on. Ta scena została zainscenizowana.

Gerc prychnął, a potem zamknął teczkę.

– Co to ma być? – zapytał. – Wygląda, jakby ktoś splunął nam prosto między oczy.

– Ten jeden raz się z panem zgodzę – odparł Osica.

– I to nie żadną zwyczajną plwociną – ciągnął prokurator. – Ale odcharkniętą z samego dna płuc.

Wyobraźnia Edmunda mimowolnie zadziałała. Wzdrygnął się.

– Mniejsza z porównaniami – powiedział. – Nie ulega wątpliwości, że ktoś zna się na rzeczy. Cały ten bajzel nie znalazł się tam przypadkowo.

Wadryś-Hansen mruknęła w zamyśleniu. Wyglądało na to, że ma zamiar coś powiedzieć, ale gdy dwaj mężczyźni skupili na niej wzrok, tylko pokręciła głową.

Edmund odczekał chwilę. Kiedy prokurator dotarła do ostatniego zdjęcia, a potem zamknęła teczkę, nabrał głęboko tchu.

– Mimo tego całego bogactwa nie znaleźliśmy tam niczego, co łączyłoby to zabójstwo z ciałami spod Giewontu – dodał, po czym przeniósł wzrok na Gerca. – A więc pańska teza o…

– Trzeba być wyjątkowym idiotą, żeby nie łączyć jednego z drugim.

– Idiotą lub śledczym postępującym zgodnie ze sztuką.

– To synonimy – odparował Aleksander. – Dobry śledczy wychodzi poza schemat.

– A jeszcze lepszy się go trzyma.

Dominika znacząco odchrząknęła, ale Gerc nie miał zamiaru odpuszczać.

– To nie przypadek, że w jednym momencie odkryliście truchła na zboczu i na placu budowy.

– Te, jak pan mówi, truchła leżały nieopodal szlaku przez całą zimę. Ofiara w Zakopanem została zabita dziś nad ranem.

– Tak czy inaczej to nieprzypadkowe.

Osica popatrzył błagalnie na Dominikę, ale nie znalazł w jej oczach gotowości do wsparcia go. Niedobrze. Jeśli prokuratura na tym etapie gotowa była przyjąć, że to jedna sprawa, zapewne biuro prasowe już przygotowywało treść oświadczenia na konferencję prasową. Jeszcze dziś w świat pójdzie informacja, że w Zakopanem grasuje seryjny zabójca.

Rok spokoju. Tylko na tyle było stać to miasto.

– To zbyt pochopne – odezwał się. – I właściwie także zastanawiające.

– Zastanawiająca jest pańska rezerwa – odparł Gerc. – Naprawdę chce pan się łudzić, że jedno nie ma związku z drugim?

– Dopóki nie zobaczę dowodu potwierdzającego, że…

Osica urwał, nagle zdając sobie sprawę, dlaczego prokuratura przyjęła taką wersję. To nie był kaprys ani pochopna decyzja. Od rana w Krakowie musiano rozważać, co w istocie się wydarzyło.

Nie, nie w Krakowie. W Warszawie.

I kiedy tylko do ministra dotarły pierwsze informacje z Zakopanego, klamka zapadła.

– Chodzi o Forsta, tak? – zapytał Edmund. – Wasza robocza hipoteza jest taka, że to on za to odpowiada?

Prokuratorzy nie odpowiedzieli, a Osica zaśmiał się pod nosem.

– Niewiarygodne – skwitował. – Po tym wszystkim, co ten człowiek zrobił, nadal bierzecie go za głównego podejrzanego, kiedy tylko…

– Jego koszula i czapka były przy zwłokach – przerwał mu Aleks.

– Tak, wiem. Byłem tam, do cholery.

– Więc rozumie pan, że to podejrzane.

– Równie podejrzane jak to, że Księżyc kręci się wokół Ziemi. Bo przecież ktoś może nim sterować, prawda? – odpowiedział Osica. – To zbliżony rodzaj absurdu.

Oskarżyciele po raz kolejny zamilkli. Komendant pomyślał, że po Gercu właściwie powinien spodziewać się takich pomysłów. Mając na uwadze jego zatargi z Wiktorem, być może należało nawet oczekiwać gorszych.

Ale Wadryś-Hansen? Ona powinna być głosem rozsądku.

Na moment zawiesił na niej wzrok, jakby w ten sposób mógł sprawić, że prokurator stanie po jego stronie. Nie doczekawszy się żadnej reakcji, Edmund przeniósł spojrzenie na Gerca.

– Co chorego pan sobie wykoncypował? – zapytał. – Że Forst stał się osobą, którą kiedyś ścigał? Że przetrzymywał te kobiety w swojej piwnicy, zabił je, a potem przeniósł ciała w góry i ułożył jedno obok drugiego pod Giewontem?

Aleksander spojrzał na niego z wyraźnym politowaniem.

– Mówiłem już, że po Forście można spodziewać się wszystkiego. Jego psychika…

– Gówno pan wiesz o jego psychice.

– Na szczęście. Jak każdemu normalnemu człowiekowi trudno mi wniknąć w głowę psychopaty. Pan jednak najwyraźniej nie ma z tym problemów.

Osica wstał i oparł się o biurko. Zanim jednak zdążył powiedzieć o kilka słów za dużo, poderwała się także Dominika. Uniosła otwarte dłonie i właściwie tyle wystarczyło, by Edmund się zmitygował.

Niemądrze było robić sobie wrogów w prokuraturze okręgowej. Szczególnie jeśli już wcześniej miało się na pieńku z niektórymi oskarżycielami.

– Spokojnie, panowie – odezwała się Wadryś-Hansen. – Minister chce, żebyśmy działali razem, więc…

– Razem?

– Zostanie powołana grupa śledcza.

– Świetnie – odburknął Edmund. – Będziemy spędzać długie godziny na dyskusjach, zamiast działać.

Gerc podniósł się i posłał komendantowi zdawkowy uśmiech.

– Nikt nie ma zamiaru dyskutować – powiedział. – I pan również nie powinien.

– To będzie trudne, bo mam nawyk dyskutowania, ilekroć słyszę brednie.

– Panie inspektorze… – zaapelowała Dominika.

Błagalny ton głosu współgrał z niewypowiedzianą prośbą o wyrozumiałość, którą dostrzegł w jej oczach. Przez moment cała trójka stała w milczeniu, jakby nie było do końca przesądzone, co zaraz się wydarzy.

Osica podjął już jednak decyzję. Wyszedł z założenia, że najlepiej będzie przynajmniej przez jakiś czas tańczyć tak, jak mu grali. Nawet jeśli melodia przywodziła na myśl bolesną kakofonię dźwięków.

– Bierzmy się do roboty – rzucił w końcu. – Im szybciej zaczniemy, tym prędzej odrzucimy tę kretyńską tezę na temat Forsta.

Prokuratorzy najwyraźniej również nie mieli zamiaru tracić czasu. Chwilę później we troje siedzieli już w służbowym volkswagenie Gerca. Czarna limuzyna robiła imponujące wrażenie, przynajmniej biorąc pod uwagę to, jak prezentowało się stare mondeo Osicy.

Edmund doskonale wiedział, od czego zaczną.

– Ma pan klucze? – odezwał się Aleksander.

– Do szczęścia? Nie. Ale podobno Duńczycy je mają. Nazywają je *hygge*.

Wymówił to jako „huuge", nie do końca pewien, czy dobrze. Poniewczasie uświadomił sobie, że biorąc pod uwagę przeszłość Wadryś-Hansen, uwaga była nie na miejscu. Kiedy jednak spojrzał na prokurator, przekonał się, że ta zupełnie ją zignorowała.

– Do mieszkania Forsta – rzucił Gerc.

– Mhm.

– To pomruk potwierdzający czy zwykły wyraz pana zgryzoty?

Edmund uznał, że w tym wypadku milczenie będzie wystarczającą odpowiedzią. Poprowadził Aleksandra do swojego domu, a potem na moment zostawił prokuratorów samych. Wszedł do środka i odsunął jedną z szuflad w przedpokoju. Zważył w dłoni klucze do mieszkania Forsta.

Były podkomendny zostawił mu je, zanim wsiadł do pociągu Intercity do Szczecina. Zaznaczył, że Edmund właściwie nie ma po co zaglądać do mieszkania przy Piaseckiego. Forst nie miał żadnych zwierząt, próżno było szukać u niego choćby pojedynczej rośliny, którą trzeba by podlać.

Osica nie wchodził tam od roku. I mimo że jeszcze przed momentem był przekonany, że wizyta w mieszkaniu to najlepsze, co może zrobić, by jak najszybciej oczyścić Wiktora, teraz opadły go wątpliwości.

Odsunął je na bok, uznawszy, że są irracjonalne. Forsta nie było w Zakopanem od dwunastu miesięcy. Mieszkanie stało puste.

Powtarzał to sobie aż do momentu, gdy otworzył drzwi. Potem nie było już sensu dalej się okłamywać.

Wszystkie meble z dużego pokoju ktoś przemieścił na korytarz, a samo puste pomieszczenie okleił zapisanymi żółtymi karteczkami. Takimi samymi, jakie Forst zostawiał na swoim biurku w komendzie, gdy prowadził śledztwo.

6

Wiktor Forst nie odrywał wzroku od rozkładu lotów. W pewnym sensie stanowił odzwierciedlenie jego życia – destynacji było mnóstwo, ale wybór jedynie pozorny. Tak naprawdę były komisarz mógł wsiąść na pokład tylko jednego samolotu.

Boeing 737-800 linii Ryanair miał wylądować na lotnisku w Alicante po trzech godzinach i czterdziestu pięciu minutach lotu. Wiktor miał znajdować się na pokładzie.

Gdyby cokolwiek od niego zależało, być może obróciłby się na pięcie i opuścił lotnisko. A może kupiłby inny bilet i udał się w zupełnie inne miejsce. Gdzieś, gdzie mógłby się zgubić, uciec przed samym sobą.

Los jednak pozbawił go wyboru.

Nie, nie los. Zrobił to on sam, podejmując się tego, nad czym pracował od dawna. Wrócił do Zakopanego, przez długie miesiące nie ustawał w wysiłkach, aż w końcu udało mu się ustalić wszystko, czego potrzebował.

Pracował w mieszkaniu przy Piaseckiego, szczelnie pokrywając ściany samoprzylepnymi żółtymi karteczkami. Miał ich w nadmiarze, kiedyś właściwie bez nich nie zaczynał śledztwa.

Tyle że kiedyś miał do dyspozycji administracyjne zaplecze i legitymację służbową, nie wspominając już o policyjnym glocku, którego nosił w kaburze. Teraz był zdany wyłącznie na siebie i na to, co mógł pozyskać nielegalnie.

Forst zdał bagaż, przeszedł przez kontrolę bezpieczeństwa, a potem wypił kawę w jednej z lotniskowych kawiarni. Obserwował powoli formującą się kolejkę przed bramkami. Sam miał bilet z pierwszeństwem wejścia na pokład. Nie uśmiechało mu się czekać w grupie ludzi, którzy z nudów zapewne prędzej czy później wciągnęliby samotnego podróżującego w niezobowiązującą rozmowę.

Wsiadł do samolotu z duszą na ramieniu. Miał wrażenie, że w ostatniej chwili pojawi się ktoś, kto go zatrzyma. Po chwili jednak boeing oderwał się od płyty lotniska, a Wiktor odetchnął.

Zdawał sobie sprawę, że nie czeka go nic dobrego, mimo to poczuł pewną ulgę, kiedy maszyna wzbiła się w powietrze. Być może dlatego, że z każdą upływającą sekundą oddalał się o kolejne dwieście metrów od miejsca, w którym tak naprawdę nie chciał być.

Może właśnie z tego powodu opuszczał Polskę. Może wcale nie chodziło o odnalezienie człowieka, którego starał się namierzyć przez ostatnie miesiące. Może wszystko wynikało z tego, że próbował znaleźć sobie miejsce na Pomorzu, ale wszelkie próby okazały się daremne.

Nie miało znaczenia, gdzie się znajdował. Nieustannie myślał o tym wszystkim, z czego odarła go Bestia z Giewontu. I o tym, że stał się jedynie strzępem człowieka, którym niegdyś był.

Gdy boeing podchodził do lądowania w Alicante, Forst był już przekonany, że zmiana miejsca nie ma żadnego znaczenia. Czuł się jeszcze gorzej – i nie wynikało to z tego, że źle znosił świadomość braku kontroli podczas podróży samolotem.

Opuścił halę przylotów, ciągnąc za sobą niewielką torbę podróżną. Mieściła się w niej właściwie cała jego garderoba.

W Zakopanem zostawił rzeczy, których tak naprawdę nie potrzebował i z którymi mógł się pożegnać bez zastanowienia.

Temperatura była wysoka, koszula szybko zaczęła kleić mu się do pleców. W powietrzu unosił się charakterystyczny zapach soli, cała okolica słynęła bowiem z jej przepastnych złóż, masowo wydobywanych ze słonych jezior.

Forst rozejrzał się, a potem skierował w stronę przystanku autobusowego. Na odjazd nie musiał czekać długo, bus kursował osiem razy dziennie. Wiktor miał akurat tyle czasu, by spokojnie wypalić czerwonego westa.

Pojechał w kierunku Torrevieja i po niecałej godzinie był na miejscu, bogatszy o widok bezkresnych słonych jezior i uboższy o siedem euro. Wysiadł na dworcu przy calle Antonio Machado, wyszedł na ulicę i się rozejrzał. Od razu skierował się do sklepu z dużym, sugestywnym napisem „tobaccos".

Forst zerknął na zegarek. Człowiek, z którym był umówiony, miał na niego czekać za godzinę w jednej z restauracji przy plaży. Wiktor otarł pot z czoła, a potem podniósł głowę i poszukał wzrokiem chmur na lazurowym niebie. Bezskutecznie.

Nie czuł się tutaj dobrze, ale właściwie nie spodziewał się niczego innego. Nie należał do osób, na które promienie słoneczne działały pozytywnie.

Poszedł w kierunku morza, a chwilę później odnalazł restaurację, w której miał się spotkać ze swoim kontaktem. Zajął miejsce w innej, znajdującej się obok. Miał zamiar najpierw dokładnie przyjrzeć się rozmówcy, a dopiero potem do niego podejść.

Tyle że sam zapewne zostanie wcześniej wypatrzony. Jako jeden z nielicznych miał skórę bladą jak trup. Wszyscy inni klienci mogli pochwalić się albo brązową opalenizną, albo czerwoną spalenizną.

Westchnął i zamówił kawę. Dostał espresso, co bynajmniej go nie urządzało. Zanotował sobie w pamięci, by następnym razem poprosić o americano. Z jakiegoś powodu tak nazywano w podobnych miejscach dużą czarną kawę, podczas gdy w Stanach określano ją jako italiano.

Przepychanka kultur, skwitował w duchu, po czym jednym łykiem opróżnił filiżaneczkę, nie fatygując się, by wcześniej przepłukać usta podaną mu wodą.

Wciągnął powietrze nosem, wciąż nie mogąc przywyknąć do zapachu soli. Miał wrażenie, że od niej oraz żaru lejącego się z nieba spuchło mu całe ciało, a przede wszystkim dłonie.

Po chwili zmienił miejsce, uznając, że pod ścianą będzie mniej widoczny. Tym razem zamówił kawę słusznych rozmiarów. Zdążył zjeść niewielką tradycyjną paellę, zanim pojawił się mężczyzna, na którego czekał.

Nie znali się, nie wiedzieli, jak wyglądają, nigdy nawet ze sobą nie rozmawiali. Jedyne wiadomości przekazywali sobie za pośrednictwem Telegramu, rosyjskiej aplikacji, która umożliwiała nie tylko wymianę zdjęć, filmów i tekstu, ale także szyfrowanych treści.

Platforma była dostępna na każdym smartfonie i komputerze. Miesięcznie korzystało z niej przeszło sto milionów użytkowników, wymieniając między sobą ponad piętnaście miliardów wiadomości.

W przeciwieństwie do Facebooka, Twittera czy Instagrama kontrola rosyjskiej aplikacji była znikoma. Nie bez powodu korzystali z niej wszyscy ci, którzy mieli coś do ukrycia.

O ile amerykańskie twory można było z czystym sumieniem nazywać portalami społecznościowymi, o tyle do opisu tego należałoby raczej użyć określenia „antyspołecznościowy".

Forst i jego kontakt ustalili miejsce spotkania, używając secret chatu, szyfrowanego połączenia, które gwarantowało, że wiadomości znajdują się jedynie w skrzynkach odbiorczej i nadawczej stron, które je nawiązywały. Telegram oferował nie tylko możliwość skasowania wszelkich śladów, ale nawet opcję samozniszczenia treści po zakończeniu secret chatu.

Wiktor spojrzał w stronę pustego zarezerwowanego stolika na uboczu. To tam miał czekać na rozmówcę.

Do umówionej pory został jeszcze kwadrans, ale mężczyzna zjawił się przed czasem. Był mocno opalony, ale wschodnioeuropejskie rysy twarzy nie pozostawiały wątpliwości, że nie urodził się w Hiszpanii.

Forst przyglądał mu się przez chwilę. Rozmówca zamówił espresso, wysączył je trzema łykami, a potem rozłożył gazetę. Po chwili poprosił o niewielki talerz owoców morza i zaczął przegryzać je jakby nigdy nic.

Wiktor odczekał jeszcze trochę, obserwując okolicę. Nie wyglądało na to, żeby ktokolwiek się na niego czaił. Nie wypatrzył też nikogo, kto mógłby pilnować mężczyzny przegryzającego krewetki.

W końcu Forst uregulował rachunek i przeszedł do restauracji obok. Zbliżył się do stolika i spojrzał z góry na młodego mężczyznę. Ten uśmiechnął się szeroko, jakby wreszcie doczekał się dobrego znajomego.

Podniósł się, wymienił serdeczny uścisk z Wiktorem i poklepał go po plecach. Obaj usiedli naprzeciwko siebie.

– Rób dobre wrażenie – rzucił po angielsku rozmówca.

Forst znał go jako Artioma, ale nie przypuszczał, by było to jego prawdziwe imię.

– Robię – odparł były komisarz.

– Niespecjalnie. Wyglądasz, jakbyś widział mnie pierwszy raz w życiu.

– Bo tak jest.

– Ale nikt nie powinien o tym wiedzieć.

Kiedy podszedł od nich kelner, Wiktor poczekał, aż rozmówca złoży zamówienie. Artiom z uśmiechem polecił mu jakieś danie, Forst nie oponował. Przynajmniej na moment przyjął maskę, której oczekiwał Rosjanin.

Pracownik restauracji przyjął zamówienie, skinął głową i się oddalił.

– Postaraj się bardziej – rzucił Artiom.

Kategoryczny, wręcz agresywny ton głosu nie współgrał z nieznikającym uśmiechem. Forst pomyślał, że jeśli ten człowiek rzeczywiście miał się czego obawiać i ktoś im się przyglądał, to ta szopka z pewnością by go nie przekonała.

– Słyszałeś, co powiedziałem?

– Tak.

– A jednak nie odpowiadasz.

Wiktor skwitował to milczeniem.

– Nie jesteś zbyt rozmowny – zauważył Artiom.

Forst skinął głową.

– To może być pewien problem.

– Nie sądzę.

– A jednak lepiej by było, gdybyś był trochę bardziej wygadany.

– Lepiej? – spytał Wiktor. – Byłem przekonany, że to nie ma żadnego znaczenia.

– Ostatecznie nie – przyznał Rosjanin, rozglądając się. Robił to spokojnie, jakby leniwie. Przywodził na myśl turystę, który niemal machinalnie przypatruje się kuso odzianym kobietom. – W tej chwili jednak wolałbym, żeby wyglądało, że się znamy.

Forst również powiódł wzrokiem po ulicy.

– Ktoś cię obserwuje? – zapytał.

– Nie. Ale ciebie może.

Były komisarz cicho prychnął.

– Nie masz się czego obawiać – zapewnił. – W przeciwieństwie do ciebie nie figuruję na żadnej liście nazwisk, które przykuwają zainteresowanie służb. Przyleciałem z kraju, który z Hiszpanią łączy układ z Schengen. Prosto z lotniska przyjechałem tutaj.

– Nie szkodzi. Ostrożności nigdy za wiele, szczególnie w mojej branży.

Forst popatrzył na niego z powątpiewaniem. Nie spodziewał się problemów, zdając sobie sprawę z dwóch rzeczy. Po pierwsze, kontrola przylatujących do Alicante z innych krajów Unii Europejskiej w pewnej mierze była iluzoryczna. Po drugie, tajemnicą poliszynela było, że hiszpańskie władze tolerowały wiele rzeczy, które robili tutaj Rosjanie.

Ogromne inwestycje turystyczne w regionie były finansowane z rubli – wprawdzie wypranych, ale pierwotnie brudnych. Szemrani rosyjscy biznesmeni byli właścicielami wielu kurortów, nie wspominając już o tym, że w najmniej ciekawych dzielnicach tutejszych miast słychać było głównie śpiewny wschodni akcent.

Oficjalnie to fundusze unijne spowodowały dynamiczny, imponujący rozwój tej części Hiszpanii. Wiktor nie miał jednak wątpliwości, że tak naprawdę w większej mierze przyczyniły się do tego przepływy finansowe spoza Unii.

Tacy jak Artiom nie mieli się czego obawiać. Przynajmniej dopóki nie przekraczali pewnej granicy.

– Kiedy mogę zacząć? – odezwał się Forst.

– Jak tylko potwierdzę, że się nadajesz.

Wiktor obojętnie pokiwał głową. Przez moment trwali w milczeniu, rozmówca ewidentnie oczekiwał jakichś zapewnień, że Forst jest odpowiednim kandydatem na stanowisko, o które się ubiegał. Były komisarz jednak nie miał zamiaru ich składać.

Kelner podał im jedzenie, a Wiktor otworzył paczkę niedawno nabytych papierosów.

– Miałeś czas kupić fajki, ale chodzisz w... tym? – spytał Artiom, wskazując na czerwono-czarną koszulę.

– Tylko takie noszę.

– Nosiłeś. Teraz to się musi zmienić.

Mógł dyskutować, ale czy był sens?

– Kupisz coś nierzucającego się w oczy, coś przewiewnego. Do kurwy nędzy, tutaj jest prawie trzydzieści stopni, nikt nie chodzi we flanelach.

Po prawdzie on też ubrałby coś innego, gdyby tylko wiedział, że trafi do Torrevieja w tym samym czasie co afrykański front znad Algierii. Przygotowywał się do wyjazdu, robił research – ale wynikało z niego, że powinien spodziewać się temperatur nieznacznie przekraczających dwadzieścia stopni.

Tymczasem trafił do istnego piekła.

Miał nadzieję, że określenie to będzie odnosił wyłącznie do temperatury.

– Przy obwodnicy jest *centro commercial*, znajdziesz tam wszystkie sklepy.

– Mhm.

– Ale na razie pójdziesz do niewielkiego lokalu, gdzie zaopatrują się miejscowi. – Rozmówca wskazał wąską uliczkę odchodzącą od nadmorskiej promenady. – Prosto, aż do skrzyżowania z calle Caballero de Rodas, potem w lewo. Po minięciu czterech przecznic będziesz na miejscu. Sklep jest wciśnięty między kafejki, nazywa się El Metro.

– Nie możesz mnie tam zaprowadzić?

– Nie. Dam ci wszystko, czego potrzebujesz, a potem będziesz radził sobie sam.

– Myślałem, że...

– Jestem tylko od powitań.

Forst skinął głową. Nie miał zamiaru pytać o więcej, uświadomił sobie bowiem, że ma do czynienia wyłącznie z pośrednikiem. Typowym zderzakiem, który oprócz werbowania nowych ludzi miał niewiele więcej zadań.

– Potwierdzam, że jesteś tym, za kogo się podajesz, przedstawiam ogólne zasady, daję pakiet na start – ciągnął Artiom. – Na tym moja rola się kończy.

– Gdzie ten pakiet?

Rosjanin uniósł brwi.

– Powinieneś raczej zainteresować się tą drugą rzeczą, o której wspomniałem.

– Nie jestem dobry w przestrzeganiu zasad.

– Więc musisz się sporo nauczyć.

– W tym też nie radzę sobie najlepiej.

Artiom popatrzył na niego z niedowierzaniem. Najwyraźniej nie był przyzwyczajony do tego, że potencjalni kandydaci traktują te sprawy lekko. Tyle że w przypadku Forsta nie powinien spodziewać się nadmiernej powagi i przejęcia sytuacją. Z pewnością skrupulatnie go prześwietlili, a Wiktor zadbał o to, by jawić się jako człowiek bezkompromisowy i gotowy na wszystko. Właściwie na użytek tej sprawy stworzył zupełnie nową wersję siebie.

A przynajmniej chciał tak myśleć.

– Słuchaj… – zaczął Artiom. – Albo będziesz robił, co trzeba, albo to się skończy szybciej, niż sądzisz.

– W jaki sposób?

– Co?

– W jaki sposób się skończy?

Rosjanin się rozejrzał.

– Bo jeśli to ma być groźba, musisz być bardziej precyzyjny.

Artiom przez moment milczał, marszcząc czoło. Potem nagle się rozchmurzył, jakby przypomniał sobie, że dla postronnych nie powinien sprawiać wrażenia, że coś jest nie w porządku.

– To była tylko dobra rada.

– Rozumiem.

– Świetnie. I musisz zrozumieć ich jeszcze kilka, zanim przekażę ci przesyłkę.

Forst potwierdził zdawkowym ruchem głowy. Przesyłką niewątpliwie był niewielki plecak oparty o nogę stołu. Najpewniej znajdowało się w nim wszystko, czego potrzebował, by rozpocząć nowe życie w Torrevieja.

– Samochód czeka na ciebie przy Plaza de la Constitución. Po jednej stronie jest kościół, po drugiej parking – oznajmił Rosjanin. – To pierwsze auto za pasami, stoi tuż pod Mäklarringen.

– Pod czym?

– Pod szwedzką agencją nieruchomości. Nieistotne.

– Jaki to samochód?

– Opel astra.

Forst nie skomentował.

– Zanim wsiądziesz, musisz pozbyć się komórki. Wyrzucisz ją do kubła na skrzyżowaniu Gallud i Chapaprieta.

Mężczyzna urwał i zmierzył wzrokiem Polaka.

– To istotne. Zrozumiałeś?

– Tak.

– Cel podróży masz już wprowadzony do nawigacji – ciągnął Artiom. – Czekają cię trzy postoje. Nie możesz pominąć żadnego.

Rozmówca urwał, czekając na potwierdzenie.

– Rozumiem.

– Na każdym masz sprawdzić, czy nikt za tobą nie jedzie – dodał Rosjanin. – Na miejsce powinieneś dotrzeć po godzinie od momentu uruchomienia odbiornika GPS. Jeśli zajmie ci to więcej czasu, nie zostaniesz wpuszczony na teren rezydencji.

Artiom kontynuował jeszcze przed chwilę, rozwodząc się nad środkami bezpieczeństwa, o które miał zadbać Wiktor. Były komisarz raz po raz kiwał głową i pozorował najwyższą uwagę. W rzeczywistości jednak nie przywiązywał wielkiej wagi do słów rozmówcy. Już na Okęciu sprawdzał, czy nie ma ogona. Nie żeby się tego spodziewał, wynikało to raczej z przyzwyczajenia.

Kilka minut zajęło Artiomowi wyłuszczenie wszystkiego, co uznał za istotne. Pożegnali się jak dwaj starzy znajomi, Forst zabrał plecak, a potem ruszył w kierunku sklepu z odzieżą. Trafił bez problemu, a za euro znalezione w jednej z kieszeni plecaka kupił jasną, przewiewną koszulę.

Nie czuł się w niej dobrze.

Uczucie spotęgowało się, gdy zajął miejsce za kierownicą astry. Nie chciał myśleć o ostatnim razie, kiedy siedział w tym modelu opla. Silnik zaskoczył za drugim razem i niepokojąco zarzęził.

Bak był pełny, mimo to Wiktor zatrzymał się na stacji benzynowej w centrum, potem pod fast foodem na obwodnicy i ostatecznie na parkingu Lidla w Orihuela Beach. Przeciął miejscowość, przejechał nad autostradą łączącą największe miasta Murcji i wjechał do Villamartín.

To tutaj znajdował się cel podróży. Z zewnątrz ogrodzony teren przywodził na myśl enklawę zieleni na pustyni. W rzeczywistości jednak tutejsza oaza była ekskluzywnym klubem golfowym, w którym bawili najbogatsi.

Forst stanął przed główną bramą i poczekał, aż podejdzie do niego ochroniarz. Mężczyzna przez chwilę przyglądał się samochodowi, a potem kierowcy.

– Pan Robert Krieger?

Wiktor skinął głową.

7

Dźwięk przychodzącej wiadomości podziałał na Dominikę jak sól sypnięta prosto do otwartej rany. Natychmiast sięgnęła po telefon, mając nadzieję, że Osica ani Gerc nie zauważyli jej nerwowości.

Zerknęła na wyświetlacz.

Nadawcą SMS-a był Forst, tak jak się spodziewała.

– Coś nie tak? – odezwał się Aleks.

– Nie.

Osica wyglądał, jakby nie usłyszał dźwięku. Właściwie sprawiał wrażenie, jakby zapomniał, że nie jest sam w mieszkaniu. Całą uwagę skupiał na kartkach przyklejonych do ścian.

Chodził od jednej do drugiej, tocząc wzrokiem po żółtych notatkach. Większość została zamazana, ale niektóre dało się odczytać.

– Oferta kredytu? – spytał Gerc.

Wadryś-Hansen dopiero teraz uświadomiła sobie, że Aleksander patrzy na jej telefon. Czym prędzej uniosła go lekko, by nie mógł dojrzeć ekranu. Skasowała SMS od Wiktora, nie zastanawiając się ani chwili.

– Nie – powiedziała. – Sprawa osobista.

– To znaczy?

Jego zainteresowanie ją zaniepokoiło, ale szybko powiedziała sobie w duchu, że nie ma się czym przejmować. Aleks

nie ma pojęcia, że od miesięcy utrzymywała kontakt z Forstem. Nie mógł niczego podejrzewać.

– Powiedzmy, że w pakiecie z opiekunką mam wykupione
aktualizacje sytuacji – odparła.

– Coś nie tak z dzieciakami?

– Nie, wszystko w porządku.

– I to ci napisała opiekunka?

Wlepiła wzrok w Gerca. Dlaczego nie odpuszczał? Powodowała to jego zwyczajowa upierdliwość czy coś więcej?
Biorąc pod uwagę, że wokół było aż nadto rzeczy, na których powinien się teraz skupić, należało uznać, że raczej to
drugie.

Nie, przesadzała. Aleks był specyficznym człowiekiem,
nie powinna wyciągać z jego zachowania zbyt pochopnych
wniosków.

Zignorowała go i podeszła do Osicy. Edmund marszczył
czoło, przyglądając się jednej z kartek, która była najmocniej
zamazana. Forst musiał użyć grubego czarnego markera. Nie
sposób było niczego odczytać z tego fragmentu układanki.

Dopiero moment później Osica zorientował się, że prokurator stanęła obok. Popatrzył na nią, jakby potrzebował
chwili, by ją poznać.

– Co to jest, na litość boską? – spytał, prostując się. Rozłożył ręce, a potem rozejrzał się bezradnie. – Co on tu robił?

– Planował zabójstwa – odezwał się Gerc.

Wadryś-Hansen uznała, że nie ma sensu odpowiadać. Nawet ktoś nastawiony do Forsta tak negatywnie jak Aleks nie
mógł sądzić, że tym w istocie są wszystkie te notatki. Dominika powiodła po nich wzrokiem.

Nie miała pojęcia, co mogą oznaczać. Najwyraźniej były
rzeczy, które Forst przed nią ukrywał. I być może nie powinno jej to dziwić.

Osica wyciągnął paczkę papierosów, ale nie zdążył jej nawet otworzyć.

– Panie komendancie… – zaapelowała Dominika.

Popatrzył na nią, na papierosy, a potem zrozumiał, skąd błagalny ton. Przez moment trwał w bezruchu.

– Nie jesteśmy na miejscu przestępstwa – zauważył. – Dym nie doprowadzi do kontaminacji żadnego potencjalnego materiału dowodowego.

Wadryś-Hansen zbliżyła się o krok. Przyjrzała się kilku samoprzylepnym kartkom.

– Na razie nie wiemy, co to wszystko znaczy – odezwała się.

– Na pewno nie sugeruje jego winy.

– Jest pan pewien?

– Owszem – zarzekł się Edmund, również się do niej zbliżając.

Oboje sprawiali wrażenie, jakby wprawdzie niechętnie, ale nieuchronnie zmierzali do konfrontacji. Gerc tymczasem stał obok, przyglądając się kolejnym notatkom. Najwyraźniej uznał, że nie musi wdawać się z oficerem policji w żadne dyskusje.

– Dopóki tego wszystkiego nie przeanalizujemy, musimy dopuścić każdy scenariusz – powiedziała Wadryś-Hansen.

– Nie każdy. Możemy wykluczyć te, które kiedyś sprawiły, że urządziliście polowanie na czarownice.

Aleks posłał mu powątpiewające, przelotne spojrzenie.

– Czy może raczej powinienem użyć liczby pojedynczej. Czarownicę.

– Nikt nie…

– Naprawdę się niczego nie nauczyliście?

– Nikt nie stawia Forstowi żadnych formalnych zarzutów, panie inspektorze.

Osica skwitował to wymownym milczeniem. Patrzyli na siebie przez moment w ciszy, którą ostatecznie przerwał Aleksander. Prokurator kaszlnął znacząco, po czym wymierzył palcem w jedną z żółtych kartek, jakby to jej zamierzał postawić zarzuty.

– Co pan znalazł? – mruknął Edmund.

– Same strzępki – odparł Gerc, wskazując na pozostałe notatki. – Wygląda to, jakby chciał coś ukryć.

– Niekoniecznie.

– Zamazał wszystko, by zatrzeć ślady – upierał się Aleksander. – Inna możliwość jest taka, że zrobił to w amoku.

Dominika musiała przyznać, że druga ewentualność przemawiała do niej bardziej. Pusty pokój ze ścianami oklejonymi na żółto przywodził na myśl miejsce, w którym na co dzień przebywał szaleniec. A gdy dodać do tego chaotycznie pokreślone, pomazane kawałki papieru, wyłaniał się z tego doprawdy niepokojący obraz.

Aleksander postukał w jeden z jego elementów.

– Z tego można rozczytać najwięcej.

Osica i Wadryś-Hansen podeszli do prokuratora.

– Ert eger – odczytał Edmund, a potem spojrzał na Dominikę. – Co to znaczy? Imię? Nazwisko?

– Może.

– Jeśli tak, to imię brzmi Robert – odezwał się Aleks. – Przy nazwisku też zdaje się brakować dwóch, góra trzech liter.

Dominika przyjrzała się grubej czarnej kresce, która przesłaniała część słowa. Gerc mógł mieć rację. Podeszła jeszcze bliżej, ale nie liczyła na to, że uda jej się dostrzec coś więcej. Przypuszczała, że nawet technikom ta sztuka się nie powiedzie. Forst użył grubego niezmywalnego markera, a wcześniej z pewnością zadbał o to, by pisać czymś odpowiednio miękkim, niepozostawiającym śladów mechanoskopijnych.

Znał się na rzeczy. I musiał wiedzieć, że prędzej czy później ktoś wejdzie do jego mieszkania.

Wadryś-Hansen oderwała wzrok od kartek i powiodła wzrokiem dokoła. Od kiedy stało puste? Biorąc pod uwagę stęchliznę i złogi kurzu, należało uznać, że Wiktora nie było tutaj od dobrych kilku miesięcy, być może pół roku.

Współgrało to ze wszystkim, co wiedziała.

– Naprawdę nie rozumiem – bąknął Osica.

Popatrzyła na niego z niewypowiedzianym pytaniem w oczach.

– Tego wszystkiego – dodał, rozkładając ręce. – Co to ma znaczyć? Prowadził jakieś samozwańcze dochodzenie? Starał się coś lub kogoś namierzyć? Układał jakiś scenariusz?

Gerc nie odzywał się, ale nie musiał. Oboje wiedzieli, że z jego punktu widzenia właśnie ta ostatnia koncepcja była właściwa.

– Trzeba będzie to wszystko odtworzyć – zauważył.

– O ile to możliwe – zastrzegł Osica.

– Musi być. Jeśli trzeba, zamknę tu grupę techników i nie wypuszczę, dopóki nie poskładają tego w logiczną całość.

Dominika przypuszczała, że w takim układzie pechowcy siedzieliby tu nad wyraz długo. Notatki Forsta sprawiały chaotyczne wrażenie. Na dobrą sprawę mogłaby to powiedzieć, nawet gdyby Wiktor nie pozacierał informacji.

Osica przechadzał się od jednej ściany do drugiej, kręcąc głową i mrucząc coś pod nosem. Raz po raz bezradnie rozkładał ręce.

– Czego on szukał, do jasnej cholery? – burknął.

Aleksander stanął mu na drodze.

– Sposobu na to, jak zamordować te kobiety.

– Absurd.

– Doprawdy? – odparł prokurator. – Więc ten *timing* to tylko przypadek?

– Jaki znowu *timing*...

– W jednym czasie odnajdujemy trupy w dwóch różnych miejscach, jedyny trop prowadzi do Forsta, a w dodatku okazuje się, że ten wrócił do Zakopanego po tym, jak rzekomo na dobre znikł.

Edmund syknął z dezaprobatą.

– Nie miał obowiązku meldować nikomu, gdzie przebywa.

– Ani tłumaczyć się z tego? – spytał Gerc, rozglądając się. – Nie, nie miał obowiązku. Ale to się zmieni, kiedy tylko zaczniemy odkrywać więcej.

Osica przez moment wyglądał, jakby miał zamiar przyłożyć rozmówcy. Zamiast tego nabrał jednak głęboko tchu, wyraźnie szukając sposobu, by się uspokoić.

– Powtórzę po raz ostatni – podjął. – Nic nie wskazuje na to, żeby miał coś wspólnego z ofiarą na placu budowy.

– Nic oprócz celowej kontaminacji miejsca przestępstwa.

– Nie on jeden ma wystarczającą wiedzę.

– Ale on jeden pojawia się w tej sprawie.

Dominika odchrząknęła i gniewnie ściągnęła brwi, czekając, aż kłócący się mężczyźni skierują na nią wzrok. Żaden z nich nie miał jednak zamiaru tego robić. Przeciwnie, patrzyli sobie w oczy, wzajemnie wyzywając się do konfrontacji.

– Dosyć tego – powiedziała. – Na gdybanie będzie czas, kiedy zbierze się grupa śledcza.

– Nie ma sensu jej powoływać – odparł Osica. – Lepiej od razu skompletować członków sądu kapturowego.

– Panie inspektorze...

– Skończmy z tymi bzdurami i od razu wydajcie wyrok skazujący. Szkoda czasu na śledztwo.

– Ma pan rację – zauważył Gerc. – Oczywiste nie wymaga dowodów.

Tym razem Dominika miała ochotę zaapelować do swojego towarzysza. Ostatecznie uznała jednak, że robiłaby to na przemian względem niego i Osicy. Westchnęła, dochodząc do wniosku, że pora działać.

Podeszła do Gerca, wzięła go za rękę i skonsternowanego poprowadziła do korytarza.

– Co ty...

– Zamknij się na moment, Aleks.

Uniósł brwi ze zdziwieniem.

– I zostaw mnie z nim samą.

Zatrzymał się w półkroku.

– Nie ma mowy – zaoponował. – Stary milicyjny sukinsyn zaraz zacznie zacierać ślady.

– Niczego takiego nie zrobi.

– Nie? Wiesz dobrze, że krył już Forsta. A oprócz tego ukształtowały go zasady PRL-u, czy raczej ich brak. Nie pozwolę, żeby...

– Zaufaj mi.

Zanim zdążył odpowiedzieć, pociągnęła za klamkę, a potem wskazała wzrokiem klatkę schodową.

– Ale...

– Daj mi kwadrans, Aleks. I sprawdź w tym czasie, co wiedzą sąsiedzi.

– Posłuchaj...

– Wezwij techników, niech zaczną ściągać materiał z klatki – kontynuowała. – Wiesz dobrze, że możemy znaleźć tu znacznie więcej niż w samym mieszkaniu. Nawet jeśli Wiktor opuścił je kilka miesięcy temu.

Gerc przez moment milczał.

– Więc zakładamy, że Forst rzeczywiście ma coś wspólnego z zabójstwami? – spytał, jakby nie dowierzał, że Wadryś--Hansen może przyjąć taką hipotezę.

– Na pewno ma.

Zmarszczył czoło.

– Świadczy o tym jego koszula i czapka pod Giewontem.

– Ale nie sądzisz, żeby był sprawcą.

Dominika pochyliła głowę i popatrzyła na niego jak na dzieciaka, któremu trzeba tłumaczyć zupełnie elementarne kwestie.

– Nie tyle nie sądzę, ile jestem pewna, że nie zabił tych kobiet.

– Bo?

– Bo wiem, jakim jest człowiekiem. Dobrze go poznałam, ty zresztą też.

– Tym bardziej należy uznać, że mógł…

– Co, Aleks? – przerwała mu, podchodząc bliżej. – Naprawdę sądzisz, że byłby do czegoś takiego zdolny?

– Tak.

– W takim razie powinieneś się przebadać.

Nie wyglądał na urażonego. Nic dziwnego, nigdy nie był specjalnie lubiany i zapewne na co dzień musiał nasłuchać się znacznie gorszych sugestii i inwektyw.

– Nie, nie powinienem. Ale Forst jak najbardziej – odparł poważnym, rzadko spotykanym u niego tonem. – Po tym wszystkim, co przeszedł, jego psychika właściwie nadaje się do wymiany.

Dominika nie odpowiedziała. Nie chciała myśleć o tym pod takim kątem.

– Zastanów się – dodał Gerc. – Nie twierdzę przecież, że w pełni władz umysłowych zaplanował jakiekolwiek morderstwo.

– Więc co twierdzisz?

– Że zniszczyło go życie – odparł stanowczo Aleks. – Nigdy nie radził sobie dobrze, nie potrafił się ustatkować, był porywczy w życiu osobistym i zawodowym. W tym drugim nieustannie balansował na granicy dyscyplinarki i...

– To nic nie znaczy.

– To nie – przyznał. – Ale wszystko, co działo się potem? Sama powiedz, czy człowiek może zachować zdrowie psychiczne po odsiadce w najpodlejszym rosyjskim więzieniu? Po pobiciach? Po tym, jak cudem uniknął śmierci pod lawiną? Po tym, jak stracił jedyną osobę, na której mu zależało? Jak doprowadził do śmierci Bogu ducha winnej dziewczyny?

Nie wspomniał przynajmniej o kilku rzeczach, które musiały odcisnąć się piętnem na psychice byłego komisarza. Prawda była jednak taka, że nie musiał.

– Każdy ma jakąś granicę – dodał Aleksander. – I dobrze wiesz, że on w pewnym momencie dotarł do swojej.

Powiedziałaby raczej, że ją przekroczył. Ale potem zawrócił.

– Nie muszę chyba wspominać o alkoholizmie – dodał Aleksander.

– Nie, nie musisz.

– O tym, że dawał sobie w żyłę, tym bardziej nie?

Przytrzymał jej spojrzenie jeszcze przez moment, a potem wycofał się do korytarza. Nie czekał na odpowiedź, zdawał sobie sprawę, że jego argumenty przynajmniej w pewnym stopniu do niej trafiły.

Oddalił się bez słowa, wyciągając telefon. Dominika zamknęła za nim drzwi, a potem wróciła do pokoju oklejonego kartkami. Słowa Gerca rozbrzmiewały w jej głowie nieznośnym echem.

Problem z takimi jak Aleks sprowadzał się do tego, że kiedy od wielkiego dzwonu używali spokojnego, rzeczowego tonu, trudno było przejść obojętnie obok tego, co starali się przekazać.

– Chyba coś mam – odezwał się Osica, wyrywając ją z zamyślenia.

Potrząsnęła głową i spojrzała na inspektora. Dopiero teraz dostrzegła, że zerwał kilka kartek i ułożywszy je na podłodze, przykucnął obok. To tyle, jeśli chodziło o odpowiednie zabezpieczenie ewentualnego materiału dowodowego.

Wadryś-Hansen podeszła do Edmunda, ten obejrzał się przez ramię.

– Co pan znalazł?

Z zadowoleniem wskazał na kartki.

– Trop.

Kucnęła obok, a potem przyjrzała się temu, co dało się odczytać. Trudno było jednak nazwać to strzępkami informacji. Niezamazane fragmenty stanowiły raczej okruchy.

– Niczego konkretnego tutaj nie widzę.

– Bo źle pani patrzy.

Skierowała na niego pytające spojrzenie.

– Nie ściągnąłem tych kartek ze ścian – powiedział Edmund. – Leżały w rogu pokoju, pozrywane.

Dominika odetchnęła z ulgą. W całej tej kłopotliwej sytuacji przynajmniej nie musiała martwić się o to, że Osica pościągał ze ścian rzeczy, które powinny na nich zostać. Rozejrzała się. Kawałek dalej leżała kolejna sterta samoprzylepnych kartek. Treść na wszystkich wydawała się jednakowo nieczytelna.

– Niech pani na moment przymknie oko na to, co napisał – dodał Osica. – I skupi się na tym, co chciał zataić.

Edmund wskazał na czarną smugę widoczną na kilku fragmentach, które wybrał.

– Widać, że to jedno pociągnięcie – kontynuował, jednocześnie zaczynając układać kartki obok siebie, jakby starał się dopasować puzzle. – Wyobrażam sobie, że Forst chodził nerwowo po pokoju, mazał to wszystko niedbale, przekonany, że robi to tylko, jak to się mówi, „dla proformy".

Przypuszczalnie tak było, uznała w duchu Wadryś-Hansen. Na dobrą sprawę nie miał powodu, by zacierać ślady. Chyba że spodziewał się problemów.

Ta myśl zaczęła szybko pęcznieć w jej głowie, jakby w ułamku sekundy miała rozsadzić jej umysł. Dominika skupiła się na układanych przez Osicę kartkach.

– Nie był skrupulatny ani metodyczny – ciągnął inspektor. – Starał się raczej załatwić wszystko jak najprędzej i mieć święty spokój.

W końcu ułożył fragmenty tak, że czarny zygzak stał się linią. Osica otrzepał dłonie, a potem wskazał na ciąg cyfr, który wyłonił się z tego obrazu. Wydawało się, że dwie lub trzy są zamazane.

Pierwszą Dominika mogła odczytać bez problemu: 4.

Pięć ostatnich także: 37821.

Nie miała pojęcia, co oznaczają. Jeśli jednak szeroki uśmiech Osicy mógł o czymkolwiek świadczyć, musiała uznać, że on dostrzegł w nich coś więcej. Znacznie więcej.

8

Forst zostawił samochód na niewielkim placu, który przywodził na myśl raczej wystawę przed targami motoryzacyjnymi niż parking. Oprócz starego opla astry stały tutaj dwa najnowsze modele aston martinów, czerwone lamborghini murciélago, klasyczny jaguar XJ i kilka luksusowych wersji ze stajni BMW i Audi.

Wiktor spojrzał na opla, a potem na swoje odbicie w szybie. Nie przypominał człowieka, którego przez całe życie widywał w lustrze. Zmienił wygląd najbardziej, jak to było możliwe. I efekt był zadowalający, przynajmniej jeśli chodziło o nierozpoznawanie samego siebie.

Ściął włosy niemal na zero, jego głowę pokrywała jedynie czarna szczecina. Zarost miał za to długi i gęsty. Właściwie wyglądał nie jak broda, ale jak cień, który padał na połowę jego twarzy. Maskował kilka blizn i częściowo zniekształconą kość szczękową – pamiątki po tym, co spotkało go za sprawą Bestii z Giewontu.

Wizualnie Robert Krieger miał wiele wspólnego z Wiktorem Forstem. Były komisarz żywił nadzieję, że nie tylko jego zdaniem.

Oderwał wzrok od swojego odbicia, słysząc zbliżające się z tyłu kroki. Odwrócił się i zobaczył młodego chłopaka w marynarce, o ciemnej karnacji i wydatnej muskulaturze. Ten skinął zdawkowo głową, a potem wskazał w stronę pola golfowego.

– Szef na pana czeka.

Forst poprawił jasną koszulę. Czuł się w niej nieswojo, podobnie jak w skórze Kriegera. Nie miał jednak wyjścia – gdyby ci ludzie wiedzieli, kim był w poprzednim życiu, nigdy nie dopuściliby go do człowieka, którego miał za moment poznać.

– Prowadź – rzucił do chłopaka.

Ten bez słowa ruszył przed siebie, niemal ostentacyjnie ignorując samochód, który w towarzystwie pozostałych aut sprawiał wrażenie, jakby pochodził z jakiegoś równoległego świata.

Przeszli przez niewielki ogród, otoczony z każdej strony palmami, a potem chłopak poprowadził Wiktora na rozległe, pagórkowate pole golfowe. Zdawało się ciągnąć po horyzont, cała rezydencja musiała zajmować około stu hektarów.

Przy jednym z dołków znajdujących się w niewielkim zagłębieniu terenu stał wysoki, szczupły mężczyzna. Nie miał sprzętu, w pobliżu Forst nie dostrzegł żadnego meleksa ani osoby noszącej torbę.

Prowadzący go chłopak zwolnił i stopniowo coraz bardziej zostawał z tyłu. Kiedy Wiktor podszedł do mężczyzny przy dołku, tamten znajdował się kilkanaście metrów za nim.

Forst nie miał jednak wątpliwości, że w razie czego zareagowałby tak, jakby stał tuż obok. Jeden nieroztropny ruch wystarczyłby w zupełności, by ochroniarz sięgnął po broń.

Były komisarz stanął obok gospodarza. Ten jeszcze przez moment toczył wzrokiem po horyzoncie. Dopiero potem spojrzał na Wiktora.

– Krieger – odezwał się. – Brzmi niemiecko.

– Niestety.

Mężczyzna obrócił się do niego.

– Siergiej.

Uścisnęli sobie ręce.

Gospodarz nie musiał mu się przedstawiać, Forst doskonale wiedział, z kim ma do czynienia. Mężczyzna nazywał się Siergiej Wasiljewicz Bałajew, urodził się piątego lutego tysiąc dziewięćset pięćdziesiątego czwartego roku we Władykaukazie, w Osetii Północnej.

W Rosji miał żonę i dwójkę dzieci. W Hiszpanii zaś przyzwoitej wielkości przestępczą organizację, która wprawdzie trzymała się z daleka od najpoważniejszych zbrodni, ale zajmowała się właściwie wszystkim innym.

Uścisk Siergieja był pewny, mocny. Jakby sam w sobie miał uzmysłowić Forstowi, że ma do czynienia z człowiekiem, którego trzeba traktować poważnie.

Choć na dobrą sprawę kamienny wyraz twarzy Bałajewa i jego renoma w zupełności wystarczały, by rozmówcę odeszła ochota do żartów. Wiktor od miesięcy zdobywał szczątkowe informacje na temat charakteru tego człowieka. Nie udało mu się dowiedzieć wiele, ale powszechną wiedzą było to, że Siergiej nie przebiera w środkach i łatwo go urazić. A ci, którzy to zrobili, dostawali tylko tyle czasu, by powiedzieć innym, jak nieroztropne było to z ich strony.

Forst wiedział także, że Bałajew uważa się za intelektualistę, myśliciela, a może nawet współczesnego filozofa. Zupełnie nie współgrało to z jego przeszłością. Wychował się na obrzeżach Władykaukazu w skrajnej nędzy, jego rodzice najprawdopodobniej byli niepiśmienni, a on sam nigdy nie ukończył żadnej szkoły.

Wiktor popatrzył na niego tylko przelotnie, potem skierował wzrok przed siebie. Wedle jego wiedzy Bałajew był wyjątkowo drażliwy, potrafił wściec się nawet za to, że ktoś zbyt długo mu się przyglądał.

Przez chwilę trwali w milczeniu.

– Podróż z Polski przebiegła bez problemów? – spytał w końcu Siergiej.

– Najmniejszych.

– I na miejscu też wszystko w porządku?

– Tak.

Bałajew wsunął ręce do kieszeni jasnych spodni. Gdyby nie ciemniejsza karnacja i wschodnie rysy twarzy, mógłby uchodzić za włoskiego biznesmena, magnata. Raczej nie za amerykańskiego, oni nie nosili się w taki sposób. Dzięki podwiniętym rękawom jedwabnej koszuli Siergiej eksponował ekskluzywny złoty zegarek, a rozpięta na dwa guziki koszula sprawiła, że niewątpliwie drogi łańcuch był dobrze widoczny.

– Cenię sobie małomównych ludzi – odezwał się.

– Cieszę się.

– Może dlatego, że sam do nich nie należę.

Forst skinął głową z obojętnością.

– Ale będzie jeszcze czas, żebyś milczał – dodał Bałajew. – W tej chwili chcę od ciebie usłyszeć nieco więcej.

– Czyli?

– Odpowiedź na pytanie.

Wiktor był na to przygotowany. Starając się trafić na trop tego człowieka, dowiedział się, że Siergiej wiele uzależnia od swoich kaprysów – także ostateczne przyjęcie w szeregi jego organizacji.

Jedną z takich fanaberii było zadawanie egzystencjalnych pytań lub intelektualnych zagadek. Forst próbował dowiedzieć się, czy się powtarzają i jakiej odpowiedzi Bałajew może oczekiwać, ale bezskutecznie.

Wiedział, że jakieś pytanie padnie. Wiedział, że będzie od niego wiele zależało. Nie miał jednak pojęcia, jak będzie brzmiało.

Aż do teraz.

– Co sprawia, że wstajesz rano z łóżka?

Forst przełknął ślinę. Co to za pytanie?

Spojrzał na Siergieja i dał po sobie poznać lekkie zdziwienie. Ostatnim, czego potrzebował, byłoby pokazanie rozmówcy, że był przygotowany na takie odpytywanie.

– Słucham? – odparł.

– To proste pytanie. Otwierasz rano oczy, wstajesz z łóżka. Jaki jest powód? Czym się kierujesz?

Wiktor gorączkowo poszukiwał odpowiedzi. Dobrej odpowiedzi. Na myśl przychodziły mu same banały, a zdawał sobie sprawę, że musi choć trochę zaimponować rozmówcy. A jeśli nawet nie, to chociaż udzielić względnie zgrabnej odpowiedzi.

Ale jakiej mógł oczekiwać od niego Siergiej?

Biorąc pod uwagę intelektualistyczne zapędy Rosjanina, Forst powinien zaoferować przemyślną, opartą na klasycznych poglądach filozoficznych odpowiedź. Powinna być konkretna, specyficzna.

Tyle że pytanie było zbyt ogólne, by taką znaleźć.

Forst miał wrażenie, że słońce zaczęło mocniej piec. Poczuł się jak na rozmowie kwalifikacyjnej, podczas której rekruter rzucił tak sztampowe pytanie, że nie sposób było wymyślić na nie dobrej odpowiedzi.

Przemknęło mu przez myśl, żeby po prostu powiedzieć prawdę. Wstawał, bo nie miał innego wyjścia. Nic nie motywowało go, by popychać życie do przodu. Budził się, a potem robił to, co nakazywała mu rutyna.

Przynajmniej do czasu, aż zaczął szukać Siergieja Wasiljewicza Bałajewa.

Ale tego nie mógł mu zdradzić.

– *Nu*? – ponaglił go Rosjanin. – Co sprawia, że codziennie rano wstajesz?

Forst podjął decyzję. Zaryzykuje.

– Pełny pęcherz – odparł.

– Co?

– Fakt, że muszę się…

Wiktor urwał, kiedy rozmówca zaśmiał się w głos. Odetchnął w duchu, uznając, że najwyraźniej robienie z siebie wybitnego intelektualisty nie wadzi w docenieniu prostego, męskiego żartu.

Kamienna maska znikła. Wraz z nią z oczu Siergieja wyparowała srogość i podejrzliwość. Poklepał Forsta po plecach, jakby był starym dobrym znajomym.

– Słusznie, Krieger – powiedział. – Z tym nie da się polemizować.

Wiktor potwierdził ruchem głowy. Nie odpowiedział uśmiechem, nie miał zamiaru spoufalać się z człowiekiem, dla którego będzie pracować. Nie chciał uchodzić za jednego z lizusów, których w organizacji Bałajewa z pewnością było na pęczki.

Planował zajmować się poważnymi rzeczami. A żeby to robić, musiał jawić się jako poważny człowiek.

– Zadawałem to pytanie wielu osobom – dodał Siergiej. – Nikt nie udzielił mi tak rudymentarnej odpowiedzi.

– Mhm.

– Świadczy to o tym, że albo jesteś wyjątkowo głupi, albo wyjątkowo rozgarnięty.

Forst milczał.

– Jak sądzisz, która wersja jest słuszna?

Znów pytanie sprawdzające? Czy może po prostu próba nawiązania rozmowy? Na dobrą sprawę Wiktor dopiero teraz uświadomił sobie, jak trudnego zadania się podjął. Będzie musiał uważać nie tylko na każdy swój krok, ale także każde słowo i gest.

Owszem, ci ludzie nie trudnili się zabójstwami na zlecenie, nie porywali bogaczy i nie żądali okupów. W swojej działalności trzymali się z dala od niebezpiecznych sfer. Nie oznaczało to jednak, że nie mieli na sumieniu całego korowodu ofiar.

Forstowi nie udało się nawet oszacować, ilu ludziom Siergiej kazał odebrać życie. Jedno było jednak pewne – nie miał żadnych zahamowań przed tym, by swoich przeciwników po cichu usuwać.

Wiktor przypuszczał, że Rosjanin nieprzypadkowo zajął się inwestycjami na rynku nieruchomości. Wielkie place budowy i fundamenty monumentalnych osiedli były idealnymi lokalizacjami do ukrycia ciał.

Otarł pot z czoła. Nie miał zamiaru pozwolić na to, by jedno z takich miejsc stało się dla niego cmentarzem.

– Nie mnie to oceniać – odparł. – Ale jeśli miałbym wybierać, wolę być mądrym głupcem niż głupim mędrcem.

Bałajew uniósł brwi.

Potem znów poklepał Forsta po plecach i wskazał przed siebie. Ruszyli powoli w kierunku kępy krzewów w oddali, za którą w górę pięło się kilkanaście palm. Po chwili Wiktor dostrzegł zaparkowany tuż obok meleks.

A przed nim leżącego na ziemi mężczyznę. Dwóch innych siedziało w pojeździe.

Kiedy Wiktor i Siergiej do nich podeszli, jeden z nich sięgnął do torby, po czym podał Bałajewowi kij golfowy.

– Wilson Staff FG Tour – powiedział Rosjanin. – Najlepszy wedge, jakim grałem. Idealny do wybijania z trudnych miejsc.

Wiktor popatrzył na główkę, a potem przeniósł wzrok na mężczyznę leżącego przy pojeździe.

– Ponadto świetnie podkręca – dodał Siergiej, obracając kij w dłoni. Następnie spojrzał w to samo miejsce co Forst. – Ale dla niego to nie ma znaczenia. Musi martwić się jedynie tym, kto i jaki zamach weźmie.

Twarz nieznajomego była zalana krwią do tego stopnia, że Wiktor nie mógł dojrzeć bieli w jego oczach. Dyszał ciężko, chrapliwie, jakby miał za moment pożegnać się z tym światem. Być może rzeczywiście tak było.

Bałajew jeszcze przez chwilę ważył wilsona w dłoni.

– To Polak – oznajmił.

Forst skinął głową z obojętnością. Był przygotowany na to, że spotka tutaj wielu rodaków. W szeregach organizacji Siergieja było ich może nawet więcej niż samych Rosjan.

Początkowo obawiał się, że może zostać rozpoznany. Pojawiał się wszakże w telewizji, przez pewien czas nawet w głównych, wieczornych wydaniach wiadomości. Raz czy dwa drukowano jego zdjęcia także na pierwszych stronach dzienników.

Gęsta broda i ogolona na łyso głowa powinny jednak zrobić swoje. Zresztą nie ludzka pamięć martwiła go najbardziej. Znacznie bardziej niebezpieczne było trafienie na celownik służb i porównanie w bazie gromadzącej dane biometryczne.

Przynajmniej tak sądził do pewnego czasu. Potem zaczął rozeznawać się w temacie i odkrył, że algorytmy porównawcze sprowadzają się w dużej mierze do analizowania symetrii twarzy, nasady nosa oraz owalu głowy. Wszystkie te trzy elementy różniły jego nowe wcielenie, Roberta Kriegera, od Wiktora Forsta. Po raz pierwszy były komisarz był wdzięczny losowi za to, co go spotkało w przeszłości.

Gdyby Siergiej lub ktokolwiek z jego świty dowiedział się, kim w rzeczywistości jest nowo zatrudniony członek organizacji, z pewnością Forst szybko skończyłby tak, jak nieznajomy mężczyzna leżący przy meleksie.

– Nie masz nic przeciwko? – odezwał się Bałajew.

– Przeciwko czemu?

– Że moi ludzie skatowali twojego rodaka?

– Nie.

Rosjanin przyjrzał mu się uważnie.

– Może to nazwisko jednak mówi o tobie więcej, niż sądziłem?

Forst zmarszczył lekko czoło.

– Może jednak płynie w tobie niemiecka krew?

– Nic mi o tym nie wiadomo.

Siergiej przez moment się zastanawiał, po czym skwitował swoje myśli wzruszeniem ramion.

– Ślady przeszłych pokoleń się zacierają – oznajmił. – Krew się miesza, a im dalej w przeszłość, tym mikstura staje się bardziej jednolita. Rzekomo wszyscy pochodzimy od tego samego ludu indoeuropejskiego.

– Rzekomo tak.

– Rzekomo? Masz inne pojęcie o etnogenezie Słowian?

– Nie.

– Szkoda – odparł cicho Bałajew, wciąż obracając kij. – Lubię podyskutować na ten temat, szczególnie że co rusz pojawiają się nowe teorie.

Rosjanin zbliżył się do ledwo zipiącego człowieka. Stanął nad nim, przekrzywił głowę, a potem przytknął końcówkę kija do skroni mężczyzny. Naparł na niego lekko.

– Ty nie masz żadnej teorii? – spytał.

– Nie – odparł Forst.

Bałajew obejrzał się przez ramię.

– To rozczarowujące – oświadczył. – Pochodzenie jest niezwykle istotne, nie uważasz?

– Niewykluczone.

– Szczególnie kiedy może prowadzić do ciekawych wniosków.

Wiktor pokiwał głową, uznając, że najlepiej będzie, jeśli nie wda się w dyskusję. Nie czuł się dobrze na terytorium mętnych rozważań, na które starał się wprowadzić go Siergiej. Wiedział, że jedno złe słowo, przywołanie niewłaściwej opinii lub uznanie za prawdę czegoś, co ruski boss traktował jako bzdurę, może okazać się niebezpieczne.

Forst zdał sobie sprawę, że jego egzystencja będzie jak wydmuszka. I to nie tylko jeśli chodziło o fikcyjną tożsamość. Jego przeżycie stanie się tak delikatną kwestią, że będzie mogło pęknąć przy najmniejszym zawirowaniu.

Jakby na potwierdzenie tej myśli Siergiej uniósł kij, po czym z impetem opuścił go na brzuch ofiary. Mężczyzna jęknął cicho. Był umęczony do tego stopnia, że nie miał już siły skomleć.

Wiktor doskonale pamiętał, jak to jest.

– Nie wiesz, o jakich wnioskach mówię – zauważył Bałajew.

Forst popatrzył na niego pytająco.

– Kiedy wspominam o tym, jak istotne jest pochodzenie – dodał Rosjanin.

Najwyraźniej testowanie go jeszcze się nie zakończyło. Wiktor wziął dwukrotne poklepanie po plecach za sygnał, że został zaakceptowany, ale widocznie się pomylił.

Potarł szczecinę na głowie.

– Nie, nie wiem – przyznał. – Wolę skupiać się na przyszłości, bo życie toczy się naprzód, nie do tyłu.

– Tyle że nie potoczy się, jeśli nie wiesz, skąd wyruszyło.

Wiktor dopiero teraz uświadomił sobie, że to nie jest zwyczajna gadanina. Siergiej dążył do czegoś konkretnego.

A w jego głosie po raz pierwszy zabrzmiał niewypowiedziany zarzut.

– Ja wiem, gdzie twoje zaczęło swój bieg – dodał Rosjanin. – Komisarzu Forst.

Zanim Wiktor się zorientował, zobaczył główkę wilsona przed oczami.

9

Mina Osicy właściwie mówiła wszystko, a jednocześnie nie mówiła nic. Wadryś-Hansen starała się ponaglić inspektora, ale ten najwyraźniej czerpał satysfakcję z odwlekania wyjaśnień.

– Powie mi pan, w czym rzecz?

– W tym, że to dziewięć cyfr. Numer telefonu.

– Przypuszczalnie – przyznała. – Ale wie pan, ile kombinacji jest możliwych przy trzech zamazanych?

– To zależy.

– Wszystko zależy, ale…

– Proszę spojrzeć – wpadł jej w słowo, podsuwając kartki.

Jeszcze raz przesunęła wzrokiem po liczbach. 4. 37821. Nawet jeśli był to numer czyjejś komórki, możliwości było zbyt wiele, by łudzić się, że uda im się dotrzeć do czegokolwiek konkretnego. A mimo to Edmund sprawiał wrażenie, jakby trafił na żyłę złota.

– Nie rozumie pani?

– Nie. Ale pan najwyraźniej tak.

Pokiwał ochoczo głową.

– Czwórkę na początku ma tylko jeden operator.

– I?

– P4, czyli właściciel sieci Play.

– Rozumiem, panie inspektorze, ale co nam to daje?

– To, że oni dysponują tylko jednym prefiksem.

– To znaczy?

– 450 – odparł z satysfakcją Osica. – Żaden inny nie zaczyna się od cyfry cztery.

Dominika uniosła brwi. Nie miała pojęcia, że tak jest, ale pewność w głosie inspektora kazała przyjąć, że ma rację. Z pewnością orientował się w temacie lepiej niż ona, w końcu policja dzień w dzień miała styczność z bilingami, kradzionymi numerami, nielegalną rejestracją kart SIM czy pozaprawnym obrotem telefonami komórkowymi.

– Gdyby Forst o tym wiedział, zapewne postarałby się bardziej.

Spojrzała na samoprzylepne kartki.

– Dzięki temu, że jest ignorantem, mamy niemal cały numer – dodał Osica. – 450. 37821. Brakuje tylko jednej cyfry po prefiksie. I nie trzeba Pitagorasa, żeby obliczyć, że możliwości jest dziewięć.

Nie tracili czasu. Edmund natychmiast zlecił swoim ludziom ustalenie, do kogo należą numery znajdujące się w puli. Już kilkanaście minut później okazało się, że istnieje tylko jedna kombinacja, która została przypisana abonentowi. Sieć nie chciała jednak udostępnić jego danych.

Dominika zdecydowała, że pojedzie z inspektorem do lokalnego przedstawicielstwa firmy, Gerca zaś oddelegowała do czuwania nad sekcją zwłok odnalezionych kobiet. Właściwie wolałaby go mieć przy sobie, stanowił bowiem personalny odpowiednik tarana, ale obawiała się, że nie zniosłaby kolejnych starć prokuratora z Osicą.

Mondeo komendanta sprawiało wrażenie, jakby miało się rozkraczyć jeszcze przed Krupówkami. Silnik zachowywał się, jakby pracował na zbyt niskich obrotach, na granicy zgaśnięcia. Wadryś-Hansen żałowała, że nie przyjechała do Zakopanego swoim autem.

– Wydaje się pani spięta.

– Raczej zaintrygowana dźwiękami silnika.

Edmund poklepał deskę rozdzielczą, przywodząc na myśl właściciela poczciwego zwierzaka, który chce okazać milusińskiemu swoje serdeczne uczucia i przywiązanie.

– Ma swoje humory.

– Najwyraźniej.

– Czasem po prostu muszę trochę zwolnić. Ale przecież nigdzie nam się nie spieszy, prawda?

Skinęła głową. Przedstawiciel sieci jechał z Krakowa, do Zakopanego dotrze zapewne najwcześniej za jakieś półtorej godziny. Do tego czasu jeden z pracowników miał przekazać im wszystko, co firma mogła zdradzić bez sądowego nakazu.

Ale czy mogło to być coś konkretnego? Realnie pomocnego?

Dominika obawiała się, że nie. Chodziło przede wszystkim o to, by ugłaskać organy ścigania i nie robić sobie wrogów w policji czy prokuraturze. Żadnej firmie nie zależało na czarnym PR-ze, który wiązał się z ujawnianiem danych abonentów.

– Będą kluczyć jak Apple – mruknęła Wadryś-Hansen.

– Słucham?

– Kazus strzelca z San Bernardino.

Dominika nie zauważyła w oczach Osicy zrozumienia.

– FBI żądało od Apple umożliwienia dostępu do danych w iPhonie sprawcy, firma odmówiła. Długo negocjowano, a potem jeszcze dłużej walczono w sądzie. Skutek był marny i w rezultacie Biuro musiało wydać prawie półtora miliona dolarów na zhakowanie urządzenia.

Edmund popatrzył na nią z rezerwą.

– W naszym wypadku tak nie będzie.

– Tak pan myśli?

– Przecież nic nie stoi na przeszkodzie, żeby udostępniono nam te informacje – zauważył pod nosem. – Poza tym mamy w Polsce trochę lepsze prawo.

Z tym mogłaby polemizować.

– Ludzie, z którymi się spotkamy, na pewno o tym wiedzą.

– O czym konkretnie, panie inspektorze? Że istnieje jakiś cudowny sposób, byśmy zmusili ich do współpracy?

– Wystarczy, że wykażemy związek właściciela numeru z jakimkolwiek przestępstwem.

– Owszem, wystarczy – odparła, doskonale zdając sobie sprawę z tego, jakie uprawnienia wynikają z tak zwanej ustawy inwigilacyjnej oraz tej o konfiskacie mienia. – Problem polega na tym, że żadnego związku nie ma.

– E tam.

– Słucham?

– Coś wymyślimy.

Dominika oczekiwała, że rozmówca zaśmieje się pod nosem lub chociaż uśmiechnie, ale Osica trwał z kamiennym wyrazem twarzy. Najwyraźniej nie zapomniał jeszcze o tych wszystkich sposobach działania, które kultywowali on i jego przełożeni za czasów milicji.

– Przepchniemy jakąś zgrabną wersję – dodał ze zdziwieniem, jakby zaskoczyło go, że prokurator nie podjęła tematu. – Kontrola sądowa jest po fakcie, prawda?

– Tak. Co nie znaczy, że jest mniej skrupulatna.

Osica wzruszył ramionami.

– Grunt, że nie potrzebujemy teraz pozwolenia.

– Panie inspektorze, nie mogę ot tak zmusić…

– Oczywiście, że pani może – zaoponował. – I zrobi to pani.

Westchnęła, kiedy parkował w jednej z uliczek odchodzących od Krupówek.

– Typowe policyjne myślenie – skwitowała, wysiadając z samochodu.

– To znaczy? Nastawione na efekty? – odparował Osica. – Woli pani prokuratorskie pozoranctwo?

– Wolę rozsądek i perspektywę – odparła z niezadowoleniem. – Bo owszem, w tej chwili możemy bez trudu skorzystać z ustawy inwigilacyjnej, ale…

– Nie ma żadnego „ale”.

– „Ale" jest takie, panie inspektorze, że jeśli sprawa kiedykolwiek trafi do sądu, a w toku postępowania zostaną wykazane nieprawidłowości, obrońca to wykorzysta.

– Więc trzeba będzie zadbać o to, by ich nie wykazano.

Ruszył w kierunku salonu sieci komórkowej, ale Wadryś-Hansen nie drgnęła. Owszem, po zmianie prawa mogła całkiem sporo. Problem polegał na tym, że popełniając błąd na tym etapie, ryzykowała niedopuszczalnością pewnych dowodów w przyszłości. Mogła to obejść, powołując biegłych do ich analizy, a potem wykorzystując jako dowód same ekspertyzy, ale nie należała do osób, które chciałyby balansować na granicy zasad.

– Idzie pani?

– Nie.

Osica schował ręce do kieszeni i zgarbił się. Przypominał jej Mariana Dziędziela, gdy ten grał zmęczonego życiem, zblazowanego policjanta w którymś filmie. Patrzył na nią przez moment jak dobry wujek na niesforną siostrzenicę, a potem pokręcił głową i westchnął.

– Musimy chociaż spróbować – rzucił.

– Mam lepszy pomysł.

Wyciągnęła komórkę, a potem wprowadziła numer.

– Jest tylko dziewięć kombinacji, prawda?

– Chyba nie chce pani…

– Chcę – zaoponowała. – Szkoda czasu na urzędowe przepychanki.

– Sądziłem, że lubi pani formalizmy.

– Nie – odparła, uśmiechając się lekko, a potem nacisnęła zieloną słuchawkę.

Przez chwilę czekała w napięciu. Potem automat poinformował ją, że numer, pod który próbuje się dodzwonić, nie istnieje. Spróbowała ponownie, zamieniając jedynkę na dwójkę. I tym razem usłyszała wyłącznie mechaniczny głos.

– Co ma pani zamiar powiedzieć? – spytał ze sceptycyzmem Osica.

– Jeszcze nie wiem.

– Planuje się pani przedstawić?

– Oczywiście.

– A jeśli właściciel numeru reaguje na organy ścigania jak byk na czerwoną płachtę?

– To nie byłby najgorszy scenariusz. Przynajmniej czegoś byśmy się dowiedzieli.

– No tak... – przyznał Edmund. – Gorzej będzie, jeśli rozmówca na wieść o tym, że prokuratura się z nim kontaktuje, rozłączy się i więcej nie odbierze.

– Dlaczego miałby to robić?

– Nie wiem. Ale jest taka możliwość.

Dominika przyjmowała ją, ale nie miała zamiaru zbyt długo się nad tym zastanawiać. Była to jedna z tych sytuacji, kiedy ilość czasu przeznaczonego na refleksję była odwrotnie proporcjonalna do osiągnięcia wymiernych efektów.

– Niech pani powie, że dzwoni z jakiejś ankieterni – poradził Osica.

– Nie mogę tego zrobić.

Rozłożył bezradnie ręce.

– Poza tym prawdopodobieństwo, że rozmówca się rozłączy, wcale by się dzięki temu nie zmniejszyło.

– Może i racja – mruknął inspektor. – Więc niech pani oznajmi, że ma zaproszenie na pokaz garnków z Okrasą czy innym tłuszczem. To powinno poskutkować.

Zbyła to milczeniem. Nie miała zamiaru umniejszać wartości procesowej ewentualnych dowodów, które być może uda jej się zdobyć. Zrobi wszystko *lege artis*.

Dopiero za trzecim razem w słuchawce zabrzmiał sygnał.

Wadryś-Hansen poczuła się nieswojo. Nie wiedziała, kto odbierze. Nie miała pojęcia, jak zachowa się rozmówca ani tym bardziej jak przebiegnie rozmowa. Mogła zaszkodzić sprawie, kontaktując się z właścicielem numeru bezpośrednio, bez wcześniejszego rozeznania.

Powtórzyła jednak w duchu, że w tym wypadku warto podjąć ryzyko.

W końcu chodziło o Forsta. I o człowieka, którego numer z jakiegoś powodu Wiktor zanotował.

Sygnał w słuchawce się urwał. Zaległa cisza.

Dominika popatrzyła na wyświetlacz i przekonała się, że połączenie zostało nawiązane. Przyłożyła słuchawkę do ucha i przełknęła ślinę.

– Halo? – zapytała.

– Tak? – odparł męski głos.

Coś podszeptywało jej, by zapytać, z kim ma przyjemność, ale szybko z tego zrezygnowała. Niczego w ten sposób nie osiągnie.

– Mówi Dominika Wadryś-Hansen – odezwała się.

– Kto?

– Nie kojarzy pan?

Nie miał prawa kojarzyć, ale właściwie chodziło tylko o to, by mówił jak najdłużej. Dominika miała nadzieję, że dzięki temu albo rozpozna głos, albo sprawi, że rozmówca się rozkręci.

Tymczasem usłyszała cichy, krótki, mechaniczny sygnał. Spojrzała zdezorientowana na Osicę.

– Rozłączył się – oznajmiła, opuszczając rękę.

Edmund popatrzył na telefon.

– Odebrał jakiś facet?

– Tak – potwierdziła.

– Niech pani zadzwoni jeszcze raz.

Wybrała numer, ale tym razem od razu włączyła się automatyczna poczta głosowa. Wadryś-Hansen przez moment rozważała, czyby się nie nagrać, ale na dobrą sprawę nie miało to sensu. Co mogłaby powiedzieć? Żeby mężczyzna skontaktował się z nią jak najszybciej?

Nie rozłączył się bez powodu. I tym bardziej bez przyczyny nie wyłączył komórki.

– I nic?

Pokręciła głową.

– Nie ma sygnału?

– Nie. Od razu zgłasza się poczta.

– Może telefon mu się rozładował.

– Akurat teraz? – spytała z powątpiewaniem. – Nie. Ktokolwiek jest właścicielem tego numeru, najwyraźniej nie ma zamiaru rozmawiać z nieznajomymi.

– Aż do tego stopnia, żeby wyłączać komórkę? To chyba przesada.

Mogła zgodzić się z Osicą, ale nie odezwała się słowem. Spojrzała na telefon, a potem spróbowała jeszcze raz. Efekt był taki jak poprzednio.

– Jeśli nie chcę z kimś rozmawiać, zazwyczaj po prostu to oznajmiam – zauważył Edmund. – Ewentualnie po prostu nie odbieram lub odrzucam. Ale…

– Nie pan jeden.

– Więc dlaczego ten człowiek zwyczajnie tego nie zrobił?

– Nie wiem.

Nie miała zamiaru snuć hipotez, gdy nie było na czym ich oprzeć. Wybrała kolejną kombinację, po czym wypróbowała pozostałe. Szybko przekonała się jednak, że jedynie numer z trójką był przypisany do abonenta.

Wymienili się z Osicą bezsilnymi spojrzeniami.

– Rozumiem, że to nie Forst odebrał? – spytał inspektor.

– Nie.

– Jest pani pewna?

– Absolutnie – zapewniła. – I jestem też pewna, że nigdy wcześniej tego głosu nie słyszałam.

Edmund wyciągnął paczkę viceroyów i otworzywszy ją, skierował w stronę Dominiki. Ta zbyła tę propozycję milczeniem.

– I on też pani nie rozpoznał? – dodał Osica z papierosem w ustach.

– Zamieniliśmy raptem dwa słowa.

– Z samego tonu może pani to wywnioskować.

– A więc wnioskuję, że nie. Nie wydawało się, że mnie zna.

Przez kilka chwil trwali w milczeniu, a Wadryś-Hansen przyglądała się smugom dymu, które wypuszczał inspektor. Wokół życie biegło normalnie, turyści przechadzali się niespiesznie Krupówkami, wodząc wzrokiem po szyldach restauracji i szukając okazji, by za jak najmniej napełnić żołądek jak najbardziej. Gdzieś z oddali dobiegało nawoływanie pracownika jednej z knajp, który zapraszał na domowe obiady.

Dominika miała wrażenie, że znajduje się w innym, surrealistycznym świecie.

Co to wszystko miało znaczyć? Pusty pokój oklejony żółtymi kartkami, numer telefonu nieznanego mężczyzny, a w dodatku koszula Forsta na jednej z ofiar?

Uznała, że najwyższa pora się z nim skontaktować. Problem stanowił jedynie Osica, którego musiała się pozbyć. Namyślała się przez moment.

Nie, inspektor nie był jedynym problemem. Nie bez powodu skasowała wszystkie SMS-y od Forsta, łącznie z tym, który dostała stosunkowo niedawno. Wiedziała, że jeśli Wiktorowi zostaną postawione zarzuty, jego bilingi staną się przedmiotem zainteresowania służb. Każdy kontakt z nim mógł okazać się dla niej tragiczny w skutkach.

Tak wyglądała jedna strona medalu. Druga sprowadzała się do tego, że w tej chwili Dominika nie miała wielkiego wyboru.

Szybko napisała SMS. Osica o nic nie pytał, najwyraźniej uznał, że kontaktuje się z kuzynką lub inną osobą opiekującą się dziećmi w Krakowie.

Wysłała wiadomość, a potem schowała telefon do torebki, jakby nigdy nic.

– Chyba pozostaje nam przepychanka z operatorem – zauważył Edmund.

– Chyba tak.

Ruszyli niespiesznie w stronę Kościuszki, oboje zdając sobie sprawę z tego, że i tak przyjdzie im jeszcze trochę poczekać w salonie. Osica tęsknie popatrzył na mijaną Stek Chałupę i Wadryś-Hansen przez moment obawiała się, że za chwilę dostanie propozycję, by coś zjedli.

Zamiast tego jednak usłyszała pytanie.

– Co może pani o nim powiedzieć?

– Słucham?

– O właścicielu numeru.

– Niewiele. Słyszał pan niemal całą rozmowę.

– W jakim był wieku?

– Trudno stwierdzić – odparła, a potem westchnęła. – Miał koło czterdziestki, może pięćdziesiątki. Raczej nie mniej.

– Uprzejmy? Opryskliwy?

– Neutralny, panie inspektorze – powiedziała z nadzieją, że skończą temat. Nie było sensu snuć teraz rozważań. Kiedy zbierze się grupa śledcza, Dominika i tak wszystko powtórzy. Choć „wszystko" w tym przypadku było niemalże synonimem słowa „nic".

Kiedy dotarli do salonu, oboje musieli przyznać, że najwyraźniej zagalopowali się w swoim czarnowidztwie. Pracownik zapewnił, że szef regionu przekaże im wszystkie informacje, jakich potrzebują.

– To ma związek z tymi ciałami pod Giewontem, prawda? – zapytał. – I z tym przy Orkana?

Żadne nie odpowiedziało, co właściwie było potwierdzeniem, że tak w istocie jest. Tyle że ani Osica, ani Wadryś-Hansen sami nie byli co do tego przekonani.

Gdy zjawił się przełożony chłopaka, sprawa zamgliła się jeszcze bardziej. Sieć szybko ustaliła, że numer przypisany jest do karty *pre-paid* kupionej jakiś czas temu przez internet. Dominika podziękowała w duchu za to, że stało się to już po tym, jak wszedł w życie obowiązek rejestrowania wszystkich kart.

Ta należała do osiemnastoletniej dziewczyny z Kamienia Pomorskiego.

Prokuratura szybko ją sprawdziła.

Drugi koniec Polski. Zero powiązań z Wiktorem Forstem. Uczennica liceum ogólnokształcącego. Dobre oceny, dobre opinie nauczycieli.

To wszystko nie miało według Wadryś-Hansen żadnego sensu. Dlaczego jej numer figurował na ścianie mieszkania byłego komisarza?

Wiedziała, że musi z nią porozmawiać. Obawiała się jednak, że niełatwo będzie znaleźć odpowiedzi, których desperacko poszukiwała.

10

Uderzenie było celne i mocne, niemal jak *bunker shot*, wybicie piłki golfowej z piasku. Forst nie zdążył zareagować, a chwilę potem opadła go zupełna ciemność.

Kiedy otworzył oczy, uświadomił sobie, że to wszystko to nie koszmar. Naprawdę podążył drogą, której nigdy nie powinien obierać. Prześledził trop w Polsce, a potem przyleciał tutaj, do Hiszpanii, by ruszyć nim dalej.

A teraz trafił na ślepą uliczkę.

Skąd wiedzieli, kim naprawdę był?

Nikt go nie zdradził, co do tego miał pewność. I to nie dlatego, że z natury ufał ludziom – wynikało to z faktu, że w całą sprawę wtajemniczona była tylko jedna osoba. Osoba, która niczego nie zyskałaby, donosząc o jego prawdziwej tożsamości.

Powiódł wzrokiem dokoła. Znajdował się w niewielkim, niewykończonym budynku. Sprawiał wrażnie dobudówki do czegoś większego, w stanie najwyżej deweloperskim. Wiatr śmigał między pustymi oknami, ale nie chłodził, temperatura nadal była wysoka.

A może to nie z jej powodu było mu gorąco.

– Najwyższa pora – odezwał się ktoś po polsku.

Wiktor spojrzał w kierunku wyjścia z budynku. Ostre słońce zalewało część wnętrza promieniami i Forst potrzebował chwili, by zobaczyć mężczyznę. Nie znał go. Tego stojącego obok dobrze jednak zapamiętał. I przypuszczał, że wspomnienie sceny, w której zamachiwał się wilsonem, będzie w jego wspomnieniach wyraźne przez długi czas.

– Poznaj Borysa – odezwał się Bałajew, wskazując Polaka.

Wiktor splunął na bok krwią.

– Muszę?

– Obawiam się, że tak.

Forst skinął lekko głową.

– Więc niech to chociaż będzie stosunkowo krótka znajomość.

– Możesz na to liczyć, komisarzu.

– Nie jestem komisarzem.

– Formalnie nie – przyznał Siergiej. – Ale obawiam się, że w każdym innym sensie tak.

Bałajew minął swojego podwładnego i podszedł bliżej. Oparł się o ścianę obok Forsta, a potem spojrzał na jego ręce. Na przegubach zaciśnięto mu gruby sznur. Już po pierwszym szarpnięciu Wiktor zorientował się, że wiązanie jest zbyt mocne, by udało mu się wyswobodzić.

– Inaczej dlaczego miałbyś się tu pojawić? – ciągnął Siergiej. – Pracujesz pod przykrywką, tak? Czy raczej próbowałeś pracować, powinienem powiedzieć.

– Nie.

– Nie rozumiem jednak, na co liczyłeś.

Forst uznał, że najlepiej będzie, jeśli nie odpowie.

– Na to, że jesteśmy zupełnymi idiotami? – kontynuował Bałajew. – Że nie sprawdzimy cię dokładnie? Czy że tożsamość Roberta Kriegera jest na tyle mocna, że się nie zachwieje?

Właściwie liczył tylko na to drugie. Przypuszczał, że nawet jeśli ludzie Siergieja zaczną drążyć, nie odkryją niczego, co mogłoby sprowadzić na niego kłopoty. Nawet gdyby dotarli do zdjęć Roberta, byłby stosunkowo bezpieczny. Forst wizualnie się do niego upodobnił – obydwaj byli niemal łysi i nosili gęste brody.

– Nie masz w zanadrzu żadnej elokwentnej odpowiedzi? – dodał Bałajew.

Forst westchnął.

– Dziwne. Wydawałeś się dobrze przygotowany, odrobiłeś niejedną lekcję.

Jemu też się wydawało, że tak jest. Sprawdził wszystko, co znajdowało się w jego zasięgu, dowiedział się, czego tylko mógł, o Rosjaninie i jego organizacji.

Siergiej Bałajew był zawodnikiem wagi średniej. Zatrudniał głównie Polaków i Ukraińców, a sam pozostawał pod protekcją rosyjskich magnatów. Skupiał się przede wszystkim na handlu ludźmi i prostytucji, choć nie na masową skalę. Stopniowo poszerzał sferę swojej działalności, ale nie wychodził nigdy poza ramy, które narzucili mu ważniejsi i groźniejsi od niego.

W regionach Walencji i Murcji było takich wielu. W tej chwili jednak z punktu widzenia Forsta to właśnie Siergiej był najbardziej niebezpieczny.

– Miałeś nawet gotowe odpowiedzi na moje kluczowe pytania.

– Nie.

– Nie? Więc to była improwizacja?

Wiktor kiwnął lekko głową. Mógł próbować nawiązać nić porozumienia, wciągnąć Bałajewa w rozmowę i liczyć na to, że w jakiś sposób uda mu się dzięki temu wywinąć z tego bagna. Ale czy był sens próbować? Nie, raczej nie. Na tym etapie nie mogło uratować go ani to, ani nic innego.

Poniósł beznadziejne, bezapelacyjne fiasko, w dodatku już na samym początku. Znalazł się w sytuacji bez wyjścia. To nie był Czarny Delfin, gdzie obowiązywały jakieś zasady. Tutaj próżno było ich szukać. Podobnie jak nadziei na ratunek.

Finał mógł być tylko jeden.

Bałajew wyciągnie z niego tyle, ile zdoła, a potem go zabije. I nie będzie tracił czasu. Zrobi to nie jutro, nie wieczorem, nawet nie za godzinę. Takie sprawy załatwiało się tu od ręki.

Forst z trudem przełknął ślinę, dopiero teraz rozumiejąc, jak blisko śmierci się znalazł. Kiedy Siergiej przykucnął obok niego, odniósł wrażenie, że ten dystans jeszcze się zmniejszył.

– Co tutaj robisz, komisarzu?

– Szukam pracy.

– *Pizdziet.*

– Sądziłem, że…

– Daj spokój – uciął Bałajew. – Nie zamierzasz chyba mydlić mi oczu?

– Zapytałeś, więc odpowiadam – uparł się Wiktor. – Chciałem uciec od przeszłości.

– W takim razie wybrałeś ciekawą drogę.

Forst tak by tego nie określił.

– W dodatku nie zostawiłeś sobie żadnej możliwości odwrotu, nie przewidziałeś żadnego planu awaryjnego. Nie zadbałeś choćby o namiastkę możliwości ratunku, komisarzu. Wedle moich ludzi spaliłeś za sobą wszystkie mosty.

Wiktor nadal nie patrzył na rozmówcę. Wlepiał wzrok przed siebie, starając się dostrzec cokolwiek na zewnątrz.

– W jakiś sposób przyciągam pożary – odezwał się.

– Najwyraźniej.

– Ten jeden raz chciałem znaleźć zarzewie, zanim zacząłem go gasić.

– I?

– I siedzę teraz związany w jakiejś szopie, Bóg jeden wie gdzie, czekając, aż mnie zabijesz.

Siergiej zaśmiał się, a potem zmienił pozycję. Usiadł obok Forsta, krzyżując nogi jak jogin lub inny uczeń dalekowschodnich religii. Przez moment mu się przypatrywał.

– Nie mam zamiaru brudzić sobie rąk – zadeklarował. – Ale Borys zrobi, co mu polecę.

Forst spojrzał na mężczyznę. Ten trwał w zupełnym bezruchu, sprawiając wrażenie, jakby nie przysłuchiwał się wymianie zdań.

– W takim razie nie traćmy więcej czasu – rzucił Wiktor. – Skoro i tak cię nie przekonam, nie ma sensu tego odwlekać.

– Tak ci się spieszy w zaświaty?

Forst w końcu obrócił ku niemu głowę.

– Od dawna zbliżam się do nich coraz szybciej – powiedział. – Może nawet trafiłem tam, na długo zanim tu przyleciałem.

Rozmówca zmarszczył czoło.

– Ty postawisz tylko kropkę nad i – dodał Forst.

Gdyby miał jednoznacznie przesądzić, czy mówi to po to, by zapozorować przed Rosjaninem obojętność, czy ze względu na to, że to prawda, miałby poważny dylemat. Wydawało mu się, że gra, ale tylko przez moment. Potem sam usłyszał w swoim głosie nutę prawdy. Stanowczo zbyt wyraźną.

– Owszem, postawię – odezwał się Siergiej. – Ale najpierw chcę się dowiedzieć, kto cię przysłał.

– Nikt.

– Któreś europejskie służby mają mnie na celowniku?

– Nie. A przynajmniej do żadnych takich informacji nie dotarłem.

– Więc skąd o mnie wiesz?

– Z sieci.

– A jednak nie wyglądasz na obeznanego w temacie.

– Pomógł mi znajomy informatyk. Czy raczej specjalista od pozyskiwania informacji, jak sam siebie nazywa.

Rosjanin zmrużył oczy, jakby dzięki temu mógł przesądzić, czy Wiktor mówi prawdę.

– Będę potrzebował namiar na tego człowieka.

– Po co? – odparł lekceważącym tonem Forst. – Na dobrą sprawę poradziłbym sobie bez niego.

– Doprawdy?

– Sam umieszczasz wszystkie informacje w internecie. Nietrudno jest trafić na twoje dziewczyny na Instagramie, trzeba tylko wiedzieć, gdzie i jak szukać. Chodzi ci przecież o to, by twoje usługi były... jak najłatwiej osiągalne.

– Dziewczyny to tylko pierwsza linia – zauważył Siergiej, a potem spojrzał na swojego towarzysza.

Borys sięgnął za pasek spodni, wyjął pistolet i podszedł bliżej.

Na Boga, P-83 „Wanad". Kaliber dziewięć milimetrów, naboje Makarowa. Jeśli istniała broń, od której Forst nie chciał zginąć, to był to ten pistolet, niegdyś jeden z podstawowych modeli na wyposażeniu polskiej policji.

– Znajomy widok? – spytał z zadowoleniem Siergiej.

– Aż za bardzo.

– My też odrobiliśmy lekcję.

– Zdążyłem się zorientować.

Bałajew skinął na swojego ochroniarza, by ten podszedł bliżej.

– Ale wróćmy do mnie – rzekł Siergiej. – Jak dotarłeś dalej?

– Wystarczyło pójść tropem dziewczyn, wysłać kilka wiadomości przy użyciu Telegramu i potwierdzić swoją tożsamość u paru ludzi, którym ufali twoi podwładni.

Rosjanin pokiwał głową w zamyśleniu.

– Nie ukrywasz się w darknecie... deep webie, czy jak tam wolisz nazywać tę trudniej dostępną część internetu – ciągnął Forst. – Nie ma potrzeby. Wystarczy, że twoich stron nie można znaleźć w wyszukiwarce, prawda? W dzisiejszych czasach to niemal odpowiednik nieistnienia.

Milczenie Rosjanina zdawało się to potwierdzać.

– Przynajmniej tak twierdzi mój znajomy. Pomógł mi dotrzeć do określonego miejsca, a potem działałem już sam.

– Kto ci to zlecił?

– Mówiłem już, nikt.

– W takim razie dlaczego mnie szukałeś?

– Na to pytanie też już odpowiedziałem.

Siergiej westchnął i spojrzał bezsilnie na mężczyznę trzymającego wanada. Borys uniósł broń i z obojętnością skierował wylot lufy prosto w Forsta.

Czy był sens apelować do tych ludzi, by dali mu szansę? Przekonywać ich, że nie jest żadnym szpiclem? Że warto go zatrudnić, bo ze względu na jego desperację okaże się bardziej bezwzględny niż wszyscy inni członkowie organizacji?

W innej sytuacji być może tak. Dotychczasowe doświadczenie Forsta kazało mu sądzić, że zawsze istnieje jakaś szansa, by przehandlować swoje życie lub zdrowie za coś innego.

Teraz jednak tak nie było. Tym ludziom na niczym nie zależało. Niczego od niego nie oczekiwali. Chcieli odpowiedzi, ale ich uzyskanie nie było dla nich kluczowe.

Liczyło się to, by go usunąć, a potem zakopać gdzieś ciało. To wszystko.

– Polska policja trafiła na mój trop? – odezwał się Bałajew.

– Nie sądzę.

– A jednak skoro ty go odkryłeś, być może oni także.

– Nie wiedzieliby, gdzie szukać.

– Skąd ta pewność?

– Stąd, że nie wiedzą nawet, od czego zacząć.

– Ty jednak się dowiedziałeś.

Właściwie nie było powodu, by skłamał.

– Zachowałem się tak, jak zrobiłby to typowy klient – odparł po chwili Wiktor. – Zasięgnąłem języka, a potem zacząłem szukać dziewczyn.

– Tak, wiem, jak to wygląda – rzucił pod nosem Siergiej. – Mam na myśli to, dlaczego w ogóle próbowałeś mnie namierzyć?

Forst wyprostował się lekko. Na tyle, na ile pozwalały mu krępujące go sznury. Jeśli to rzeczywiście miały być jego ostatnie chwile, postanowił zachować choć odrobinę godności.

Przeszło mu przez myśl, że mogło być gorzej. W trakcie całej swojej kariery w policji mógł zginąć w znacznie bardziej parszywych okolicznościach.

– Nie szukałem ciebie konkretnie – odezwał się. – Przynajmniej nie na początku. Szedłem po prostu jedynym tropem, który mogłem znaleźć. I wiedziałem, że w końcu dotrę do kogoś, kto będzie mógł zaoferować mi to, czego szukałem. Dobrą robotę.

Siergiej westchnął teatralnie, jakby nie miał już siły zmagać się z uporem rozmówcy.

– Wszystko to bzdury – powiedział. – Kto cię zwerbował?

Forst także nie miał zamiaru dłużej tego ciągnąć. Szkoda było na to energii.

– Polska policja musiała uznać, że jesteś idealnym kandydatem – dodał Bałajew. – Odszedłeś z hukiem, przez lata byłeś cierniem w ich boku, nadawałeś się na kogoś, kto potrafiłby zmienić front.

Wiktor nabrał głęboko tchu.

– Więc po co przyjeżdżałbym tu pod fałszywym nazwiskiem?

– No właśnie. Po co?

Przez moment w niewielkim budynku słychać było tylko zawodzenie wiatru.

– Wiedziałem, że tak to się skończy, jeśli poznasz prawdę – odezwał się w końcu Wiktor. – Jesteś w gruncie rzeczy paranoikiem.

Bałajew zamilkł. W końcu chyba zrozumiał, że nie uzyska żadnych informacji. Podciągnął lewy rękaw i rzucił okiem na zegarek.

– Za dziesięć minut mam *tee time* – oznajmił.

– Wątpię.

– A jednak...

– *Tee time* to zarezerwowany czas, a ty masz własne pole golfowe.

Siergiej uśmiechnął się lekko.

– Znasz się co nieco na tym sporcie.

– Odrobiłem lekcję, jak zauważyłeś – odparł Wiktor, po czym spojrzał na mężczyznę trzymającego P-83. – Ale ostateczny sprawdzian oblałem.

– To prawda – odparł Bałajew i powoli się podniósł.

Odsunął się o kilka kroków, zapewne z obawy, że krew pobrudzi mu jasny golfowy strój. Schował ręce do kieszeni, przechylił głowę na bok, a potem wzrokiem wskazał Borysowi, by ten wziął się do roboty.

Ochroniarz wymierzył w Forsta. Byłemu komisarzowi serce zabiło jak młotem. Dopiero teraz na dobre dotarło do niego, że to koniec.

Nie było możliwości, by się uratować.

Ale być może istniała szansa, by odwlec nieco egzekucję.

– Poczekaj – rzucił trzęsącym się głosem. – Daj mi... daj mi telefon.

Siergiej uniósł brwi z umiarkowanym zainteresowaniem.

– Znam pewną osobę w polskiej prokuraturze, która może ci się przydać – dodał Forst.

11

Alicja Kempińska. Tak nazywała się dziewczyna, która mogła mieć kluczowe znaczenie dla całej sprawy. Wadryś- -Hansen była przekonana, że ostatecznie uda jej się ustalić, w jaki sposób osiemnastolatka z Pomorza łączy się z Forstem i ofiarami, ale im więcej godzin upływało od pierwszego odkrycia, tym bardziej zaczynała w to wątpić.

W nocy zdrzemnęła się niecałe dwie godziny – i to tylko dzięki temu, że Osica udostępnił jej niewielkie pomieszczenie w komendzie. Kanapa była niewygodna, obicie śmierdziało, ale Dominika wiedziała, że aby zachować choć namiastkę świeżości umysłu, musi dać sobie moment wytchnienia.

Wstała jeszcze przed piątą. Jeden z policjantów pełniących dyżur zrobił jej kawę, a potem udostępnił swoje biurko. Rozpoczęła dzień od sprawdzenia postępów w sprawie.

Sekcje w zakładzie medycyny sądowej już trwały. Nie było jeszcze wszystkich wyników, ale nie ulegało wątpliwości, że pięć kobiet pod Giewontem nie zmarło w sposób typowy dla zabójstw.

Jeśli w istocie doszło do przestępstwa, morderca dobrze zatuszował ślady.

Jeszcze lepiej poradził sobie na placu budowy przy ulicy Orkana. Wstępna opinia mówiła o tym, że na miejscu odnaleziono ślady biologiczne należące do niemal czterdziestu osób.

W pierwszej chwili zabrzmiało to dla Dominiki absurdalnie. Nawet biorąc pod uwagę robotników kręcących się po terenie, trudno było się spodziewać, że aż tylu znalazłoby się w miejscu, gdzie leżały zwłoki.

Wystarczyło jednak, że Wadryś-Hansen wczytała się w raport biegłych, by mogła potwierdzić, że to wszystko celowe działanie. Materiał pochodził głównie z włosów odnalezionych przy ciele, ale także zmiętych ręczników papierowych, zużytych prezerwatyw i opakowań po produktach spożywczych.

Zanim dotarła do końca listy, kątem oka dostrzegła, że obok niej stanął Osica. Jeszcze raz spojrzała na zegarek.

– Tak wcześnie pan przychodzi?

– Tylko kiedy na dobrą sprawę nie wyszedłem.

– Spał pan tu?

– Niezupełnie – odparł Edmund, klepiąc się po marynarce i mrużąc oczy.

Ewidentnie zapodział gdzieś okulary lub paczkę viceroyów.

– Nie spałem – dodał. – Ślęczałem całą noc nad tym barachłem.

Wskazał na komputer, jakby był jego największym wrogiem. Potem powiódł wzrokiem dokoła i dopiero po chwili uświadomił sobie, że musiał zostawić okulary w gabinecie. Zaklął cicho i pochylił się nad monitorem.

– Coś pani ma?

– Jedynie pewność, że nasz zabójca odwiedził toalety w miejscach publicznych.

– Hę?

Przesunęła palcem po liście odnalezionych rzeczy, jakby ekran był dotykowy.

– Musiał zebrać te wszystkie materiały na stacjach benzynowych, w mcdonaldach, restauracjach czy... po prostu w śmietnikach. Potem podłożył je na miejscu zdarzenia.

– Jest pani przekonana?

Pytanie było bezzasadne, więc nie odpowiedziała. Sprawca wiedział doskonale, co robi. Zdawał sobie sprawę, że nawet zachowanie największej ostrożności nie zagwarantuje, że służby nie namierzą jego materiału DNA.

Schował go więc jak igłę w stogu siana. Nie, nie jak igłę. Raczej jak suche źdźbło trawy, w dodatku odpowiednio wyczyszczone. Dominika nie łudziła się nawet, że gdzieś pośród tych wszystkich przedmiotów znajdzie się rzecz, która nosi odcisk genetyczny zabójcy.

Ten z pewnością gdzieś przy budowie się znajdował, ale odnalezienie go w tej sytuacji graniczyło z cudem. Nie dotrą po nitce do kłębka, bo ta została przedarta w tylu miejscach, że właściwie przestała przypominać nić.

– To problematyczne – zauważył Edmund.

Spojrzała na niego z niedowierzaniem.

– Mam na myśli… cóż… – zaczął kluczyć. – Chciałem powiedzieć, że kłopotliwe, ale nie niespotykane. I w takich sprawach często udaje się ująć sprawcę.

Wadryś-Hansen mruknęła cicho.

– Trzeba być dobrej myśli – dodał inspektor. – A tymczasem zajmijmy się tym, na co mamy wpływ. Kontaktowała się pani z dziewczyną?

– Od wczorajszego wieczoru nie.

– Może pora to zrobić?

– Nie dowiem się od niej niczego nowego.

– A jednak można by ją przycisnąć, wydusić z niej…

– Co? – wpadła mu w słowo. – Dlaczego kupiła kartę pre-paid? Sam pan słyszał. Była promocja, dostała dwa giga internetu w pakiecie.

Na tym trop wydawał się urywać. Alicja utrzymywała, że wykorzystała przysługujący jej limit, a potem wyrzuciła kartę. Dominika nie miała powodu, by jej nie wierzyć. Szybki wywiad środowiskowy kazał sądzić, że ma do czynienia ze zwyczajną, porządną osiemnastolatką.

Tylko czy takie istniały? Kiedy była w wieku Alicji, ani rodzice, ani tym bardziej nauczyciele nie potrafiliby odmalować jej prawdziwego obrazu. Być może nawet ona sama nie umiałaby tego zrobić.

Tymczasem to właśnie wśród dorosłych rozpytywali kamieńscy policjanci. Na rówieśników przyjdzie pora, ale Wadryś-Hansen nie spodziewała się, by byli przesadnie pomocni. Nawet jeśli znali tę prawdziwszą twarz dziewczyny, z pewnością zachowają to dla siebie.

Wyduszenie czegokolwiek konkretnego z otoczenia Alicji wymagałoby długiej, szeroko zakrojonej pracy śledczej. A na to nie było czasu. Nie wspominając już o tym, że prokurator nie wiedziała, kto na Pomorzu zajmuje się sprawą – mógł zostać do niej przydzielony zarówno wiarus, który wie, w czym rzecz, jak i zupełny amator.

Dominika odsunęła te myśli. Nie była na miejscu, nie miała na to wpływu. Musiała zdać się na lokalnych stróżów prawa.

Dopiero po chwili uświadomiła sobie, że Osica jej się przygląda.

– Nad czym pani tak myśli?

– Nad wszystkim.

– Chce pani tam pojechać?

– Nad morze? To jakieś osiemset kilometrów.

– Jednodniowa podróż.

– Szkoda całego dnia, panie inspektorze.

– Szkoda? – zapytał, rozkładając ręce.

Kiedy wymownie się rozejrzał, właściwie nie potrzebowała ani jednego słowa wyjaśnienia. Miał stuprocentową rację.

Weszli na grząskie piaski i powoli się w nie zapadali. Nic nie wskazywało na to, by ktokolwiek miał im podać pomocną dłoń i pomóc się wydostać.

– Zrobimy tę trasę w osiem godzin – zauważył.

Dominika potarła kark. Po nocy spędzonej na niewygodnej kanapie wszystko ją bolało.

– Sprawdzałem.

– Nie wątpię.

– Są wprawdzie roboty na S3 przed Zieloną Górą, ale jeśli sytuacja będzie zła, możemy pojechać przez Berlin.

– Przez Berlin do Kamienia Pomorskiego?

Pokiwał głową z powagą, jakby był w posiadaniu jakiejś niedostępnej dla innych, strzeżonej przez wieki tajemnicy.

– Podobno nawet się opłaca – dodał. – Kilometrów wychodzi więcej, ale gdybyśmy mieli stać w...

– Nigdzie się nie wybieram, panie inspektorze.

Popatrzył na nią z zawodem.

– Więc jak ma pani zamiar się czegokolwiek dowiedzieć?

Wskazała na kamerę w stojącym przed nią laptopie. Poczekała chwilę, nim Edmund załapie, w czym rzecz. W końcu mruknął coś pod nosem, skinął głową, a potem się oddalił.

Dominika spojrzała na zegarek. O tej porze dziewczyna z pewnością śpi, ale na komendzie w Kamieniu Pomorskim musiał panować już wzmożony ruch. Prokurator sięgnęła po telefon, a potem wybrała numer.

Chwilę później wiedziała już, jak skontaktować się z Alicją Kempińską. Uznała, że poczeka do siódmej, a do tego czasu postara się ustalić cokolwiek w sprawie ofiar na Podhalu.

Skinęła na policjanta, który udostępnił jej swoje biurko.

– Potrzebuję listy wszystkich stacji benzynowych w okolicy – powiedziała. – I numerów telefonów do właścicieli lub franczyzobiorców.

Mundurowy popatrzył na nią jak na wariatkę.

– Coś nie tak?

– Nie, po prostu… – Urwał i powiódł wzrokiem po nielicznych funkcjonariuszach, którzy kończyli niebawem służbę. – Zamierza pani sama sprawdzać każdą stację?

– Tak.

– Trochę ich jest.

– Ile? – spytała rzeczowym tonem. – Mniej więcej.

– W najbliższej okolicy? Z pewnością kilkanaście.

– W takim razie tak, zamierzam sama to sprawdzić.

W Krakowie być może nie miałoby to sensu, ale tutaj mogła samodzielnie dotrzeć do każdego nagrania z monitoringu i na własne oczy przekonać się, czy na stacjach pojawia się ta sama osoba.

Wciąż był to jednak strzał w ciemno. Morderca mógł zbierać materiał biologiczny od tygodni, miesięcy czy może nawet lat. I to nie tylko na stacjach paliw.

Westchnęła, myśląc o tym, jaki ogrom pracy ją czeka. Nikt jednak nigdy nie mówił, że będzie lekko. Przeciwnie, wykładowcy na studiach podkreślali, że niewielu studentów jest ulepionych z właściwej gliny, by zostać prokuratorami.

Część miała przekonać się o tym podczas pierwszego dyżuru. Pozostali przy pierwszej sekcji zwłok. Inni dopiero wtedy, kiedy trafią na ciało dziecka.

Te zawsze robiły na śledczych największe wrażenie. Szczególnie kiedy nosiły szereg obrażeń, a prawdopodobnym sprawcą był ktoś z najbliższej rodziny. Nie było takiej gliny, z której można by ulepić człowieka odpornego na tego typu widoki.

Wadryś-Hansen zawiesiła wzrok przed sobą, na powrót skupiając się na dziewczynach i kobietach znalezionych pod Giewontem. Ile mogła mieć najmłodsza z nich? Siedemnaście, osiemnaście lat?

Skąd się wzięły? Kim były? W jaki sposób zmarły? I dlaczego nie miały żadnych obrażeń?

Część odpowiedzi uzyska po skończonych sekcjach, ale miała wrażenie, że niektóre pytania pozostaną otwarte.

Około siódmej zadzwoniła do Alicji Kempińskiej. Dziewczyna odebrała i chętnie wdała się w rozmowę. Stanowczo zbyt chętnie, biorąc pod uwagę porę, w której przeciętna nastolatka ma prawo być rozdrażniona. Szczególnie w środku tygodnia.

Mogło to znaczyć, że ma coś do ukrycia. Równie dobrze mogło jednak dowodzić, że Alicja jest po prostu skora do pomocy.

Na tyle, że zgodziła się na rozmowę przez Skype'a. Dla Dominiki było to absolutnie kluczowe – musiała widzieć dziewczynę, móc spojrzeć w jej oczy i przekonać się, czy nie ma w nich fałszywości.

W napięciu czekała, aż na monitorze pojawi się obraz. Potem lekko uniosła kąciki ust w odpowiedzi na przyjazny uśmiech Alicji.

– Za piętnaście minut muszę się zwijać, bo spóźnię się na pierwszą lekcję – oznajmiła dziewczyna.

– Nie zajmę ci wiele czasu.

Młoda pokiwała głową.

– To jak mogę pani pomóc?

– Relacjonując mi wszystko od początku.

– Przecież wszystko już powiedziałam policjantom.

– Wiem – przyznała Dominika. – I przekazali mi to co do słowa, ale wolałabym…

– Usłyszeć to ode mnie.

– Otóż to.

– W porządku – odparła dziewczyna, a potem z niepokojem zerknęła na zegarek.

Było w jej zachowaniu coś, co kazało Wadryś-Hansen mieć się na baczności. Może chodziło o to, że była nad wyraz uczynna? Nie, trudno było stwierdzić, co w jej przypadku jest normą, a co poza nią wykracza.

Chodziło o coś innego.

Brak emocji.

Nie była przejęta, zdawała się bardziej martwić spóźnieniem na lekcję niż tym, że jej numer stał się przedmiotem zainteresowania zarówno policji, jak i prokuratury.

Dominice przemknęło przez myśl, że to jedynie fasada. Gdyby dziewczyna rzeczywiście podchodziła do sprawy z taką obojętnością, nie byłaby tak skora do współpracy.

Prokurator przyjrzała się jej, szukając jakiegokolwiek potwierdzenia swojej hipotezy. Bez skutku. Alicja zdawała się... na wskroś zwyczajna.

– Kupiłam kartę, bo była promocja, a mój internet domowy to jakaś tragedia – mówiła. – Dostałam w pakiecie dwa giga, więc się opłacało. Dojechałam do końca limitu, a potem wyrzuciłam SIM.

– Gdzie?

– Do kosza na śmieci.

– Na ulicy?

– Nie, w domu.

Czy możliwe było, że ktoś później odzyskał kartę zc śmietnika? Z pewnością. Szczególnie jeśli człowiek, który to zrobił, był tym samym, który dokonał zabójstw. Sprawca udowodnił, że nie ma oporów przed grzebaniem w odpadkach.

– I tyle ją widziałam – dodała. – Nie pamiętam nawet numeru, który był do niej przypisany.

– Korzystałaś z niej na swoim telefonie?

– Tak.

– Jak długo?

– Dzień, może dwa… obejrzałam parę odcinków *Narcos* i limit mi się skończył. Widziała pani?

– Tak – potwierdziła Dominika. – I muszę przyznać, że większą sympatią zapałałam do Escobara niż do organów ścigania.

Alicja uśmiechnęła się lekko.

– Ja też, chociaż ten kolumbijski agent, Javier…

– To był Amerykanin z Teksasu. Członek DEA.

– No – potwierdziła pod nosem Alicja. – W każdym razie niezły.

Swobodna rozmowa kazała Wadryś-Hansen sądzić, że jej wcześniejsze przypuszczenia mogły okazać się słuszne. Dziewczyna zachowywała się zbyt nonszalancko.

– Ale wróćmy do karty – powiedziała prokurator. – Wychodziłaś gdzieś, kiedy miałaś ją w telefonie?

– Może… pewnie tak. Czemu pani pyta?

– Będziemy sprawdzać lokalizację. To rutynowe działanie.

– Aha.

– A powiedz mi, czy…

– W sumie nie jestem pewna, czy wychodziłam – przerwała jej dziewczyna, marszcząc czoło.

Zbyt teatralnie, pomyślała Dominika.

– Możliwe, że przed wyjściem włożyłam starą kartę. No bo po co miałabym chodzić z nową? Nikt by się do mnie nie dodzwonił.

– No tak.

– Ale nie kodowałam tego tak… no wie pani.

– Wiem.

Przez moment milczały. Dziewczynie mina nieco zrzedła, choć na dobrą sprawę nie było ku temu powodu.

– Przypomnisz mi, gdzie kupiłaś tę kartę? – spytała Wadryś-Hansen.

– Zamówiłam przez internet.

– Dlaczego?

– Jak to dlaczego?

– Co cię do tego skłoniło?

– Reklama na jakimś portalu. Było info, że jest darmowy starter, 4G LTE w prezencie…

– Co to był za portal?

Alicja znów popatrzyła na zegarek, tym razem bardziej nerwowo. Potem uciekła wzrokiem w bok, jakby spodziewała się, że któreś z rodziców zaraz upomni ją, że pora wychodzić. W mieszkaniu jednak panowała cisza.

– Nie pamiętam – odparła po chwili.

Wadryś-Hansen skinęła głową.

– Używasz AdBlocka? – spytała.

Zawahanie.

Przy tak prostym pytaniu nie powinno mieć miejsca. A mimo to dziewczyna zamilkła na znacznie dłużej, niż powinna.

– No… tak, używam, wiadomo. To nielegalne?

– Nie, ale w takim razie nie powinnaś widzieć reklamy.

Znów sekundowa cisza.

– Widocznie musiała nie być na liście tych blokowanych.

Mało prawdopodobne, uznała w duchu prokurator. Miała już właściwie wszystko, czego potrzebowała. Potwierdziła, że należy drążyć dopóty, dopóki nie trafi na coś konkretnego.

– Przysłali ci SIM pocztą czy odbierałaś w salonie?

– Odebrałam w salonie.

– Którym?

Podała adres, a potem oznajmiła, że musi już iść. Kiedy Dominika zapytała o to, kto wydawał jej starter, powiedziała, że jakiś chłopak – ale nie poznałaby go, gdyby musiała go wskazać. Tym samym sugerowała, że on także nie powinien jej pamiętać.

Po rozmowie z dziewczyną Wadryś-Hansen uśmiechnęła się lekko. Wiedziała, jaki powinien być jej kolejny krok.

Istniało niewiele powodów, dla których Alicja mogła kłamać. A jeden z nich wydawał się Dominice wielce prawdopodobny. Szczególnie biorąc pod uwagę, że dziewczyna robiła wrażenie wyjątkowo zaradnej. Wręcz przedsiębiorczej.

Prokurator weszła na Allegro, a potem otworzyła archiwum. Zaczęła przeszukiwać zakończone aukcje. W pewnym momencie wbiła wzrok w pole wyszukiwania. Zastanowiła się, po czym wprowadziła numer odnaleziony w mieszkaniu Forsta.

Już pierwszy wynik był trafiony.

„ZAREJESTROWANA KARTA SIM STARTER WYSYŁKA FREE 2 GB INTERNETU GRATIS".

Alicja Kempińska zrobiła użytek ze zmian w prawie. Handlowała kartami SIM. Nie było to zbyt dochodowe, ale z pewnością starczało na piwo czy paczkę papierosów.

Wadryś-Hansen przesunęła na dół strony i sprawdziła, kto wygrał aukcję.

Krieger.

Nic jej to nie mówiło.

12

Chciałabym, żeby dotarli do jakichś konkretów. Obserwuję ich z niemalejącą nadzieją, że coś znajdą. Że uda im się ustalić, kim są te wszystkie dziewczyny. Nie chciałam przecież, by na zawsze zostały anonimowe.

Gdybym chciała osiągnąć taki efekt, spopieliłabym ciała albo przewiozła je za wschodnią granicę.

Powinni już do czegoś dotrzeć. Odkryć tożsamość choćby jednej z nich.

Zacząć poznawać ich historię.

Pomijając Edi. Ona długo pozostanie anonimowa. Prędzej czy później powinni jednak ustalić jej tożsamość. A jeśli im się to nie uda, pomogę. Znajdę sposób, by zrobić to bez podejmowania niepotrzebnego ryzyka.

Oglądałam wczoraj wieczorne wydanie wiadomości. Było coś satysfakcjonującego w tym, że jestem jedną z dwóch osób, która wie, w czym rzecz. Wszyscy inni patrzą na te zdarzenia, nie mając pojęcia, co się tak naprawdę stało.

Mam jednak nadzieję, że to się zmieni.

Dominika Wadryś-Hansen jest kompetentną śledczą, w końcu zacznie składać wszystko w logiczną całość. Nigdy nie trafi na mój trop, ale przecież nie o to chodzi. Znajdzie za to coś zupełnie innego.

Żałuję, że w śledztwie nie bierze udziału Wiktor Forst. To byłoby wyjątkowe.

Dziś odpuszczę sobie oglądanie dzienników. Nie działa to na mnie najlepiej.

Nie przypuszczałam, że tak chorobliwie będę oczekiwała postępów w dochodzeniu. Wydawało mi się, że będę przyglądać się temu wszystkiemu ze spokojem. Tymczasem teraz emocje są jeszcze większe niż podczas odbierania komuś życia.

Dziwne.

13

Przechadzając się po niewielkim pomieszczeniu, Siergiej Bałajew sprawiał wrażenie coraz bardziej zniecierpliwionego. Próbował dodzwonić się pod wskazany przez Forsta numer już kilkakrotnie, ale bez skutku.

Wiktor podsunął się do ściany i oparł o nią. Nadal miał wrażenie, jakby stał na krawędzi urwiska. I jakby coś ciągnęło go za nogawkę w dół.

– Nie odbierze – odezwał się po chwili. – Musiałbyś zadzwonić z mojego numeru.

Rosjanin zatrzymał się i spojrzał na niego.

– Żaden problem – oznajmił.

– Ale…

– Artiom ma twoją komórkę. Nie bez powodu kazał ci się jej pozbyć w określonym miejscu.

Forst nabrał tchu. Przez moment wydawało mu się, że być może jakimś cudem uda mu się wywinąć. Teraz nadzieja prysła. Nie miało znaczenia, z jakiego numeru Bałajew zadzwoni pod podany numer.

Siergiej polecił swojemu towarzyszowi, by wezwał Artioma, a potem na powrót usiadł obok Wiktora.

– Nie wyglądasz najlepiej – ocenił.

– I nie czuję się też najlepiej.

Rosjanin zlustrował go, jakby miał przed sobą ciekawy okaz. Przez kilka chwil zdawał się analizować każdą bliznę na jego twarzy, każdy ślad po przejściach z przeszłości.

– Zastanawiam się… – mruknął. – Ile razy celnicy kostuchy zatrzymywali cię tuż na granicy śmierci?

Forst popatrzył na niego z niedowierzaniem.

– Odpowiadaj.

– Zbyt wiele – odparł Wiktor. – Ale ani razu nie miałem niczego do oclenia.

Tym razem to na twarzy Rosjanina odmalowało się zdziwienie. Dopiero po chwili zrozumiał, że to właściwie nonszalancka deklaracja braku strachu przed umieraniem.

– A więc twierdzisz, że nie masz nic do stracenia?

– Mhm.

– Nikogo nie zostawisz na tym świecie? Nikomu nie przysporzysz swoim odejściem smutku?

– Nie.

– To dojmująca świadomość, szczególnie u kresu życia.

– Nie dla mnie.

Bałajew uśmiechnął się i przyjął wygodniejszą pozycję. Półleżąc, nie przywodził już na myśl jogina, ale raczej arabskiego gospodarza. Brakowało mu tylko fajki wodnej.

– Zostawmy te efemeryczne kwestie – zaproponował. – I zajmijmy się czymś, co da się zmierzyć.

Wiktor pokiwał głową.

– Nie zrozum mnie źle – zastrzegł Siergiej. – Doceniam, że mogę porozmawiać z kimś na poziomie. Nie ma tutaj takich wielu.

Forst spojrzał w kierunku wyjścia. Gdyby szybko poderwał się na nogi, być może udałoby mu się zaskoczyć Bałajewa. Miałoby to jednak sens, tylko jeśli Rosjanin nie miał broni. I jeśli na zewnątrz Wiktor nie napatoczyłby się na żadnego z jego ludzi.

Jedno i drugie było właściwie niemożliwe.

– Przechodząc więc do konkretów… – podjął Siergiej. – Co da mi ten telefon?

– Sporo.

– To znaczy?

Forst nabrał tchu. Wiedział, że od tego, co teraz powie, zależy jego życie.

– Jeśli pozwolisz mi rozmówić się z tą osobą, dowiem się, czy coś na ciebie mają.

– Twierdzisz, że nie.

– Nie twierdzę, jedynie przypuszczam – poprawił go Wiktor. – Nie jestem już w głównym obiegu, nie mam informacji. Ale mogę je zdobyć.

Rosjanin przez moment się namyślał.

– Dlaczego mieliby cokolwiek na mnie mieć?

Forst prychnął cicho.

– Co to ma znaczyć? – żachnął się Bałajew.

– To, że nie lubię retorycznych pytań.

– Obawiam się, że to, co lubisz, a czego nie, jest w tej chwili zupełnie bez znaczenia.

Wiktor spoważniał nieco, ale uważał, by nie wyjść na usłużnego. Znał dobrze ludzi takich jak Siergiej, wiedział, jak ich podejść. Przynajmniej do pewnego stopnia. W tym przypadku problem polegał na tym, że pora na jakiekolwiek manipulacje dawno się skończyła.

Przepadła wraz z momentem, gdy Siergiej odkrył, że człowiek, który trafił na jego pole golfowe, nie jest Robertem Kriegerem.

– Ile masz u siebie Polek? – spytał Forst.

– Kilkadziesiąt.

– A więc to odpowiedź na twoje pytanie.

Siergiej nie wyglądał na przekonanego.

– W tej sferze nie robię niczego nielegalnego – zastrzegł. – Polskie służby nie miałyby powodu... na dobrą sprawę nie miałyby nawet podstaw, by wszcząć w mojej sprawie postępowanie.

Forst wzruszył ramionami.

– Więc może nie wszczęły – odezwał się. – W każdym razie nie dowiesz się, jeśli nie pozwolisz mi wykonać tego telefonu.

Bałajew uśmiechnął się pobłażliwie.

– A w zamian mam darować ci życie? – spytał.

Wiktor uznał, że każdą odpowiedź Bałajew potraktuje jak potwarz. Forst nie mógł liczyć na jakikolwiek układ, jedynie na odwleczenie nieuniknionego. W tej chwili było to jednak na wagę złota.

– *Nu?*

– Zrobisz, co uznasz za stosowne.

Siergiej cmoknął z dezaprobatą i pokręcił głową.

– Nie, nie, nie… – mruknął. – Nie zachowuj się jak ci wszyscy kretyni, którzy sądzą, że jakimś cudem mogą się uratować tylko dlatego, że rzucą mi jakiś ochłap.

– Nie zamierzam.

– Świetnie.

Zanim Rosjanin zdążył dodać coś więcej, do budynku wszedł Borys i oznajmił, że Artiom jest już na miejscu. Forst zaczął zastanawiać się nad tym, ile czasu mu zostało – pięć, dziesięć minut?

Rozmowa będzie krótka, niczego konkretnego z niej nie wyniesie. A już z pewnością niczego, za co mógł przehandlować swoje życie.

Co robić, do kurwy nędzy? Pytanie zagrzmiało mu w głowie jak wystrzał armatni. Było zbyt ogłuszające, by potrafił zebrać myśli.

– Wstawaj – rzucił Bałajew i sam się podniósł.

Forst ani drgnął. Każda sekunda była cenna, kiedy zostało ich tak niewiele.

– No, już – ponaglił go Siergiej.

Potem rzucił cicho krótkie słowo. Brzmiało jak klucz – wcześniej ustalony sygnał, na który ochroniarz od początku czekał. *Zoł? Soł? Szoł?* Trudno było przesądzić, bo Rosjanin wypowiedział je ledwo słyszalnym szeptem.

Tyle jednak wystarczyło, by zabrzmiało niepokojąco.

Borys zbliżył się, a potem chwycił za sznur krępujący Forstowi dłonie. Podniósł zdezorientowanego Wiktora, a potem poprowadził go na zewnątrz, zgiętego w pół. Ruszyli w kierunku głównej bramy.

Forst mógł dopytywać, dokąd go zabierają i co zamierzają. Wiedział jednak, że traciłby tylko niepotrzebnie energię.

Wpakowali go na tylne siedzenie samochodu Artioma. Borys zajął miejsce obok niego, Siergiej usiadł z przodu. Kierowca bez słowa ruszył przed siebie.

Bałajew raz po raz spoglądał na Forsta w lusterku, jakby spodziewał się, że ten w końcu zacznie indagować. Wiktor jednak się nie odezwał.

Podróż trwała niewiele ponad dziesięć minut. Wyjechali z nowo wybudowanych, zadbanych osiedli, które przywodziły na myśl amerykańskie rezydencje na Florydzie, a potem ruszyli autostradą w kierunku La Marquesa.

Zjechali z niej dość szybko, skręcając ku rozległemu jezioru widocznemu w oddali. Znów pojawiły się osiedla przypominające te na wschodnim wybrzeżu USA. Najwyraźniej budowano tutaj na jedną, określoną modłę.

Przynajmniej tam, gdzie osiedlała się zamożna część mieszkańców.

– Wydajesz się zainteresowany okolicą – zauważył Bałajew.

– Ostatni rzut oka na ten świat, zanim znajdę się na tamtym.

Siergiej docenił to cichym parsknięciem.

– Sprowadzają się tu głównie moi rodacy, Brytyjczycy, a ostatnio także Belgowie. Tych drugich jest najwięcej, niektórzy twierdzą nawet, że ta okolica to nowe wybrzeże Wielkiej Brytanii.

– Mhm.

– Hiszpanów został ułamek – ciągnął Bałajew, kiedy Artiom zjechał z autostrady na mniejszą drogę prowadzącą w stronę jeziora. – Ale zaraz wjedziemy w rejon, gdzie jest ich trochę więcej.

Różnica była zauważalna. Wszędobylską florydzką atmosferę zastąpił obraz biedy, ospałości i brudu. Droga stała się wyboista, a po chwili przeszła w nieutwardzoną ścieżkę, właściwie pasującą bardziej do ruchu rowerowego niż samochodowego. Po bokach Forst dostrzegł zawalone, niedokończone konstrukcje, pewnie projekty budowlane, na które zabrakło funduszy. Zamiast ludzi zadomowiły się w nich ptaki. Stanowiły też najwyraźniej źródło artystycznego wyrazu, przynajmniej jeśli wziąć pod uwagę liczbę pokrywających je graffiti.

Minęli budynki i pochylone, zardzewiałe płoty, a potem zatrzymali się nieopodal wody. Siatka odgradzająca wybrzeże była w tym miejscu przecięta.

Forst nie mógł mieć dłużej złudzeń. Utopią go.

Wyszli z samochodu, po czym poprowadzili Wiktora nad wodę. Tuż przed miejscem, gdzie kończyło się piaszczyste podłoże, Borys popchnął go na tyle mocno, że były komisarz stracił równowagę.

Upadł na kolana w wodzie. Powiódł wzrokiem po przestworze jeziora, a potem opuścił głowę.

Wokół panowała niczym niezmącona cisza.

– Salinas de Torrevieja – odezwał się Siergiej. – Woda ma taki kolor ze względu na zasolenie.

Wiktor podniósł spojrzenie. Gdyby nie to, że na tafli widać było fale, powiedziałbym, że ma przed sobą rozległe błotnisko. Po chwili, kiedy słońce wyszło zza chmur, doszedł jednak do wniosku, że kolor wody zbliżony jest bardziej do różowego.

– Ludzie przyjeżdżają tu z całej okolicy – dodał Rosjanin, rozglądając się. – To znaczy... nie tu konkretnie, większość kieruje się na calle de las Lavandores, tam parkuje i przechodzi kilkaset metrów do jeziora. W sezonie zbiera się tam sporo entuzjastów błotnych kąpieli. My natomiast jesteśmy w raczej odludnym miejscu.

Trudno było z tym polemizować. Jezioro miało może półtora tysiąca hektarów, plaża ciągnęła się jak okiem sięgnąć, ale Wiktor nigdzie nie dostrzegł żywej duszy. Nikogo, kto mógłby przyjść mu z odsieczą.

– I nie chodzi tylko o wrażenia wizualne – ciągnął Bałajew. – Turystów przyciąga tutaj mocne zasolenie. Można właściwie położyć się na tafli jak na łóżku wodnym, efekt jest podobny jak nad Morzem Martwym. Byłeś kiedyś?

– Nie.

– Cóż... powiedziałbym, że wszystko jeszcze przed tobą, ale byłoby to kłamstwo. – Rosjanin na moment się zamyślił. – A jeśli chodzi o samą kąpiel tutaj, ma ona oczywiście wymierne korzyści zdrowotne.

Forst nie miał pojęcia, dlaczego musi tego wysłuchiwać. Spojrzał na Artioma, spodziewając się, że ten wyciągnie telefon. Młody Rosjanin jednak trwał w bezruchu, wodząc wzrokiem wzdłuż horyzontu.

– Dlaczego mi o tym mówisz?

Siergiej zignorował pytanie.

– I co tutaj robimy? – dodał Forst. – Zasolone jezioro to niezbyt dobre miejsce, by ukryć ciało.

Rosjanin zaśmiał się cicho.

– Rzeczywiście – przyznał. – To nie byłoby z mojej strony zbyt roztropne.

– Więc?

– Lubię to miejsce – odparł niemal niewinnie Bałajew. – Niektórym przeszkadza mocny zapach soli, ale mi nie.

Podszedł powoli do linii brzegowej, podniósł niewielki kamyk, a potem zważył go w dłoni.

– W sezonie godowym znajduje się tu przeszło dwa tysiące flamingów – dodał. – Widziałeś z pewnością jakieś po drodze z lotniska.

– Nie rozglądałem się.

– Twoja strata – odparł ciężko Siergiej. – Ale teraz skorzystasz. Kąpiel w Salinas to samo zdrowie. Nie dość, że pomaga oczyścić organizm, to jeszcze działa dobrze na skórę. Dowiedziono też, że zapobiega chorobom układu oddechowego.

Z jakiegoś powodu to wszystko w ustach tego człowieka brzmiało niepokojąco.

– Błotem trzeba wysmarować się przynajmniej na trzydzieści minut, tak twierdzą specjaliści. Ja najczęściej spędzam tu trochę więcej czasu. Nie ma drugiego miejsca, w którym potrafię tak się zrelaksować.

Forst ściągnął brwi. Popatrzył na Borysa, potem na Artioma. Obaj jakby na coś czekali.

Po chwili zrozumiał na co.

– Cudowne uczucie – dodał Siergiej. – Pod warunkiem że nie masz żadnego ukąszenia ani zadrapania.

Wiktor w jednej chwili poczuł się, jakby z siarczystego mrozu wszedł do przegrzanego pomieszczenia. Fala gorąca zdawała się go oplatać jak przyciasne ubranie.

– Poczekaj…

Bałajew skinął na swoich towarzyszy. Ci zareagowali natychmiast, najwyraźniej doskonale wiedząc, czego szef od nich oczekuje. Forst zdążył jedynie pomyśleć, że to nie pierwszy raz, kiedy to robią.

Jeden mocno go przytrzymał, podczas gdy drugi zerwał z niego koszulę. Zaraz potem ściągnęli mu spodnie.

Bałajew stanął nad nim i powiódł wzrokiem po jego ciele.

– Musiałeś naprawdę sporo w życiu przejść.

Wiktor chciał odpowiedzieć, ale w tym samym momencie jeden z goryli wepchnął mu knebel do ust. Gazę lub watę, Forst nie zdążył dostrzec.

Kiedy Siergiej wyciągnął zza paska pochwę z nożem, wszystko stało się jasne. Obnażył ostrze, przykucnął przy Wiktorze, a potem przyjrzał się klindze. Powoli przeciągnął nią po udzie Forsta.

– Nie będę ciął głęboko – powiedział. – Nie muszę.

Wbił sztych w kilku miejscach. Potem połączył je, jakby rysował jakiś kształt.

Kontynuował tak przez kilka długich minut. Forst nie czuł przemożnego bólu, nacięcia rzeczywiście nie były głębokie. Problem polegał na tym, że po chwili pokrywały właściwie całe jego ciało.

– Zanurzymy cię najpierw na próbę – odezwał się Siergiej. – Potem pokażemy ci, jak wiele potrafimy zdziałać za pomocą samej słonej wody.

Podnieśli go i powoli przenieśli nad taflę. Wrzucili go do wody bez słowa, a Wiktor odniósł wrażenie, jakby coś rozrywało jego ciało od środka.

Sól wniknęła w rany jak woda w suchą gąbkę. Mimo knebla Forst wydał z siebie dziki, zwierzęcy ryk. Miał wrażenie, że to nie drobinki soli wypełniają rozcięcia na jego ciele, ale niewielkie szpilki.

Miriady niewielkich szpilek. Ostrych jak brzytwa, wsuwanych z impetem. Aż do samego końca.

Nerwy zdawały się porażone. Umysł także. Po raz pierwszy w życiu Forst nie potrafił powstrzymać przeraźliwego krzyku, który wydobywał się z jego płuc.

W końcu wyciągnęli go z wody i rzucili na piach. Miał wrażenie, że od momentu, kiedy go podnieśli, minęły długie godziny.

Chlusnęli na niego wodą z niewielkiego pojemnika. Niewiele pomogło.

Siergiej odczekał kilka chwil, nim Forstowi udało się w końcu okiełznać przeraźliwe uczucie, jakby ktoś rozdzierał go żywcem. Przynajmniej na tyle, by nie wyć z bólu.

Wyciągnęli mu knebel.

– To była krótka próba – oznajmił Bałajew. – Miała ci uświadomić, co cię czeka, jeśli nie dowiem się tego, czego chcę.

Forst łapczywie wziął haust powietrza, jakby dopiero co wychynął spod wody.

– Zrozumiałeś?

– T-ta…

Urwał. Nie miał siły skończyć.

– Powiesz mi wszystko – dodał Siergiej. – Dlaczego mnie szukałeś, co tutaj robisz, co planowałeś. Kiwnij głową na znak, że mogę na to liczyć.

Forst skinął głową. W tej chwili zgodziłby się na wszystko, byleby po raz kolejny nie zanurzyli go w wodzie.

– Najpierw jednak skorzystam z twojej oferty – oświadczył Bałajew. – Załatwimy tę sprawę z telefonem. Zadzwonię, porozmawiam z twoim znajomym, a ty w tym czasie dojdziesz do siebie.

Wiktor odwrócił głowę i spróbował wypluć nieco słonej wody, którą musiała nasiąknąć gaza, kiedy miotał się w jeziorze. Nawet do tak prostej czynności nie starczyło mu jednak sił. Woda wraz ze śliną zwisły z kącika ust.

– Ohyda – rzucił Siergiej.

Poklepał Forsta po policzku, a potem wyciągnął rękę w stronę Artioma. Ten podał mu telefon.

– Numer.

Forst próbował się odezwać, ale bezskutecznie. Rany nadal go paliły, jakby ktoś przykładał do nich rozżarzone węgle. Na Boga, w życiu rzeczywiście wiele go spotkało, ale nie miał wątpliwości, że do podobnych tortur nikt nawet się nie zbliżył.

Wstrząsnął nim dreszcz. Znajome uczucie.

Poczuł się, jakby gdzieś w oddali zobaczył dawno niewidzianego kompana. Doskonale znał to mrowienie. Zapowiadało, że organizm zbliżał się do granicy wycieńczenia. I że zaraz zwyczajnie się wyłączy.

– Numer!

– Czterysta… pięćdziesiąt…

Rosjanin pokręcił głową. Podał mu komórkę i kazał wprowadzić ciąg cyfr. Wiktor zrobił to z trudem, obraz przed oczami mu się rozmazywał.

450337821.

Połączenie nie zostało nawiązane. Forst nie wiedział, czy nie pomylił się przy wpisywaniu numeru. Dopiero po chwili uświadomił sobie, że nie dodał polskiego prefiksu. Chciał się odezwać, powiedzieć o tym Siergiejowi, ale ten wyjął mu telefon z dłoni.

– Dalej sobie poradzę – oznajmił.

– Ja…

– Co ty? Chcesz rozmawiać?

– Nie… chcę… muszę…

– Nie wydaje mi się.

– Tylko… ja…

Miał nadzieję, że tyle wystarczy, by Rosjanin zorientował się, że rozmówcą po tej stronie musiał być Forst, inaczej nie miało to sensu. Siergiej przypatrywał mu się przez jakiś czas i ostatecznie pokiwał głową.

Wiktor odetchnął.

Dali mu czas, by doszedł do siebie. Posadzili go przy samochodzie, oddali mu nawet koszulę. Znalazł wystarczająco dużo sił, by ją założyć. Potem zwiesił głowę i trwał w bezruchu aż do momentu, gdy Borys trącił go nogą.

– Wystarczy tego odpoczynku – rzucił.

Chwilę później podał mu telefon.

– Głośnik – dodał.

Forst nie zamierzał protestować. Nie miał zresztą powodu, by to robić. Nic nie stało na przeszkodzie, żeby pozostali słyszeli rozmowę. Właściwie było mu to nawet na rękę.

Osoba, do której miał zadzwonić, była przygotowana na ten telefon.

Wszystko było ustalone zawczasu, właśnie na wypadek, gdyby coś poszło nie tak.

Forst jednak nie spodziewał się, że będzie musiał przejść taką gehennę. Liczył na to, że uruchomi plan awaryjny, by się uwiarygodnić, a nie ratować własne życie.

Przełknął ślinę i wybrał numer. Powinno się udać.

Sygnał zdawał się wybrzmiewać w nieskończoność.

– Tak? – odezwał się w końcu mężczyzna po drugiej stronie linii.

Siergiej zbliżył się o krok.

– Z tej strony Forst – powiedział Wiktor.

– Widzę.

– Potrzebuję twojej pomocy, Krieger.

Rozmówca nie odpowiedział.

14

Prokurator próbowała dodzwonić się pod numer w Playu co godzinę, za każdym razem odpowiadał jej jednak automat. Kimkolwiek był Krieger, najwyraźniej naprawdę nie miał ochoty rozmawiać z nieznajomymi.

Stojąc przed zakopiańską komendą, wsunęła komórkę do torebki i się rozejrzała. Czekała na Gerca, który tradycyjnie się spóźniał. Podczas gdy ona zajmowała się tropem Wiktora, on trzymał rękę na pulsie w sprawie kobiet. Dziś powinien mieć dla niej jakieś konkrety, przynajmniej w sprawie sekcji zwłok.

Spała w hotelu Rysy przy Goszczyńskiego. Nie było tanio, ale z tego względu nie miała wątpliwości, że nawet na ostatnią chwilę znajdzie tam miejsce. Zresztą wrzuci potem wszystko w koszty, niech prokuratura martwi się regulowaniem rachunków. Ona przynajmniej wyspała się w wygodnym łóżku.

Gerc w przeciwieństwie do niej chyba nie. Zjawił się po dziesiątej, spóźniony o dobry kwadrans. Miał wyraźne cienie pod oczami, w dodatku snuł się jak widmo. Ewidentnie miał kaca.

Dominika powitała go, kręcąc wymownie głową.

– Jestem w górach – rzucił Aleksander. – Nie potrafię tu zasnąć bez gorzały.

– Bo?

– Bo ludowy zwyczaj wymaga, żeby tak nie robić.

– Prowadzisz sprawę, Aleks…

– Ale nie po nocach. Poza tym sam Tischner mawiał: „żeby górale nie pili, toby się wyzabijali".

– Nie jesteś góralem.

– I? – odburknął, drapiąc się po głowie. – Zasada jest uniwersalna. Poza tym tu się pije twórczo.

Wadryś-Hansen szczerze w to wątpiła, choć musiała przyznać, że sama zakończyła poprzedni dzień kieliszkiem wina. Do osiągnięcia względnego stanu relaksu ważniejsza od niego była jednak płyta Portishead. Trip-hopowe dźwięki skutecznie wyciszyły chaos w głowie. Przez moment nie myślała ani o Forście, ani o ofiarach spod Giewontu.

– Coś wynikło z tego twojego twórczego picia?

– Tak.

– Więc może się tym ze mną podzielisz?

Pokiwał głową, a potem skrzywił się, szybko żałując zbyt gwałtownego ruchu. Kiedy skinął w kierunku Krupówek, powoli ruszyli przed siebie. Gerc oznajmił, że najpierw musi napić się kawy.

Usiedli w pierwszej kawiarni po minięciu banku PKO, wchodząc w niewielkie podwórze. Aleksander wbrew zapowiedziom chciał zamówić alkohol, ale w odpowiedzi usłyszał, że bar otwierano dopiero o piętnastej.

Oboje skończyli z filiżankami parującej kawy. Wadryś-Hansen poczekała, aż towarzysz weźmie pierwszy łyk. Na moment zamarł, zawiesił wzrok gdzieś w oddali, a potem powoli skinął głową z uznaniem.

– Co ustaliłeś? – zapytała.

Westchnął ciężko. Najwyraźniej ciężar niewiedzy, jaki dźwigał, był dotkliwszy od kaca.

– W sprawie trupa z placu budowy kompletnie nic – odparł. – Kobieta to zupełny N.N.

– Nie zgłoszono żadnego zaginięcia?

– Żartujesz? – bąknął. – Dziennie zgłasza się w tym pieprzonym kraju przeszło pięćdziesiąt zaginięć.

– Mam na myśli…

– Nie, nikt w tym wieku ostatnio nie zniknął w okolicy.

– Trzeba sprawdzić szerszą perspektywę czasową.

– Policja działa. Podobno zajmuje się tym niejaki Gomoła. Kojarzysz?

Kojarzyła aż za dobrze. I jeśli wcześniejsza styczność z tym człowiekiem mogła o czymkolwiek świadczyć, to nie należało spodziewać się szybkich rezultatów.

– Mhm – potwierdziła i napiła się kawy. – A jednak coś dla mnie masz, Gerc.

– Tak sądzisz?

– Tak. Widzę w twoich oczach ten znajomy irytujący cień satysfakcji.

– Nie odczuwam żadnej.

Było wprost przeciwnie. Aleks był jak dziecko, które z jakiegoś powodu przeżywa stan euforycznego uniesienia tylko dlatego, że przcz moment wie więcej niż inni.

– Więc? – ponagliła go. – Zdradzisz mi, o co chodzi?

Gerc w końcu pozwolił sobie na pełen zadowolenia uśmiech. Zmarszczki w kącikach oczu się uwydatniły, a pijacko wysuszona skóra napięła.

– Przede wszystkim technicy ściągnęli materiał genetyczny z koszuli – oznajmił. – Jest zbieżny z próbkami, które należą do Forsta.

– Co znaleźli?

– Kawałek włosa, naskórek, nie wiem dokładnie.

– Nic świeżego?

– Eee…

– Nic, co dowodziłoby, że Wiktor miał kontakt z tą koszulą w ostatnim czasie? Ślina, krew, cokolwiek?

Aleksander odłożył filiżankę i się skrzywił.

– A po co to wykazywać? – żachnął się. – *Manifestum non eget probatione.*

Już drugi raz w ciągu ostatnich dni przywołał zasadę, którą prokuratorzy starali się traktować jak najszerzej, a adwokaci jak najwęziej. Stanowiła jedną z przyczyn tego, że praktykowanie prawa w istocie było ciekawe.

Normalnie Dominika zgodziłaby się z szeroką interpretacją reguły, że oczywiste nie wymaga dowodów. Dziś jednak musiała wystąpić jako adwokat diabła.

– Nic nie jest oczywiste – zauważyła. – Szczególnie że nie masz żadnego dowodu bezpośredniego.

Machnął ręką, co stanowiło właściwie najbardziej wymowny komentarz, a zarazem największe przewinienie, jakiego mógł dopuścić się na tym etapie śledztwa. Nawet jeśli gest był przesadzony, Gerc nie powinien sobie na niego pozwolić.

Przynajmniej zdaniem Dominiki, która zasady ceniła ponad wszystko.

– Kazus noża z odciskami palców, Gerc.

– W dupie go mam.

– Ale sąd nie.

Scenariusz właściwie znany był każdemu pierwszorocznemu studentowi prawa. Śledczy znajduje zakrwawiony nóż z odciskami palców na miejscu zdarzenia. Linie papilarne dowodzą tylko tego, że podejrzany trzymał rękojeść. Niczego więcej.

I nawet jeśli do śmierci ofiary dochodziło w zamkniętym pomieszczeniu, gdzie nie było nikogo innego, zdarzało się, że sądy uniewinniały tych, do których należały ślady daktyloskopijne. Wystarczyło przyjąć linię obrony wykazującą, że doszło do samobójstwa, a podejrzany wyrwał ofierze nóż z rąk, próbując ją ratować.

Jeśli biegły nie mógł przesądzić, czyja dłoń zadała śmiertelny cios, potencjalny zabójca odchodził wolny.

Co dopiero mówić o koszuli, pomyślała Wadryś-Hansen.

– Uprawdopodobnię moją wersję – zadeklarował Gerc.

– Nie ma „twojej" wersji, Aleks. Jest tylko prawda obiektywna. A poszlaka nie może być podstawą skazania, i dobrze o tym wiesz.

– Oszczędź mi idealistycznych bzdur.

Uznała, że najlepiej będzie, jeśli tak zrobi. Dla świętego spokoju. Kiedy... nie, jeśli przyjdzie co do czego, przełożony z pewnością zadba o to, by nie kierować do sądu aktu oskarżenia, który mógłby obalić początkujący aplikant adwokacki.

– Mów, co jeszcze ustaliłeś – powiedziała. – Albo raczej do czcgo dotarli technicy.

Aleksander wzruszył ramionami.

– Nie udało im się dopasować żadnego innego materiału do bazy danych. Jeśli więc chodzi o identyfikację, w tej chwili mamy tylko Forsta.

– I kilkadziesiąt innych osób.

Uniósł brwi.

– Których ślady są na placu budowy – dodała. – Ale mniejsza z tym. Kontynuuj.

Nie był zadowolony z władczego tonu, który usłyszał, ale Dominice trudno było się powstrzymać. Celowo przewlekał podawanie informacji i z premedytacją zaczął od tego, czego nie udało się ustalić. Dopiero potem miał zamiar przejść do tego, co się udało.

Musiała wysłuchać jeszcze wywodu o tym, gdzie w tej chwili może znajdować się Wiktor i kto może na ten temat cokolwiek wiedzieć. Gerc miał listę kandydatów, których zamierzał przycisnąć.

Nie było na niej Dominiki.

Tymczasem ona jedyna wiedziała, gdzie szukać Forsta.

– Oprócz tego sekciarze znaleźli coś ciekawego na ciele jednej z ofiar.

– Musisz ich tak nazywać?

– Osica podsunął mi termin.

– Co nie znaczy, że jest trafny.

– Pracują przy sekcjach – odparł bezradnie Aleks, jakby nie mógł nic na to poradzić. – W każdym razie odkryli ciekawą rzecz. Pyłek sosny w nozdrzach jednej z kobiet.

Dominika ściągnęła brwi.

– Biorąc pod uwagę, że znajdowała się pod śniegiem, to trochę dziwne – dodał Gerc.

Sprawiał wrażenie, jakby jakaś niewypowiedziana myśl była tak oczywista, że nie warto było w ogóle jej werbalizować.

– Mów, co powiedzieli – ponagliła go. – Dlaczego to dziwne?

– Bo kosodrzewina pyli w maju lub w czerwcu. A te kobiety śnieg przykrył z początkiem zimy.

– I?

– I nie chodzi tylko o kosodrzewinę.

– Nie rozumiem, Aleks. Do czego zmierzasz?

– Do tego, że wszystkie sosny srają pyłkami w tym samym czasie. Jest ich rzekomo więcej niż w przypadku drzew liściastych. Wszystko się unosi, a przy opadach deszczu osiada z powrotem. Robi się nalot na brzegach kałuż, wiesz, co mam na myśli.

– I co w związku z tym?

Spojrzał na nią, jakby wniosek sam się nasuwał.

– Skąd w kinolu ten nalot? – zapytał. – Skoro dziewczyna zginęła, dajmy na to, w listopadzie, kiedy spadł pierwszy śnieg.

Wadryś-Hansen na moment zamilkła. Aleksander pociągał łyk za łykiem, a po chwili musiał zamówić kolejną kawę.

– Chcesz powiedzieć, że jedna z ofiar zginęła rok temu? W okresie pylenia?

– No.

– I od tamtej pory miała pyłek jakiejś sosny w nosie?

– Na to wychodzi.

– To niemożliwe.

– Możliwe, jeśli ciało było utrzymywane w dobrym stanie.

Dominika pogrążyła się we własnych myślach. Może nie było to tak nieprawdopodobne, jak w pierwszym momencie jej się wydało.

– Sprawca jest przebiegły – ciągnął Aleks. – Mógł zabijać od jakiegoś czasu, a ciała składować gdzieś aż do zimy.

Wzdrygnęła się. Ujęcie w ten sposób tego scenariusza z jakiegoś powodu wywołało w niej głęboki niepokój.

– Potem umieścił wszystkie pod Giewontem – dodał Gerc.

– Jak?

– Nie wiem. Trzeba sprawdzić pracowników TPN-u.

– Więc jednak dopuszczasz możliwość, że to nie Forst.

– Tego nie powiedziałem – zastrzegł. – Zresztą mógł nie działać sam.

Dominika zbyła to milczeniem. Przyjrzała się towarzyszowi, starając się ocenić, czy ma jej coś jeszcze do powiedzenia.

Znała go na tyle dobrze, że szybciej mogła ustalić to, obserwując jego oczy, niż słuchając tego, co mówił.

Tym razem przesądziła, że to wszystko. Nie było tego wiele, ale stanowiło jakiś początek.

– Poddali ten pyłek analizie – dodał Gerc. – W najbliższym czasie powinni ustalić, skąd konkretnie pochodzi.

– Z jaką dokładnością?

– Twierdzą, że całkiem niezłą.

– Region? Miasto? Ulica? – spytała Wadryś-Hansen. – O jak niezłej dokładności mówimy?

– Też próbowałem to z nich wyciągnąć, ale zbyli mnie, bo podobno na tym etapie jest zbyt wcześnie, żeby o tym mówić. Wszystko zależy od tego, z jakiego rodzaju sosny pochodzi pyłek.

Dominika miała nadzieję, że okaże się ona wyjątkowo charakterystyczną odmianą. Im dłużej trwało jednak oczekiwanie na wyniki, tym bardziej jej nadzieja malała. W końcu odważyła się wykonać telefon do zakładu medycyny sądowej.

Nie dowiedziała się zbyt wiele. Technicy poinformowali ją, że czekają na specjalistę od pyłków roślin z Krakowa. Palinolog miał przyjechać dziś popołudniu i od razu zabrać się do pracy.

– Nie mogą państwo nic ustalić na tym etapie? – spytała z nadzieją w głosie.

– Niespecjalnie…

Nie była to tak kategoryczna odpowiedź, jakiej się obawiała.

– A więc jednak coś udało się odkryć?

– Być może. Ale jest jeszcze za wcześnie, by o tym mówić.

Dominika westchnęła ciężko.

– Przeciwnie – stwierdziła. – Dla tych ofiar jest już za późno.

Odpowiedziało jej chwilowe milczenie. Potem technik zastrzegł, że istnieje ponad sto gatunków roślin z rodziny sosnowatych, a on przed sądem nigdy nie powtórzyłby wstępnych wniosków, do jakich dotarł.

– Nie jesteśmy jeszcze w sądzie – zauważyła Wadryś--Hansen. – Żeby tam trafić, potrzebuję kierunku, a pan może mi go wskazać.

Docenił to, przynajmniej na tyle, by zdradzić, że wedle wszelkiego prawdopodobieństwa pyłek pochodzi od gatunku, który występuje dość powszechnie nad polskim morzem. Więcej miał powiedzieć jej krakowski palinolog.

Dominika podziękowała, myślami będąc już w zupełnie innym miejscu.

– Kamień Pomorski – rzuciła.

– Słucham?

Potrząsnęła głową, na powrót skupiając się na rozmówcy.

– Czy te sosny występują w tamtej okolicy?

– Naprawdę nie mogę tego zawęzić.

Nie musiał.

Tyle wystarczyło, by zrozumiała, że Pomorze z jakiegoś względu jest kluczowe. W pewnym stopniu była to niepokojąca myśl, prokurator bowiem doskonale zdawała sobie sprawę z tego, co robił Forst po opuszczeniu Zakopanego. I dokąd pojechał.

Nie, pomorski trop mógł być przypadkowy. Alicja Kempińska sprzedawała karty SIM przez internet, nie miało absolutnie żadnego znaczenia, gdzie mieszkała. A sam pyłek nie stanowił dowodu.

Pomorze mogło nie mieć znaczenia.

A może jednak? Może nie powinna zakładać przypadku? Wiele lat spędzonych w prokuraturze nauczyło ją, że przypadek to jedynie dobry kamuflaż sprawcy.

Poza tym istniała pewna uniwersalna zasada. Jeśli coś pojawiało się w śledztwie jeden raz, było tylko niepewnym tropem. Dwukrotne wystąpienie jakiejś prawidłowości było przypadkiem. Trzykrotne już schematem.

Pomorze pojawiło się trzy razy. Wiązało się z Forstem, Alicją i pyłkiem.

Odsunęła rozważania na później. Było jeszcze wiele innych, konkretnych rzeczy, którymi powinna zająć się w pierwszej kolejności.

Wróciła do mieszkania Wiktora, a potem jeszcze raz zaczęła przeglądać wszystkie kartki, które przykleił na ścianach. Wcześniej Gerc zaproponował, by ściągnąć je i ułożyć na nowo na komendzie, ale zaoponowała. Chciała widzieć taki sam obraz jak Forst.

Była w mieszkaniu sama. Wyłączyła telefon, założyła lateksowe rękawiczki, a potem zaczęła przechadzać się po pokoju.

Puste, oklejone na żółto pomieszczenie przywodziło na myśl miejsce, w którym mieszkał szaleniec.

Przenosiła wzrok od jednej notatki do drugiej.

Starała się wyciągnąć z nich coś więcej, wypełnić puste miejsca własną wyobraźnią, przejrzeć czarne grube linie, które niszczyły cały obraz. Bezskutecznie. Dopiero po godzinie, może półtorej nagle zatrzymała się przed jedną z kartek. Wlepiła w nią wzrok i zupełnie znieruchomiała.

Potrzebowała chwili, by zrozumieć, co zobaczyła.

Potrząsnęła głową, jakby niepewna, czy to przypadkiem nie sen. Machinalnym, wyćwiczonym ruchem ściągnęła rękawiczkę i sięgnęła po telefon. Włączyła go, odnosząc wrażenie, że potrzebuje na rozruch znacznie więcej czasu niż zazwyczaj. Potem szybko wybrała numer Osicy.

– Ert eger – powiedziała.

– Słucham?

– Jest na jednej z kartek.

– Tak, pamiętam. Spekulowaliśmy, że to…

– Imię i nazwisko – dokończyła. – W dodatku to drugie zdaje się mieć zamazane dwie, może trzy litery.

Edmund milczał. W mig zrozumiał.

– Krieger – odezwała się Dominika.

– Być może, ale… w takim razie…

Urwał, a ona szybko sięgnęła po coś do pisania. Zaczęła zapisywać kolejne imiona.

– Możliwości nie jest wiele, panie inspektorze – powiedziała. – Hubert, Robert, Norbert… coś jeszcze?

– Albert.

Mało prawdopodobne, uznała w duchu. Należało zacząć od najbardziej powszechnego z tych wszystkich imion. Być może Robert Krieger stanowił odpowiedź.

15

Forstowi udało się wyprostować, choć kosztowało go to sporo energii. Popatrzył na stojącego nad nim Rosjanina, który wyraźnie się niecierpliwił.

Były komisarz odchrząknął cicho, mocniej ściskając telefon. Gdyby chciał wysłać rozmówcy sygnał, że znalazł się w nieciekawym położeniu, nie musiałby przesadnie się wysilać. Wystarczyło, by powiedział cokolwiek. Słaby głos w zupełności by wystarczył.

Nie musiał jednak tego robić.

Ustalony wcześniej plan był jasny. Jeśli Forst dzwonił, oznaczało to, że znalazł się w sytuacji bez wyjścia.

Było to jednak wszystko, co mógł niewerbalnie przekazać Kriegerowi. Wszystko inne sprowadzało się do improwizacji. Plan awaryjny był ogólny, nie ustalili, co konkretnie powinni zrobić, jeśli Siergiej przyprze byłego komisarza do muru. Wynikało to z jednej prostej przyczyny – nie wiedzieli, czego się spodziewać. Nie sposób było przewidzieć, jak rozwinie się sytuacja.

Rosjanin był zbyt nieprzewidywalny.

– Dotarłem do Siergieja Bałajewa – odezwał się Forst.

Krieger nadal milczał.

– Jest tu ze mną.

Cisza przeciągała się niepokojąco długo. Wiktor przypuszczał, że rozmówca robi to celowo, chcąc pokazać, że jest zaskoczony telefonem. Wolałby jednak, żeby nie szedł aż tak daleko w tym przedstawieniu.

Rosjanin coraz wyraźniej się niecierpliwił.

– Rozumiem – odparł w końcu Robert. – Jak mogę ci pomóc?

– Dobrze wiesz jak.

Znów milczenie.

– W porządku – odparł Krieger. – Dasz mi go?

Forst wyłączył tryb głośnika i wyciągnął telefon w kierunku Siergieja. Ten spojrzał na urządzenie, jakby było czymś niebezpiecznym. Ostatecznie jednak wziął komórkę, przyłożył do ucha i się oddalił.

Wiktor słyszał jeszcze, jak Bałajew oznajmia, że niewiele dzieli go od tego, by odebrać jeńcowi życie.

Z pewnością nie minął się z prawdą. Zanim nawiązali kontakt z Kriegerem, mogło do tego dojść w każdej chwili. Jeśli Robert to zrozumie, być może jakimś cudem zadba o to, by sytuacja uległa zmianie.

Forst przypatrywał się Siergiejowi, starając się wyczytać cokolwiek z ruchu jego ust. Ten jednak operował jedynie półsłówkami, głównie słuchając. Jeśli już odpowiadał dłużej, odwracał się tyłem.

Po chwili wrócił do Wiktora.

– Mówiłeś o kimś z prokuratury – odezwał się, niezadowolony.

– Inaczej bym cię nie przekonał.

– A więc to dziennikarz?

– Jeden z najbardziej dociekliwych.

Bałajew przykucnął między Forstem a wodą, tocząc wzrokiem po różowej tafli. Zanurzył w niej rękę, a potem potarł jedną o drugą. Wiktor niechętnie spojrzał na krople, które

Siergiej strzepnął na ziemię. Miał wrażenie, że nawet jeśli sięgnęłaby go tylko jedna, nie wytrzymałby dłużej bólu.

– Sprawdzałeś mnie dla niego? Przygotowuje jakiś materiał?

– Nie.

– A jednak wie całkiem sporo.

– Bo to on sprawdzał cię dla mnie.

Siergiej zapatrzył się w dal.

– Tak – mruknął. – Tak twierdzi. Ale czy to prawda?

Wiktor nie miał zamiaru go przekonywać. Cokolwiek by powiedział, ostatecznie nie miałoby to realnego znaczenia. Musiał liczyć na to, że Kriegerowi udało się odpowiednio zaimprowizować.

Rosjanin nabrał trochę wody, a potem chlusnął nią w kierunku Forsta. Ten przez moment miał wrażenie, że jakimś cudem żadna z kropel nie trafiła na rany. Poczucie to jednak trwało tylko ułamek sekundy.

Potem znów wrócił przeraźliwy ból.

– Pytałem, czy to prawda?

– Tak!

– Dlaczego kazałeś mnie sprawdzić?

Wiktor zacisnął usta. Nie było tak źle jak poprzednio. Wbił wzrok w swojego oprawcę.

– Odpowiadaj!

– Musiałem wiedzieć, z kim dokładnie mam do czynienia – syknął.

– A moi ludzie? Ich także ten dziennikarz prześwietlił?

Forst spojrzał na Artioma, a potem na Borysa. Nie rozumiał, dlaczego Krieger miałby wspominać o kimkolwiek innym. Nigdy nie dotarli do żadnego z podwładnych Siergieja, zresztą nie zależało im na nich, ale na samym bossie. Nikt inny nie miał znaczenia.

Tymczasem Krieger musiał dać mu do zrozumienia, że jest inaczej. Wiedział, że Bałajew później powtórzy mu całą rozmowę, będzie po kolei weryfikował wszystko, co usłyszał.

– Tak, ich też… – przyznał Forst.

Siergiej zmrużył oczy.

– W jakim celu?

– Bym miał cały obraz.

– A jednak i tak zostałeś zaskoczony.

– Widocznie Krieger nie wykonał właściwie swojej roboty.

– Więc dlaczego mam mu wierzyć?

Wierzyć? Dopiero teraz Forst zrozumiał, że Robert musiał w istocie przekazać Rosjaninowi coś istotnego. Ale co? I w jaki sposób on miał zrobić z tego użytek, nie mogąc skontaktować się z Kriegerem?

Powinni zawczasu ustalić jakiś sygnał, słowo klucz, cokolwiek, co mogłoby im posłużyć do nawiązania choćby cienkiej nici komunikacji.

– Skoro ja mu wierzę, ty też możesz – odezwał się Wiktor.

– To żaden argument.

– Nie potrzebuję argumentów. – Forst zrobił pauzę, by nabrać tchu. – Są potrzebne jako oręż tylko tym, którzy nie są gotowi stoczyć walki na prawdę.

Przypuszczał, że nawet dziesięć tanich złotych myśli nie sprawi, że wybrnie cało z opresji. Na tym etapie warto było jednak zaryzykować. Rosjanin lubował się w takich frazach.

Kiedy Bałajew przypatrywał mu się z obojętnością, Wiktor gorączkowo zastanawiał się nad tym, co mógł powiedzieć mu Krieger. Jakiej informacji miał zawierzyć Siergiej? Co mogło cokolwiek zmienić?

Forst znów zwiesił głowę. Wydarzenia zupełnie go przerosły.

I pomyśleć, że mógł uniknąć tego wszystkiego, po prostu odmawiając Kriegerowi. Nic nie kazało mu zgadzać się na jego propozycję. Nie mogła przynieść mu wymiernych korzyści.

Gdyby Robert naprawdę miał cokolwiek wspólnego z dziennikarstwem, może napisałby jakiś artykuł, ktoś dowiedziałby się o tym, co się tutaj działo. Efekt byłby zauważalny.

Dziennikarskie zaplecze było jednak tylko bujdą. Bujdą naprędce wymyśloną przez Kriegera i jeszcze szybciej podjętą przez Forsta. Obaj improwizowali, ale Wiktor w nieco mniejszym stopniu – właściwie musiał tylko znaleźć sposób, by potwierdzić wszystko, co wymyślił Robert.

Może Kriegerowi udało się dowiedzieć czegoś więcej o organizacji Bałajewa? Z pewnością po wylocie Forsta nie ustawał w wysiłkach, musiał grzebać coraz głębiej.

Polak nabrał tchu. Miał wrażenie, że balansuje na wyjątkowo cienkiej linii tuż nad przepaścią, mając zasłonięte oczy. W każdej chwili mogło się okazać, że jest blisko krawędzi i ktoś poda mu pomocną dłoń. Równie dobrze jednak mógł stracić równowagę przy lekkim podmuchu wiatru.

Siergiej Bałajew namyślał się jeszcze tylko przez chwilę.

Potem wstał, otrzepał ręce i skinął na swoich towarzyszy. Szybko podeszli do Forsta, podnieśli go, a potem pociągnęli w stronę wody. Powłóczył nogami, starając się odnaleźć w sobie resztki sił. Choć trochę, by stawić jakikolwiek opór.

– Nie… – jęknął, kiedy znalazł się przed wodą.

Spojrzał w nią jak w otchłań.

Nie zadali żadnego pytania. Nie stawiali ultimatum. Dwóch mężczyzn cisnęło nim przed siebie jak workiem ziemniaków. Woda wypełniła mu usta, dusząc przeraźliwy krzyk.

Wróciło uczucie rozdzierającego bólu.

Modlił się o ratunek, choć na tym etapie nie był już pewny, czy ma do kogo.

Odniósł wrażenie, że przytrzymują go pod wodą całą wieczność. Kiedy się wynurzył, łapczywie nabrał tchu, nie potrafiąc podnieść powiek. Oczy szczypały go niemiłosiernie, ale była to tylko namiastka tego, co odczuwał w miejscach, gdzie go ranili.

Zanurzyli go jeszcze kilka razy. Każdy wydawał się gorszy od poprzedniego.

Forst był tylko o krok od błagania, by to zakończyli. Nawet jeśli miało to znaczyć odejście z tego świata.

W końcu wyrzucili go na brzeg. Upadł na plecy, oddychając ciężko. Siergiej zaczął coś do niego mówić, ale Wiktor dopiero po chwili zaczął rozumieć słowa. Nadal nie potrafił otworzyć oczu.

– Kto cię przysłał?

Wymamrotał, że nikt. A przynajmniej miał nadzieję, że udało mu się tyle wydusić.

– Dlaczego mnie sprawdzałeś?

– Mu… musiałem…

– Jesteś agentem służb?

Zebrał się w sobie, by stanowczo zaprzeczyć. Wyszedł z tego jedynie cichy pomruk.

Padło jeszcze kilka pytań. Wszystkie wynikały z paranoi Bałajewa, którą sam zapewne nazywał zwykłą ostrożnością.

Potem Rosjanin znów przy nim przykucnął. Forst widział jak przez mgłę, ale nawet półprzymknięte powieki pozwoliły mu zobaczyć, co planuje Siergiej.

Jeden z jego ludzi unieruchomił dłoń Wiktora na piasku, drugi podał szefowi cieniutką igłę.

Bałajew się jej przyjrzał.

– Niewielkie narzędzie – powiedział. – Ale o wielkiej mocy sprawczej.

Forst z trudem przełknął słoną ślinę. Wiedział doskonale, co się teraz wydarzy.

I nie pomylił się.

Drugi z ochroniarzy pomógł pierwszemu unieruchomić Forsta, podczas gdy Siergiej zaczął wbijać igłę pod kolejne paznokcie Wiktora. Koszmarne uczucie rwania sprawiło, że były komisarz niemal stracił przytomność.

Niewiele rzeczy było gorszych od choćby lekkiego dotknięcia miejsca obnażonego po wyrwaniu paznokcia. Wbijanie pod niego igły, a potem umieszczenie delikwenta w słonej wodzie wydawało się wręcz nieludzkim bestialstwem.

Forst miał wrażenie, że jego upiorny krzyk słychać aż w Villamartín.

Kłucie go i zanurzanie w wodzie trwało raptem kilka minut. Dla niego jednak równie dobrze mogły minąć godziny. Długie godziny cierpienia, wypełnione przeszywającym paleniem.

Kiedy z nim skończyli, był półżywy.

– Kto cię przysłał?! – ryknął mu prosto do ucha Siergiej.

Udało mu się odnaleźć ostatni niewielki zapas sił. Starczył jedynie na wyszeptanie takiej samej odpowiedzi, jakiej udzielał dotychczas. Potem zamknął oczy i pogodził się z losem. Nie miał zamiaru dłużej w tym uczestniczyć. Uznał, że to koniec.

Przez jedno przymknięte oko dostrzegł, że Siergiej się podnosi.

Spojrzał na niego, pokręcił głową, a potem sięgnął po pistolet. Przez rozmazaną wizję Wiktor nie potrafił rozpoznać modelu. Z pewnością nie był to jednak P-83. Tyle dobrze.

Bałajew wycelował w niego, a potem umieścił palec na języku spustowym. Nie musiał wkładać wiele energii w jego pociągnięcie. Właściwie wystarczyło lekko go musnąć, by zakończyć czyjeś życie.

Niewielki wysiłek, pomyślał Forst. Człowiek trudzi się, żeby dobrze przeżyć cały czas, jaki dostaje na tym świecie, po czym jeden lekki ruch palca sprawia, że to wszystko traci sens.

Wiedział, że ma jeszcze kilka sekund. Nie chciał odchodzić, snując w głowie komunały. Oczyścił umysł.

To był ten moment.

Przemknęło mu jeszcze przez głowę, że po odnalezieniu jego zwłok śledztwo prowadzić będzie hiszpańska prokuratura. Na pewno ściągną jednak kogoś z Polski. Może nawet parę osób, w końcu były komisarz policji to kandydat na... prominentną ofiarę.

Tym się stanie. Taka będzie jego spuścizna.

Nie zdążył rozwinąć tej myśli.

Usłyszał huk, ale nie poczuł bólu. Przynajmniej nie na tyle wyraźnie, by uczucie przyćmiło to potworne palenie, które nadal zdawało się oplatać jego ciało.

To dobrze. Odejdzie w spokoju.

Poczuł, że myśli stają się coraz bardziej zamglone. Coś nim targnęło, próbował otworzyć oczy, ale bezskutecznie.

– *Bladin syn...*

Forst uznał, że to wymowny komentarz do tego, że jeszcze nie opuścił tego świata. W pewnym sensie stanowiło to być może docenienie jego uporu w starciu ze śmiercią.

Kiedy jednak w końcu udało mu się otworzyć oczy, przekonał się, że chodziło o coś innego. I że Siergiej nie wypowiedział tych słów pod adresem Forsta, ale jednego ze swoich ludzi.

Tego, który teraz leżał tuż obok, wykrwawiając się.

Wiktor potrzebował chwili, by zrozumieć, że Bałajew nie strzelił do niego, lecz do Borysa. Ochroniarz zwijał się na ziemi, cedząc pod nosem przekleństwa i nie rozumiejąc, co się wydarzyło.

Forst także nie potrafił tego pojąć.

Siergiej stanął nad Borysem, wymierzył do niego ponownie, a potem dwukrotnie pociągnął za spust. Odrzut pistoletu był niewielki, Rosjanin musiał mocno napiąć mięśnie. Drgnął równie nieznacznie jak ciało ofiary, kiedy w jej głowę wbiły się z impetem dwa pociski.

– Zdradziecka kurwa – rzucił Bałajew.

Dodał coś jeszcze, ale Forst nie mógł niczego zrozumieć. Wiedział jedynie tyle, że przeżył. I że przy odrobinie szczęścia być może pożyje jeszcze trochę.

Zanim wszystko zaczęło układać się w całość w jego głowie, poczuł, że traci przytomność. Poziom adrenaliny spadł tylko nieznacznie, ale tyle wystarczyło, by organizm zaczął się wyłączać.

Uczucie dopadającej go bezsilności było w pewnym stopniu wytchnieniem. Tracił przytomność, ale miał świadomość, że się obudzi. Robert Krieger najwyraźniej o to zadbał.

16

Wycieraczki pracowały na najwyższych obrotach, a mimo to Dominika z trudem mogła dostrzec drogę. Na szczęście stare mondeo Osicy dawno utraciło zdolność rozwijania wielkich prędkości. Podobnie jak kierowca stracił potrzebę, by się gdziekolwiek spieszyć.

Przynajmniej na co dzień. Dziś sprawiał jednak wrażenie, jakby spowolnienie wywołane pogodą było najgorszym, co go spotkało.

– Na litość boską… – jęknął. – Akurat dzisiaj musi tak lać.

– Nigdzie nam się nie spieszy, panie inspektorze.

– Wręcz przeciwnie.

– Krieger nie ucieknie – zaoponowała. – Jeśli do tej pory był na Pomorzu, nie zniknie tylko dlatego, że do niego zadzwoniłam.

Edmund stanowczo pokręcił głową.

– W tej sprawie nic nie jest pewne.

W duchu przyznała mu rację, wszystko mogło się zdarzyć. Niewątpliwie było jednak to, że Krieger, który wygrał aukcję na Allegro, miał na imię Robert. Zanim jednak Dominika to ustaliła, skontaktowała się z wszystkimi Hubertami, Albertami i Norbertami, których udało jej się odnaleźć. Szczęśliwie nie było ich wielu. Gdyby miała odnaleźć Jana Kowalskiego, poszukiwania na własną rękę właściwie mogłaby sobie odpuścić.

W tym przypadku jednak wystarczyło kilka telefonów. Pierwszy wykonała do Allegro, z prośbą o ujawnienie danych użytkownika. Drugi do Norberta Kriegera, którego głos znacząco różnił się od tego, jaki poznała.

Kolejno obdzwoniła wszystkich, których udało im się namierzyć. Ostatecznie wytypowała tylko dwóch kandydatów. Jednego Roberta i jednego Huberta, obaj mieszkali na północy Polski, możliwe, że pochodzili nawet z tej samej rodziny.

Wątpliwości rozwiała administracja platformy transakcyjnej. Szczegółów wprawdzie Dominice nie ujawniono, ale wystarczyło imię.

Potem kluczowy okazał się CEPiK. W ewidencji pojazdów i kierowców bez trudności znalazła dane człowieka, którego szukała. Wszystko było w OC, łącznie z adresem, pod którym należało szukać Roberta Kriegera.

Słupsk. Ulica Królowej Jadwigi. Nieopodal Zespołu Szkół Budowlanych.

Podróż z Zakopanego miała trwać dziewięć godzin, ale biorąc pod uwagę ograniczenia mondeo i aurę, znacznie się przeciągnęła. Mimo to Wadryś-Hansen stanowczo odmówiła, kiedy Osica zaproponował, by rozłożyć podróż na dwa dni.

Potrzebowała odpowiedzi.

Tym bardziej że Forst nie odbierał. Próbowała się z nim skontaktować, wysłała mu też kilka wiadomości, ale bez skutku.

Na początku tej sprawy wyszła z założenia, że najroztropniej będzie natychmiast zerwać wszelki kontakt. Gdyby wyszło na jaw, że od wielu miesięcy go utrzymywała, mogłaby zostać odsunięta od sprawy.

Uzasadnione wątpliwości co do bezstronności.

Znała tę zgrabną formułkę aż za dobrze. I zdawała sobie sprawę, że prędzej czy później zostałaby użyta przeciwko niej.

Teraz jednak desperacko poszukiwała konkretów. Była gotowa zaryzykować, nawet gdyby w przyszłości wyciągnięto wobec niej konsekwencje służbowe.

Forst jednak milczał jak grób.

– Trzeba było polecieć – bąknął Osica.

Dominika popatrzyła na niego pytająco.

– Słupsk ma jakieś lotnisko, prawda? – dodał.

– Jest port w Redzikowie – zauważyła. – Ale niepasażerski.

– Nie szkodzi. Macie przecież jakieś maszyny na stanie.

– My?

– Prokuratura.

– Niespecjalnie, panie inspektorze. Jedyne, na czym latamy, to symulatory. I to wyłącznie po to, by ustalić, jak zachowuje się brzoza w zderzeniu ze skrzydłem.

Tym razem to on skierował na nią pełne rezerwy spojrzenie.

– Nie doceniam tego typu żartów – oznajmił.

– To nic żart.

– Mniejsza z tym – odparł i machnął ręką. – Fakt jest faktem, że jak tak dalej pójdzie, zwierzyna nam pierzchnie.

– Bez obaw.

Westchnął, jakby jego doświadczenia życiowe i zawodowe znacznie przekraczały te, którymi mogła pochwalić się Wadryś-Hansen.

– Ta dziewczyna… Alicja… jak jej tam?

– Kempińska.

– Otóż to, ona.

– Co z nią?

– Mogła ostrzec Kriegera, że ktoś go szuka – oświadczył Osica, mrużąc oczy.

Przez moment Dominika miała wrażenie, że komendant prowadzi na ślepo. Sama widziała niewiele, a on z pewnością miał jeszcze gorszy wzrok. Z radia płynęły smętne jazzowe kawałki. Nadawałyby się na współczesny nokturn podczas pogrzebu.

Szybko odsunęła tę myśl i skupiła się na Alicji.

– Wie pani… – ciągnął mrukliwie Edmund. – Facet jest wyjątkowo ostrożny. I strachliwy. Biorąc pod uwagę, jak zachował się po pani telefonie, można uznać, że zwinie się, kiedy tylko usłyszy, że ktoś trafił na trop tej Kempińskiej.

Dominika oderwała spojrzenie od drogi i popatrzyła na inspektora.

– Dlaczego miałaby informować o czymkolwiek Kriegera?

– Bo może nastolatka chce być dobrym sprzedawcą. Zależy jej na pozytywnym komentarzu.

Wadryś-Hansen uniosła brwi i nie skwitowała. Najwyraźniej Osica w ostatnim czasie nadrobił nieco, jeśli chodziło o handel w internecie. Uśmiechnęła się lekko.

– Nie sądzę, żeby chciała ryzykować – zauważyła Dominika. – I tak podpadła rodzicom, handlując kartami SIM. Ma wystarczająco dużo kłopotów. A zresztą nie jest głupia, wie, że ją obserwujemy.

– Zawsze znajdą się jakieś sposoby, żeby się skontaktować.

– Doprawdy?

– Wie pani, ile możliwości jest w internecie?

– Mogę się jedynie domyślać.

Nie była to prawda. Wadryś-Hansen znała szereg metod z autopsji.

Oprócz tego, że utrzymywała SMS-owy kontakt z Forstem, porozumiewała się z nim także dzięki rosyjskiemu komunikatorowi. Telegram oferował znacznie większe bezpieczeństwo niż jego zachodnie odpowiedniki. A najciekawszym rozwiązaniem była autodestrukcja wiadomości po iluś sekundach od odczytania.

Opcja, z której Forst korzystał nieraz.

– Mówię po prostu, że mogliśmy wysłać kogoś na miejsce – dodał Osica.

– Wysłaliśmy.

– Tak? Sądziłem, że...

– Oczywiście – potwierdziła. – Wprawdzie policjanci mają nie wchodzić do bloku, ale pilnują budynku. Jeśli Krieger go opuści, pojadą za nim.

– To zmienia postać rzeczy.

Dominika miała nadzieję, że rzeczywiście tak jest. Odbycie tak dalekiej podróży nadaremno byłoby gorzką pigułką do przełknięcia.

Zaparkowali przy Królowej Jadwigi niewiele po trzeciej w nocy. Starali się wypatrzeć policjantów, ale ci najwyraźniej ustawili się w na tyle dobrym miejscu, by nie dało się wyłowić ich z mroku.

Dopiero po telefonie na najbliższą komendę udało im się zlokalizować nieoznakowany radiowóz. Jeden z funkcjonariuszy wyszedł z auta, spojrzał na dwójkę przybyszów, a później na zegarek.

– Chcą państwo teraz go przesłuchać?

– Tak – potwierdziła stanowczo Wadryś-Hansen.

I tak spisała już tę noc na straty, przynajmniej jeśli chodziło o sen. Nie było powodu, żeby pozwalać się wyspać Kriegerowi.

– Czas najwyższy uzyskać trochę odpowiedzi – zauważył Osica.

Policjant przypatrywał się inspektorowi przez chwilę, a potem skinął głową. Poprowadził ich do jednego z nieodremontowanych bloków. Pozostałe sprawiały nie najgorsze wrażenie, ten jednak przypominał postindustrialny dom strachów.

Elewacja była wykonana ze zniszczonego szarego grysiku pokrytego ciemnymi smugami. Okna w większości mieszkań były stare, a szyby brudne. Właściwie widok przywodził na myśl raczej podupadłe miasteczko w zagłębiu węglowym niż niewielkie pomorskie osiedle.

Weszli do budynku, a potem schodami dotarli na czwarte piętro. Funkcjonariusz podprowadził ich pod właściwie drzwi.

– Dziękujemy – odezwała się Dominika.

Potrzebował chwili, by zrozumieć, że zamierzają wejść do środka sami. Popatrzył pytająco na Osicę, a gdy ten skinął głową, policjant się wycofał.

Wadryś-Hansen zadzwoniła do drzwi. Najpierw krótko, licząc na to, że gospodarz nie śpi. Potem znacznie dłużej, już wyłącznie z myślą, by go obudzić.

W końcu usłyszała dźwięk zbliżających się kroków.

Po chwili drzwi się uchyliły. W progu zobaczyła zaspanego, około pięćdziesięcioletniego mężczyznę. Miał gęstą brodę, był obcięty niemal na łyso. Nosił jedynie białą koszulkę bez rękawów i czarne bokserki.

Patrzył niepewnie na Osicę i Wadryś-Hansen, gotowy, by w każdej chwili zamknąć im drzwi przed nosem.

– Robert Krieger?

– Mhm – potwierdził. – A państwo to kto?

Najwyraźniej po zerwaniu się z łóżka nie sprawdził godziny. Gdyby to zrobił, pierwsze pytanie zapewne brzmiałoby inaczej.

– Prokurator Wadryś-Hansen – przedstawiła się Dominika, a potem wskazała na swojego towarzysza. – Inspektor Osica.

– Możemy wejść? – rzucił Edmund, robiąc krok w kierunku drzwi.

Czasem tyle wystarczyło, by gospodarz cofnął się, a funkcjonariusz mógł wejść do środka. Odsunięcie się było naturalną, zwyczajną reakcją. W tym wypadku jednak ruch Osicy nie przyniósł żadnego skutku.

– Czego państwo ode mnie chcą? – spytał Robert. – I która jest godzina?

Obejrzał się przez ramię, jakby starał się samemu znaleźć odpowiedź na to pytanie.

– Niewiele po trzeciej – odparła Dominika. – Przepraszamy za najście o takiej porze, ale…

– Po trzeciej w nocy?

Wydawał się bardziej skołowany, niżby to wynikało z czystej logiki. Podrapał się po głowie, a potem przesunął dłonią po szczecinie. Cofnął się o krok.

– Przepraszam – rzucił. – Jestem trochę… wytrącony z rytmu.

Dominika i Edmund wymienili się spojrzeniami.

– Proszę wejść – powiedział Krieger, otwierając szerzej drzwi.

Zaprosił ich do środka, zaproponował nawet kawę. Chętnie skorzystali, choć Wadryś-Hansen przypuszczała, że tej nocy nie będzie potrzebowała kofeiny, by odgonić senność.

W końcu trafiła na człowieka, którego szukała.

Ile wiedział? Co go wiązało z Forstem? I czy miał cokolwiek wspólnego z ofiarami?

Liczyła na to, że dziś uzyska odpowiedzi na te pytania. A być może odkryje nawet więcej. Przypatrywała się Robertowi, gdy ten robił kawę. Wrzucił po dwie łyżeczki rozpuszczalnej neski do trzech kubków, a potem zalał wodą. Sprawiał wrażenie zwyczajnego, niczym niewyróżniającego się człowieka.

Odwrócił się i przysiadł na kuchennym blacie, patrząc na dwoje gości, którzy zajęli miejsca przy stole.

– Mogę liczyć na odpowiedzi? – spytał.

– Tylko jeśli my możemy liczyć na te kawy – odparł Osica.

Krieger uśmiechnął się niepewnie, a potem podał im kubki. Wadryś-Hansen przyjrzała mu się nieco uważniej, kiedy usiadł naprzeciwko. Nie dbał o siebie przesadnie. Wąsy zachodziły na usta, tuż pod szyją zarost się kołtunił. Koszulka bez rękawów była poplamiona, a zapach w mieszkaniu jednoznacznie sugerował, że Robert lubi i wypić, i wypalić przed snem.

Potwierdzeniem tego były jego przekrwione oczy, które wbijał w Dominikę.

– Kawa jest – powiedział. – Czas na odpowiedzi.

– Właściwie to my na nie liczymy – odezwał się Edmund. – A przede wszystkim…

– Przede wszystkim musimy ustalić, co państwo tu robią. Inaczej nie mam zamiaru odpowiadać na żadne pytania. – Zrobił pauzę, nadaremno czekając na reakcję rozmówców. – I tak wykazałem dużo dobrej woli.

– To prawda – potwierdziła Dominika. – I owszem, należą się panu wyjaśnienia.

Pokiwał głową.

– Najpierw jednak muszę zadać kilka pytań.

Westchnął w odpowiedzi.

– Wydawał się pan wyjątkowo zdezorientowany naszą wizytą – zauważyła.

– Dziwi to panią?

– Mam na myśli to, że sprawiał pan wrażenie, jakby nie wiedział nawet, która jest godzina.

– Nie spojrzałem na zegarek.

– Dopytywał pan, czy jest noc.

Robert uśmiechnął się bezradnie i zmarszczył czoło, jakby nie potrafił zrozumieć, do czego dąży prokurator.

– O której się pan położył? – spytała.

Namyślał się przez moment. Przypuszczała jednak, że głowi się nie nad odpowiedzią, ale nad tym, czy w ogóle warto jej udzielać. Nie miał obowiązku przyjmować dwójki niezapowiedzianych gości, tym bardziej z nimi rozmawiać.

– Nie wiem, może o osiemnastej – powiedział w końcu.

– Dość wcześnie.

– Byłem po dwóch długich zmianach.

Uniosła brwi. Z informacji, do których dotarła, wynikało jasno, że od pewnego czasu ma status bezrobotnego.

– Musiałem odespać – dodał. – Ostatnimi czasy mam zaburzony cały cykl dnia, stąd moje skołowanie.

– Pracuje pan gdzieś?

Zamilkł, jakby dopiero teraz uświadomił sobie, że nie zjawili się tu przypadkiem. Zrozumiał, że przygotowali się do tej wizyty, sprawdzili go.

– Proszę się nie obawiać – dodała Wadryś-Hansen. – Nie jesteśmy z inspekcji pracy.

– Ani tym bardziej z urzędu pracy – dorzucił Osica.

– Ale wiedzą państwo, że jestem na bezrobociu. I że pobieram zasiłek.

Skinęli głowami, a Krieger spojrzał na nich spode łba. Z jego oczu w jednej chwili znikła cała życzliwość.

– Jestem o coś podejrzany? – zapytał. – Czy zupełnie bez powodu mnie państwo sprawdzają?

– Wszystko wyjaśnimy.

– Więc proszę zaczynać.

Kiedy skrzyżował ręce na piersi, Wadryś-Hansen zrozumiała, że dotarła do miejsca, gdzie kończyła się jego dobra wola. Nie pójdą dalej, jeśli nie da mu czegoś konkretnego.

Być może naprawdę nie znał powodu, dla którego się zjawili. Równie dobrze jednak mógł chcieć wybadać, ile wiedzą.

Tak czy inaczej, musiała mu coś wyjawić. Nie wszystko. Tylko tyle, by sama mogła zadać kilka pytań.

– Trafiliśmy na pański numer w toku prowadzonego śledztwa – oznajmiła.

Przymknął oczy.

– To pani do mnie dzwoniła?

– Tak. I powiedziałabym wtedy panu nieco więcej, gdyby nie przerwał pan połączenia.

– I nie wyłączył zaraz potem komórki – dodał Edmund.

Robert nie sprawiał wrażenia, jakby miał coś na sumieniu. Nie rozglądał się nerwowo, nie szukał drogi ucieczki. Przeciwnie, patrzył na gości tak, jakby to oni mieli swoje za uszami.

– Dlaczego pan to zrobił? – spytała Dominika.

– Bo ten numer… cóż… to dość kłopotliwa sprawa.

Odpowiedział szybko, bez zastanowienia. Albo rzeczywiście nie miał niczego poważnego do ukrycia, albo zdawał sobie sprawę, że nawet krótkie wahanie byłoby znaczące.

– Kłopotliwa? – spytał Osica.

Krieger pokiwał głową, a potem znów przesunął po niej dłonią.

– Wszystko wyjaśnię, jak tylko dowiem się, jak państwo na niego trafili?

Wadryś-Hansen i Edmund wymienili się spojrzeniami. Żadne nie wiedziało, jak daleko mogą pójść i jak wiele zdradzić.

– Co to konkretnie znaczy, że wpadli na niego państwo w toku śledztwa? Ktoś zanotował go gdzieś? Miał w komórce?

Właściwie niełatwo było sformułować Dominice prostą odpowiedź. Co mogła powiedzieć? Nie znaleziono go ani na miejscu zdarzenia, ani w żadnym innym, które miałoby bezpośredni związek z popełnionym przestępstwem. Trafili na niego tylko dlatego, że jedna z ofiar miała koszulę Forsta.

– Chciałbym państwu pomóc, ale... – Krieger urwał, jakby szukał odpowiednich słów. W końcu machnął ręką. – Powiem wprost: nie zrobię niczego za darmo. W zamian za współpracę oczekuję od państwa informacji. Co chyba całkiem zrozumiałe.

– Być może – przyznała prokurator.

– W końcu równie dobrze może się okazać, że z jakiegoś powodu to na mnie państwo polują.

Żadne z nich nie zaprzeczyło, a Dominika pożałowała, że nie przygotowali wcześniej scenariusza, wedle którego mogliby teraz postępować.

– Proszę chociaż powiedzieć, o jaką sprawę chodzi.

Osica odchrząknął.

– Przyjechaliśmy z Zakopanego – powiedział, zanim Wadryś-Hansen zdążyła go powstrzymać. – To powinno wszystko panu wyjaśnić.

Robert uniósł wysoko brwi, a na jego czole pojawiły się podłużne zmarszczki.

– Chodzi o te...

– Nie potwierdzę ani nie zaprzeczę – uciął Edmund. – Ale powiem, że do pańskiego numeru doprowadził pewien trop odnaleziony na miejscu zdarzenia.

Krieger sprawiał wrażenie rozgarniętego, ale nawet gdyby było inaczej, na tym etapie mógłby już poskładać wszystko w całość.

– Jestem o coś podejrzany?

– Nie – odparła Dominika. – Próbujemy po prostu dotrzeć po sznurku do kłębka.

– I ja jestem supłem gdzieś po drodze?

Skinęła lekko głową. Właściwie mógł okazać się samym kłębkiem, ale na użytek tej rozmowy postanowiła zachować to przemyślenie dla siebie.

– Więc? – spytała. – Dlaczego wyłączył pan komórkę po moim telefonie?

Spojrzał na nią z pewną ufnością. Nie potrafiła stwierdzić, skąd się wzięła.

– Jestem w… żyję na dobrą sprawę… w trójkącie.

– Słucham?

Nabrał głęboko tchu, odwracając wzrok.

– Moja żona odeszła z córką lata temu, jeszcze zanim stałem się bezrobotny – podjął. – Jakiś czas później związałem się z jedną kobietą, a następnie z drugą. W tej chwili… dzielę czas pomiędzy je obie.

W kuchni zaległo milczenie. Nie tego spodziewała się Wadryś-Hansen.

– Oczywiście o sobie nie wiedzą – dodał Krieger i znów zaczął pocierać szczecinę. – I z tego względu mam dwa telefony. Ten pierwszy to mój normalny numer, ten drugi jest przeznaczony tylko dla Ewy. Nikt inny na niego nie dzwoni.

Mówił gładko, zbyt gładko. W dodatku ta ufność w oczach.

Coś było nie w porządku.

– Spanikowałem – dodał, kręcąc się nerwowo. – Nie wiedziałem, kto może dzwonić, obawiałem się, że może… ktoś odkrył ten numer.

– Ktoś, to znaczy pańska pierwsza dziewczyna.

– Tak.

– Ale później wyłączył pan telefon. Nie mogłam się dodzwonić.

– Nie, to nie tak – zaoponował, kręcąc głową. – Telefon mam jeden, nie stać mnie na dwa. Przekładam kartę SIM z jednego do drugiego.

Akurat to mogło być prawdą, a przynajmniej tak zabrzmiało.

– W porządku – mruknął Osica. – A skąd w ogóle wziął pan tę kartę?

– Kupiłem na Allegro.

– Dlaczego akurat tam?

– Bo nie chciałem podawać danych.

– Tyle że taki obowiązek jest od niedawna. A pan, jak mówi, żyje w tym trójkącie już od pewnego czasu.

– Ale kartę nabyłem niedawno.

Wadryś-Hansen przyglądała mu się, jakby był najciekawszym osobnikiem na ziemi, ale nie mogła niczego ustalić. Jeśli kłamał, robił to wyjątkowo sprawnie. W dodatku dobrze pozorował zakłopotanie.

Podniósł się i podszedł do parapetu. Opróżnił za oknem pełną popielniczkę, poniewczasie orientując się, że ten najwyraźniej machinalny odruch wprowadził gości w osłupienie. Chrząknął nerwowo, a potem zapalił.

Spojrzał wymownie na Osicę.

– Nie puści pan dymka?

Edmund niemal automatycznie sięgnął za pazuchę. Zawahał się, dopiero kiedy podniósł się z krzesła.

– Skąd pan wie, że palę? – spytał inspektor.

– Palacz zawsze pozna palacza – odparł z bladym uśmiechem Krieger. – Poza tym widziałem wybrzuszenie na piersi. Paczka ma charakterystyczny kształt.

Osica spojrzał na nią i na moment zamarł. Potem wyjął papierosa i podszedł do okna.

Dominiki nie opuszczało poczucie, że coś jest nie tak. Nie potrafiła jednak sprecyzować co.

Patrzyła na kłęby dymu wydobywające się z ust Osicy i Roberta, zastanawiając się, czy gospodarz nie założył jakiejś maski, gdy tylko stanęli w jego progu. Może spodziewał się ich przyjścia? Może jakimś cudem dostrzegł tajniaków?

Nie, był wyraźnie zaspany. A policjanci kryli się całkiem nieźle.

Nie pozostało jej nic innego, jak wykonać żmudną pracę śledczą. Drążyć do skutku. Najwięcej podejrzanych stawało się oskarżonymi dlatego, że przedstawiana przez nich wersja w pewnym momencie zgrzytała.

Wystarczyło tylko, by śledczy nie odpuszczał.

– Mówił pan, że jest bezrobotny? – zapytała.

– Tak. Pobieram zasiłek.

– A jednocześnie ostatnie zmiany zaburzyły pana rytm snu. Sporo więc pan pracuje.

Westchnął i spuścił wzrok.

– Nie wiem, ile mogę powiedzieć...

Podniosła się, minęła stół i przysiadła na jego skraju.

– Może pan nie mówić nic – oznajmiła. – Ale sprowadzi pan na siebie problemy.

Przez moment panowało ciężkie milczenie. Robert skierował wzrok na Osicę, jakby chciał zasugerować, że solidarność palaczy wymaga, by inspektor wyciągnął do niego pomocną dłoń.

– Naprawdę nie jesteśmy z inspekcji pracy – odezwał się Edmund.

Krieger zastanawiał się jeszcze tylko przez chwilę. Potem zaczął opowiadać, jak zaczął pracę w pewnym zakładzie mechaniki pojazdowej. Na czarno, bo korzyść była obustronna. Pracodawca sporo zaoszczędził na podatkach i składkach, a on mógł dalej pobierać zasiłek. Problem polegał na tym, że coraz więcej pracowników zaczynało się nim interesować.

Właściciel zakładu dorobił mu klucze i kazał co jakiś czas przychodzić nocą. Stawki były wyższe, ale godziny pracy wręcz szalone. W efekcie jednak tempo napraw znacznie się zwiększyło.

Pracodawca zatrudnił nawet kilku innych, teraz na nocne zmiany przychodzili razem.

– To głównie Ukraińcy – wyjawił Robert. – Ale więcej nie powiem. I mam nadzieję, że to…

– Nie interesują nas takie sprawy – zapewnił Osica.

Znów zamilkli.

– Co więc państwa interesuje?

– Wiktor Forst – rzuciła Dominika.

Uznała, że najwyższa pora to zrobić.

Przypatrywała się twarzy rozmówcy, szukając na niej jakiejkolwiek znaczącej reakcji. Nic nie świadczyło jednak o tym, by kiedykolwiek słyszał imię i nazwisko byłego komisarza.

– Obawiam się, że nie znam tego człowieka.

– Pański numer był w jego mieszkaniu.

– Ale…

– Wisiał na ścianie, pośród innych informacji.

– Informacji dotyczących czego?

Dobre pytanie, uznała w duchu Wadryś-Hansen. Zbyła je milczeniem.

– Obok znajdowały się też pańskie imię i nazwisko – dodała. – Wydaje się więc mało prawdopodobne, że nigdy nie słyszał pan o Forście.

– Cóż…

– Tak?

Zaczął masować kark, jakby był lekko zakłopotany.

– Słyszałem – przyznał. – Ale jedynie w mediach. Oczywiście kojarzę całą tę sprawę Bestii z Giewontu.

Spojrzał na popielniczkę, zawahał się, a potem zgasił papierosa.

– Ale nigdy nie spotkałem tego człowieka – dodał. – Nigdy z nim nawet nie rozmawiałem. Dlaczego miałby mieć mój numer na ścianie?

Dominika liczyła na to, że jeśli pytanie odpowiednio długo zostanie bez odpowiedzi, być może sam Krieger w końcu jej udzieli. Milczenie było skutecznym narzędziem śledczego, należało tylko umiejętnie z niego korzystać.

Robert był taki jak inni – czuł presję, by przełamać ciszę. Z jakiegoś powodu nawet dla niewinnych wydawała się obciążająca.

– Może to nie o mnie chodziło? – zapytał. – Kupiłem tę kartę na Allegro, wcześniej mogła być używana przez kogoś innego.

– Były tam też pańskie imię i nazwisko, jak mówiłam.

Znów zamilkła. To był odpowiedni moment, by przestać się odzywać.

Krieger wzruszył ramionami.

Przestał sprawiać wrażenie nerwowego. Przeciwnie, zachowywał się stanowczo zbyt spokojnie jak na człowieka, który właśnie dowiedział się, że mógł zostać wmieszany w coś zgoła niepokojącego.

Spojrzał na Osicę, gdy ten gasił papierosa.

– To zupełny absurd – zauważył. – Chyba nie podejrzewają mnie państwo o udział w jakimś przestępstwie?

Odpowiedzieli mu milczeniem.

– Nic nie zrobiłem – zastrzegł. – A to, że jakiś szalony człowiek umieścił moje dane na ścianie w swoim mieszkaniu, o niczym nie świadczy.

Nadal panowała cisza. Wadryś-Hansen była zadowolona, że Osica przyjął jej sposób działania i o nic nie pytał.

– Niewiarygodne… – mruknął Krieger, nadal patrząc na inspektora w poszukiwaniu ratunku. – Ten pański człowiek potrzebuje raczej żółtych papierów, a nie żółtych karteczek.

Dominika drgnęła. Nie wspomnieli o kartkach samoprzylepnych. Nie miał prawa o tym wiedzieć.

W okamgnieniu stało się o wiele rzeczy za dużo, by mogła za nimi nadążyć.

Przez twarz Roberta jak błyskawica przemknął uśmiech.

Potem równie szybko powietrze przecięła jego pięść. Trafił Osicę prosto w skroń i zanim inspektor zdążył choćby jęknąć, Krieger złapał go jedną ręką za koszulę, a drugą poprawił uderzenie.

Natychmiast sięgnął do kabury i wyszarpał z niej służbowego glocka Edmunda.

Ten runął na ziemię zupełnie zdezorientowany. Dominika zerwała się z krzesła, gotowa ruszyć na napastnika bez zastanowienia.

Wtedy rozległ się strzał.

Znieruchomiała zupełnie, siły w jednym momencie całkiem ją opuściły. Krieger stał z pistoletem wymierzonym prosto w leżącego na ziemi Osicę. Wadryś-Hansen jak w transie skierowała wzrok na inspektora.

Plama krwi rozlewała się w zastraszającym tempie, pokrywając kuchenną podłogę.

Zanim prokurator zrozumiała, że będzie następna, poczuła uderzenie prosto między oczy. Zaraz potem nadeszło kolejne.

17

Forst miał wrażenie, że obudził się w innym życiu. Otworzywszy oczy, zobaczył nad sobą czysty sufit, poczuł łagodny zapach świeczek zapachowych i komfortowy chłód, stanowiący przyjemną odmianę od niedawnego żaru.

Przez moment był gotów założyć, że wszystko, co spotkało go po opuszczeniu pokładu samolotu na lotnisku w Alicante, było jedynie złym snem. Że tak naprawdę znajdował się przez cały czas w hotelowym pokoju, pogrążony w koszmarze.

Szybko jednak uświadomił sobie, że koszmar trwa. Na jawie.

Przypomniał mu o tym ból, który zdawał się oplatać całe jego ciało. Pojawił się znikąd, kiedy tylko Wiktor się poruszył.

Podobnie niespodziewane było pojawienie się człowieka, który jeszcze niedawno miał być jego katem.

Teraz Siergiej sprawiał wrażenie dobrego znajomego, zaniepokojonego jego losem. Przysiadł na skraju łóżka, na którym leżał Forst, a potem otaksował go wzrokiem. Pokręcił głową ze współczuciem.

– Mogliśmy nafaszerować cię lekami przeciwbólowymi – odezwał się. – Uznałem jednak, że byś sobie tego nie życzył.

Wiktor się skrzywił.

– Zapewne wolisz zachować trzeźwy umysł.

Forst wolałby raczej, żeby ból zniknł. Owszem, rany były powierzchowne i być może zostały nawet oczyszczone, ale nie opuszczało go uczucie, jakby ktoś próbował rozciągnąć mu szczypcami poranioną skórę.

W dodatku pojawiło się widmo, którego obawiał się najbardziej.

Najpierw w lewej skroni, potem w prawej. Ostatecznie gdzieś za oczami.

Nadciągała migrena, wróg groźniejszy od Bestii z Giewontu. Za moment wyprowadzi uderzenie, które zupełnie go znokautuje. Pojawią się zaburzenia widzenia, potem nudności. Ostatecznie Forst nie będzie potrafił nawet prowadzić normalnej rozmowy, co dopiero mówić o poradzeniu sobie z tą sytuacją.

– W Rosji mawiamy, że dla odurzonego morze jest głębokie tylko do kolan – dodał Bałajew i westchnął. – Nie, właściwie odnosi się to do pijanego. Jak wiele innych przysłów.

Forst poruszył się nerwowo. Rany przestały go martwić, ból zszedł na drugi plan. Teraz liczyło się zupełnie co innego.

– Potrzebuję czegoś przeciwbólowego – powiedział.

Własny głos wydał mu się chrapliwy, niemal obcy. Odkaszlnął, nie odrywając wzroku od Siergieja.

– Nie wolisz zachować trzeźwości umysłu?

– Zachowam ją, jeśli dasz mi coś na ból. Szybko.

Bałajew nie zastanawiał się długo, czy spełnić jego prośbę. Skinął na jednego ze swoich ludzi, a ten po chwili wrócił z garścią tabletek. Forst popatrzył na nie podejrzliwie.

– Co to jest?

– Wszystko, co mamy i co mogłoby okazać się pomocne.

Nie przypuszczał, by były to środki znajdujące się w legalnym obrocie. Kiedyś by się tym nie przejmował. Nie takie rzeczy zdarzało mu się już brać.

Teraz jednak musiał się pilnować. Nie miał zamiaru brać czegoś, co wyzwoli euforię, co przypomni mu o tym, jak działają alkohol lub heroina.

– Coś nie tak?

Podwładny Bałajewa przesypał tabletki na dłoń szefa. Ten wyciągnął ją w kierunku Wiktora.

– Do wyboru, do koloru.

– Co to jest? – powtórzył Forst.

– Nie wiem. Okaże się, jak weźmiesz.

Wiktor się zawahał. Z jednej strony migrena, która przerżnie mu głowę jak piła łańcuchowa, z drugiej strony niebezpieczeństwo powrotu do nałogu. Lub nałogów. Osoba będąca jednocześnie alkoholikiem i narkomanem nigdy nie mogła mieć pewności, który z demonów wróci.

– Nie – powiedział i odwrócił głowę.

– Obawiasz się nawrotu uzależnienia?

Forst spojrzał na niego przelotnie.

– Dziwisz się, że o tym wiem? – prychnął Rosjanin. – Historia twojej choroby nie jest tajemnicą państwową.

– Mhm.

Bałajew zamknął dłoń, potrząsnął nią, a potem przyjrzał się pigułkom.

– Weź tę.

Wybrał jedną tabletkę, podał ją Wiktorowi i wskazał na szklankę wody stojącą na szafce obok łóżka. Forst przełknął ślinę. Czuł już migrenową aurę, jakby tuż nad nim zbierały się ciemne skłębione chmury, w których zaczyna kotłować się burzowy front.

– Zastanów się – dodał Siergiej. – Gdybym chciał cię zabić, nie wróciłbyś znad Salinas.

Wiktor wziął tabletkę i wrzucił ją do ust. Przełknął bez popijania.

Zamknął oczy, w duchu modląc się o to, by środek okazał się wystarczająco mocny. A przede wszystkim, by zaczął działać jak najszybciej. Czasem wystarczyło kilka minut spóźnienia, a dochodziło do tragedii.

– Dlaczego tego nie zrobiłeś? – zapytał Wiktor. – Dlaczego nie zabiłeś mnie nad jeziorem?

– Bo twój znajomy dziennikarz okazał się wyjątkowo pomocny.

Gówno prawda, skwitował w duchu Forst. Nawet jeśli Kriegerowi udało się wykoncypować coś wiarygodnego, a zarazem cennego, nie wystarczyłoby, żeby ocalić Wiktorowi życie.

Nie, kiedy w rękach miał je ktoś taki jak Siergiej.

– Powiedział mi o Borysie.

Forst uniósł brwi.

– A więc ty o nim nie wiedziałeś? – zapytał Bałajew.

– Nie. Czegokolwiek Krieger się dowiedział, musiał to zrobić już po tym, jak opuściłem Polskę.

– Rozumiem.

Forst uznał, że improwizuje całkiem nieźle. Gdyby przyglądał się sobie z boku, może nawet stwierdziłby, że ma jakieś pojęcie o tym, co mówi. W rzeczywistości nie miał jednak nawet namiastki.

– Borys pracował dla Benidormu.

– Benidormu?

– To skrót myślowy – odparł ciężko Bałajew. – Chodzi o miasto, tutaj, w Walencji. Kiedy w latach dziewięćdziesiątych w Hiszpanii zaczynały się tworzyć takie jak moja rosyjskie organizacje, koncentrowały się głównie w Torrevieja i Benidormie.

Wiktor patrzył na niego z obojętnością.

– Zjeżdżało tu sporo obywateli z dawnych krajów satelickich ZSRR. Inne ośrodki znajdowały się w Marbelli i Esteponie na Costa del Sol. Sporo Polaków zaczęło się wtedy tu organizować pod naszymi skrzydłami.

Forst słuchał trzy po trzy. Skupiał się głównie na zalążku bólu, który zdawał się rozrastać w niepokojącym tempie.

– Nie interesuje mnie historia zorganizowanej przestępczości w Hiszpanii – odezwał się w końcu. – Raczej jej przyszłość.

– Doprawdy?

– Nie pojawiłem się tu bez powodu – odparł twardo. – A ty nie darowałeś mi życia przez przypadek.

– Mówiłem już, że to w zamian za informację od twojego przyjaciela.

– To by nie wystarczyło.

Siergiej przypatrywał mu się z uwagą przez kilka chwil. W końcu skinął głową. Nie miał jednak zamiaru podejmować tematu.

– Jak cię przekonał? – spytał Forst. – Z pewnością nie wystarczyło, że rzucił oskarżenie.

– Nie, nie wystarczyło. Choć przyznam, że od pewnego czasu podejrzewałem kogoś w moich szeregach o zdradę. Twój przyjaciel dotarł jednak do rzeczy, które mi umknęły.

– Jakich rzeczy?

Nie powinien dziwić się, że Krieger coś odkrył. Drążenie w przeszłości Siergieja, poznawanie jego organizacji i ustalanie, kto do niej należy, Robert stawiał sobie za punkt honoru. Nie było dla niego nic ważniejszego.

Musiał poszerzyć nieco wiedzę, od kiedy rozmawiali ostatnim razem.

– Jakich rzeczy? – powtórzył Forst. – Czego się dowiedział?

– Tego, że podczas ostatniego wyjazdu do Walencji Borys spotkał się z przedstawicielem Benidormu. Mnie tymczasem powiedział, że odwiedza chorą matkę.

– Dał ci na to dowód?

– Tak.

– Jaki?

Siergiej zmarszczył czoło.

– Do czego ci potrzebna ta wiedza? – spytał. – Nie wystarczy ci, że przyjaciel cię uratował?

– Nie.

– Dlaczego nie?

– Bo chcę potwierdzić moje przypuszczenia, że to nie jest główny powód, dla którego żyję.

Bałajew zaśmiał się pod nosem. Był w tym wyraz bezradności, ale także pewnej sympatii. Osobliwa reakcja, uznał w duchu Wiktor. Ale na dobrą sprawę wszystko, co robił ten człowiek, poniekąd takie było.

Siergiej się podniósł i zaczął chodzić po pokoju.

Dopiero teraz Forst rozejrzał się i zrozumiał, że jest na terenie rezydencji Bałajewa. Wnętrze było luksusowe, utrzymane w pełnym przepychu, typowym dla stylu nowobogackich Rosjan.

– Masz oczywiście rację – odezwał się Siergiej. – Rzecz polegała na sprawdzeniu cię, nie zabiciu.

Wiktor czekał w milczeniu na dalszy ciąg.

– Już kiedy się do mnie zgłosiłeś, uznałem, że będziesz wartością dodaną dla mojej organizacji. Brakuje mi takich ludzi jak ty.

– Niewątpliwie.

– Ale wiedziałem o jednym krecie. Nie mogłem pozwolić sobie na drugiego.

– Więc…

– Test solny to najlepsza metoda na sprawdzenie kandydata, jaką znam – wpadł mu w słowo Siergiej, a potem rozbrajająco wzruszył ramionami. – Powoduje niewyobrażalny ból, co być może potwierdzisz, ale jednocześnie nie zostawia trwałych śladów.

Nie na ciele, pomyślał Forst.

– A jednocześnie dowodzi, czy kandydat jest wart mojej uwagi, czy nie.

– Rozumiem, że zdałem test.

Bałajew zatrzymał się, a potem popatrzył na niego z powagą.

– Najlepiej ze wszystkich dotychczasowych uczestników, Wiktor – oznajmił. – Zrobiłeś na mnie ogromne wrażenie.

Znów przysiadł na łóżku.

– Czekają nas ciekawe czasy – ciągnął. – Jak tylko wyzdrowiejesz, wyznaczę kogoś, żeby zaczął wprowadzać cię w obowiązki. Szybko poznasz wszystkie zasady, które rządzą tym światem. Odnoszę zresztą wrażenie, że odnajdziesz się w nim jak w domu.

Wiktor właściwie był podobnego zdania. Wprawdzie nie trafił tutaj po to, by zagościć w organizacji Bałajewa na stałe, ale sposób postępowania Rosjanina i jego ludzi był w pewnym stopniu znajomy.

– Tymczasem odpoczywaj – rzucił Siergiej. – A gdybyś potrzebował rozrywki i czuł się na siłach, zejdź na dół, do części wspólnej.

Forst powiódł wzrokiem w stronę drzwi.

– Gdzie jestem?

– W mojej rezydencji w Villamartín.

Zanim część rzeczy zaczęła zamazywać się w głowie Forsta, zdążył dobrze przyjrzeć się dwupiętrowemu budynkowi za polem golfowym. Przywodził na myśl jeden z cygańskich pałaców.

Cały teren był strzeżony i ogrodzony, nie było żadnych szans, by wymknąć się niepostrzeżenie z tej enklawy. Ani do niej przeniknąć.

Chyba że było się gotowym na test solny i z pewnością także inne sprawdziany, które czekały Forsta.

– Jak tylko tabletka zadziała, zejdę.

– Świetnie – odparł Siergiej, kierując się do wyjścia. – Swoją drogą, to tylko mieszanka substancji przeciwbólowych i przeciwzapalnych. Według naszego chemika można je łączyć.

Rosjanin posłał mu jeszcze lekki uśmiech, zanim wyszedł na korytarz i zamknął za sobą drzwi. Forst nie miał pojęcia, co tak naprawdę dostał. Przypuszczał jednak, że przynajmniej o kilku składnikach Siergiej nie wspomniał.

Inaczej środek nie zadziałałby tak szybko.

Uniknął bólu głowy. Ćmiło go w skroniach, ale nie miało to nic wspólnego z uczuciem, które jego ojciec porównywał do przewalającego się po torach pociągu towarowego.

Mimo to przez cały dzień Forst nie opuścił pokoju.

Wyszedł z niego dopiero nazajutrz, niepewnie badając okolicę. Wnętrza rezydencji były utrzymane w jednakowym tonie. Każde pomieszczenie było klimatyzowane, przez co nie czuł nawet, że znajduje się w Hiszpanii.

Przypomniał mu o tym jednak wystrój przestronnego holu na dole. Na ścianach wisiały czerwono-żółto-czerwone flagi, tu i ówdzie widać było podobizny byków, a honorowe miejsce nad kominkiem zajmował herb prowincji Alicante, z zamkiem na skale widocznym na tle morskich fal.

Na rozległych kanapach siedziało kilkanaście dziewczyn. W ich urodzie nie było niczego, co kazałoby Forstowi sądzić, że w ich żyłach płynie hiszpańska krew. Wszystkie musiały pochodzić z centralnej lub wschodniej Europy.

Przynajmniej połowa była pod wpływem narkotyków. Siedziały z wpółprzymkniętymi oczami, wodząc nieobecnym wzrokiem po suficie.

Forst minął je, nie przykuwając niczyjej uwagi. Nie dostrzegł żadnego ochroniarza – najwyraźniej Siergiej przyjmował, że dziewczyny nie stanowią żadnego zagrożenia. I pewnie miał rację. Gdyby któraś cokolwiek ukradła lub zagroziła mu w jakikolwiek sposób, nigdy nie opuściłaby terenu rezydencji.

Wyszedłszy na zewnątrz, Wiktor wciągnął nosem gorące powietrze. Zapach soli zdawał się znacznie wyraźniejszy niż poprzednio. I tym razem nie kojarzył się Forstowi zbyt dobrze.

– Szefa nie ma – rozległ się nieznajomy głos.

Wiktor spojrzał w stronę mężczyzny, który wyszedł z jednego z korytarzy. Był bardziej umięśniony niż Borys, ale podobnie jak on mówił po polsku bez śladu obcego akcentu. Być może zajął miejsce poprzedniego ochroniarza.

– Pojechał gdzieś?

Mężczyzna wzruszył ramionami.

– Powiedziano mi, żeby zaprowadzić cię do biura, jak zejdziesz na dół.

Forst skinął głową, czekając, aż ochroniarz wskaże kierunek. Potem niespiesznie ruszyli w stronę niewielkiego budynku w oddali.

Na miejscu przyjął go jeden z ludzi Bałajewa. Przedstawił się jako Uljan Pierłow, sprawiał wrażenie wyjątkowo wrednego sukinsyna. Włosy nosił zaczesane do tyłu, ułożone dzięki mocnemu i świecącemu żelowi. Jedwabna koszula była stanowczo za duża, a złoty łańcuch na szyi zdecydowanie zbyt widoczny.

– Siadaj – rzucił Uljan. – Mamy trochę do omówienia.

Forst zajął miejsce.

– Jesteś niemotą? – spytał Pierłow.

Liczył na odpowiedź, ale doczekał się jedynie krótkiego, ostrzegawczego spojrzenia. Zupełnie je zignorował, choć jego wymowa z pewnością mu nie umknęła.

– Wypadałoby się odezwać – dodał Uljan. – Nie mówiąc już o przedstawieniu się.

– Doskonale wiesz, kim jestem.

Słysząc nieprzychylny, kategoryczny ton, Uljan szybko odpuścił. Siedział za niewielkim biurkiem, sprawiając wrażenie niewłaściwego człowieka na niewłaściwym miejscu. W rzeczywistości jednak musiał być zausznikiem Siergieja. Forst przypuszczał, że w szufladach biurka znajdują się najważniejsze dokumenty związane z działalnością Bałajewa, a na twardych dyskach stojących tu komputerów jest jeszcze więcej wrażliwych danych.

Znalazł się w tutejszym odpowiedniku policyjnych kancelarii tajnych.

– Przejdziemy więc od razu do konkretów – rzucił ulizany mężczyzna.

Przesunął po blacie kartkę formatu A4, a potem otworzył jedną z szuflad, wyciągnął pęk kluczy i grzmotnął nim o biurko.

Forst spojrzał spokojnie na wydruk.

– Dwupokojowe mieszkanie przy calle Victoria – oznajmił. – Osiedle Jumilla III.

– Torrevieja?

– Nie, Orihuela Costa. Niedaleko Villamartín – wyjaśnił Uljan. – Tam formalnie zamieszkasz, ale raczej nie będziesz częstym bywalcem.

Wiktor spojrzał na kluczyki.

– Samochód też dostaniesz.

– Bardziej od mety i auta interesują mnie moje zadania.

Pierłow pokiwał głową, doceniając tę uwagę.

– Na początek będziesz odpowiedzialny za dziewczyny.

– Te tutaj?

– Nie. Te są do naszego użytku.

Wiktor skinął głową.

– Możesz z nich korzystać do woli.

– Rozumiem.

– A pilnować będziesz tych, które są na jachtach. Większość wypływa z okolicy La Mata, najbardziej uczęszczanej plaży w okolicy. Znajduje się tuż za Torrevieja, ściągają tam głównie turyści z Madrytu.

Powiedział to z wyraźnie słyszalną rezerwą, najwidoczniej nie darzył mieszkańców stolicy sympatią.

– Drugim miejscem, w którym będziesz przebywał dość często, jest okolica Kartageny. Tam też obsługujemy sporo klientów.

– Jakie usługi świadczymy?

– Zupełnie podstawowe.

– Zapewniamy jachty?

– Nie, tylko dziewczyny.

– Dziwki?

– Niezupełnie – odparł bez przekonania Pierłow, jakby sam do końca nie potrafił przesądzić. – Formalnie nie.

Wiktor przez moment zastanawiał się, czy warto wnikać. Istniał jakiś formalny sposób stwierdzenia, czy dana dziewczyna jest prostytutką, czy nie?

– Nie trudnią się tym na co dzień.

– Więc skąd je bierzemy?

– Z Instagrama.

A zatem była to ta sama grupa, do której dotarli z Robertem. Forst przez moment się nie odzywał, a rozmówca najwyraźniej wziął tę reakcję za dowód na to, że Wiktor nie ma pojęcia, o czym mowa. Westchnął, a potem obrócił do niego laptopa.

Były komisarz rzucił okiem na ekran i zrozumiał, że się pomylił. Nie był w żadnej kancelarii tajnej, ale biurze werbunkowym.

– Mamy określoną pulę dziewczyn – podjął Uljan. – Klient przegląda ich profile na Instagramie, wybiera te, które go interesują, a potem daje nam listę.

– Bezpośrednio tobie?

– Nie, ja się tym nie zajmuję. Odpowiada za to Dolly, ją też poznasz.

Forst skinął lekko głową.

– Dziewczyny na co dzień zajmują się swoimi sprawami, pracują, studiują, wychowują dzieci. Większość współpracuje z nami w weekendy lub święta. Fundujemy im przelot, zakwaterowanie i opiekę. Za resztę odpowiada klient.

Wiktora kusiło, by zapytać, ile kosztują takie usługi, ale się powstrzymał. Nie miał zamiaru wychodzić na kogoś, kto interesuje tym, czym nie powinien. Zresztą nie miało to dla niego żadnego praktycznego znaczenia.

– Nie zostawiamy ich oczywiście samopas – dodał Uljan. – Dolly i jeden ochroniarz zawsze im towarzyszą.

Forst przypuszczał, że po niefortunnym odejściu Borysa to właśnie on stał się tym ochroniarzem. Pierłow szybko to potwierdził, podkreślając, że właściwie to jedna z najlepszych fuch, na jaką można liczyć.

– Na jachtach zazwyczaj nic się nie dzieje – ciągnął. – To znaczy nic wykraczającego poza normę, przez co musiałbyś interweniować.

– Rozumiem.

– Zresztą nawet gdybyś to zrobił, zapewne nic by to nie dało. Szejkowie mają ze sobą całe świty.

– Szejkowie?

Wiktor miał nadzieję, że zdziwienie w jego głosie zabrzmiało wiarygodnie. Prawda była jednak taka, że doskonale zdawał sobie sprawę z tego, jacy ludzie korzystają z usług Siergieja Bałajewa.

– Oni są głównymi klientami – oznajmił Uljan. – Przypływają z całego basenu Morza Śródziemnego, chociaż najwięcej zainteresowanych jest z Aleksandrii.

Przyglądał się przez moment Forstowi i niewątpliwie odniósł wrażenie, że ten słyszy o tym po raz pierwszy. A w dodatku dziwi się, że komukolwiek miałaby się opłacać tak daleka podróż dla kilku dziewczyn.

Dobrze, uznał Wiktor. O to mu chodziło.

– Te jachty idą średnio z prędkością piętnastu węzłów – oznajmił Pierłow. – Z Alicante do Aleksandrii jest mniej więcej tysiąc pięćset mil morskich, więc płyną nie dłużej niż cztery dni. A w trakcie też mają trochę uciech, *panimajesz*.

– Mhm.

– I uwielbiają polskie dziewczyny. Wszystko przez szejków z Dubaju, to od nich się zaczęło i oni dalej robią im najlepszą reklamę.

Forst wzdrygnął się na myśl o tym, ile Polek musiało zaspokoić żądze arabskich magnatów, by przylgnęła do nich taka opinia w świecie płatnego seksu. Nie dał jednak niczego po sobie poznać.

– Czasem będziesz musiał popłynąć na dłużej, ale w większości przypadków będzie to robota weekendowa. Wszystko jasne?

– Tak.

Uljan znów mu się przyjrzał.

– Zdajesz sobie w ogóle sprawę, dlaczego ją dostałeś?

– Aż za dobrze.

– Przez Czarnego Delfina.

Tego Forst się nie spodziewał. Na wspomnienie o rosyjskim więzieniu krew w żyłach zdawała się stężeć. Powidoki z odsiadki w jednym z najbardziej niebezpiecznych i surowych zakładów karnych czasem wracały, druzgocąc jego psychikę niemal tak jak migrena ciało.

Sol-Ileck był oddalony od Torrevieja o jakieś cztery i pół tysiąca kilometrów. Wystarczyła jednak krótka wzmianka, by Wiktor poczuł, że znalazł się w granicach obwodu orenburskiego.

– Chodziły o tobie słuchy – dodał Uljan. – O tym, co tam zrobiłeś.

Forst się nie odzywał. Nie chciał o tym myśleć, co dopiero rozmawiać.

– Wielu ludzi było pod wrażeniem.

W to nie wątpił. Był jednym z niewielu, którzy w ogóle przeżyli odsiadkę. Za murami Czarnego Delfina znajdował się najgorszy element, w tym także ci, których rosyjskie sądy skazały za kanibalizm. Niełatwo było tam przetrwać.

Potrząsnął głową, starając się odsunąć te myśli.

– Wielu też nie spodobało się to, że opuściłeś więzienie – dodał Pierłow.

Ton jego głosu wyraźnie sugerował, że to ostrzeżenie. Forst wstał.

– Rozumiesz chyba, że niewiele trzeba, żebyś tam wrócił – kontynuował Rosjanin, choć właściwie nie musiał tego dodawać. – Jeden zły ruch, a powiadomimy odpowiednie osoby. Trafisz z powrotem do tego piekła.

Nie patrząc na Uljana, Polak sięgnął po kluczyki i dokumenty, a potem obrócił się i wyszedł z budynku. Nie miał zamiaru wdawać się w przepychanki słowne.

Tym bardziej że Pierłow miał rację. Sprawienie, że Wiktor wróci do Delfina, było dla tych ludzi jak splunięcie. Kosztowałoby ich to mniej więcej tyle samo energii.

Obszedł budynek i oparł się plecami o ścianę. Na moment zamknął oczy, odginając głowę.

Nie czekało go nic dobrego.

Wprawdzie o życie nie musiał się już obawiać, ale jeden niefortunny ruch, źle wypowiedziane słowo lub inne *faux pas*, które urazi Siergieja, mogły sprawić, że przejdzie więzienną gehennę na nowo.

Nadchodzące miesiące będą nieustannym balansowaniem na granicy, pomyślał.

Wyjął telefon, zawahał się, a potem napisał SMS do Dominiki.

18

Upadając, Wadryś-Hansen zdążyła jeszcze chwycić za kant stołu. Impet był jednak tak duży, że mebel przewrócił się wraz z nią. Zawyła z bólu, przez moment nie wiedząc, co się wydarzyło.

Uczestniczyła w wielu szkoleniach, raz czy dwa musiała wdać się w fizyczne przepychanki, ale nigdy nie uderzono jej pięścią w twarz.

W ustach miała metaliczny posmak, a nozdrza zdawały się wypełnione wodą. Spodziewała się dzwonienia w uszach, ale niczego takiego nie doświadczyła. Odnosiła raczej wrażenie, jakby jednym haustem wypiła cały dzbanek kawy.

Była jednocześnie pobudzona i otumaniona. Próbowała szybko poderwać się na równe nogi, ale Krieger znalazł się tuż przy niej. Złapał ją za połę żakietu i pociągnął z całej siły w bok.

W jej głowie pojawiła się niepokojąca myśl. Przesunął nią po podłodze jak zwykłą szmatą. I tak samo ją zaraz potraktuje.

Nie pomyliła się.

Obróciwszy ją na plecy, usiadł na niej. Uderzył kolejny raz pięścią, głowa odskoczyła jej w bok. Teraz porównanie z dzbankiem byłoby właściwe, tylko gdyby zamieniła kawę na wódkę.

Obraz jej się zamglił, ale nader klarownie widziała, jak wielkie niebezpieczeństwo jej grozi.

Potwierdził to kolejny cios.

Próbowała osłonić twarz, ale bezskutecznie. Kiedy tylko podniosła dłonie, Krieger natychmiast je odrzucił, a potem przymierzył prosto między oczy. Po raz kolejny jego pięść trafiła w nią jak taran.

Była przekonana, że za moment skończy.

Nie było powodu, by ją okładał.

Wystarczyło kilka ciosów, a jej upór zupełnie by zniknął. Napastnik nie musiał się niczego obawiać.

A jednak tłukł dalej bez pamięci. Coraz szybciej, coraz mocniej.

W pewnym momencie przestała rozumieć, dlaczego to robi. Nie, więcej. Nie potrafiła objąć umysłem, jak ktokolwiek mógłby być do tego zdolny. I z jakiego powodu miałby zachowywać się tak bestialsko.

Nie wiedziała, czy choćby raz udało jej się krzyknąć.

W końcu przestał bić. Podniósł się, powiedział coś pod nosem.

Musiała uspokoić dzikie bicie serca i wytężyć słuch, by zrozumieć kolejne słowa.

– Sami na to zasłużyliście – powiedział. – Ty, Osica i…

Urwał i splunął na bok.

– I Forst – dodał. – On najbardziej.

Wadryś-Hansen zaczęła przesuwać się w kierunku drzwi. Nie była tego nawet świadoma, działała automatycznie.

– Jeszcze o tym nie wie – dodał z wyraźną satysfakcją Krieger. – Ale przekona się już niebawem. I w porównaniu do niego będziesz musiała uznać się za szczęściarę.

Chwycił ją za przegub nogi i podciągnął ku sobie. Zacisnął rękę w pięść, aż zbielały mu knykcie, a potem uderzył ją jeszcze raz. I kolejny. Dominika poczuła, jak coś gruchnęło jej w nosie.

– Byłaś naprawdę piękna – powiedział.

Szarpnął ją za spodnie i przemknęło jej przez myśl, że to, co zaraz zrobi, będzie znacznie bardziej dotkliwe od wszystkich wcześniejszych ciosów.

Próbowała wyswobodzić się z jego chwytu, ale bez skutku. Popatrzyła w bok, na Osicę. Zobaczyła, że głowę miał obróconą w jej stronę. Leżał z otwartymi oczami, poruszając się w ostatnich przedśmiertnych podrygach. Ledwo ta myśl nadeszła, Wadryś-Hansen opadło przejmujące uczucie gorąca na całym ciele.

Spojrzała w oczy inspektora, ale ich wzrok się nie spotkał. Osica stał już w progu innego świata. A ona nieuchronnie także się tam zbliżała.

– Uspokój się – powiedział Krieger. – Nie interesujesz mnie w ten sposób.

Potrzebowała chwili, by zrozumieć, że ma na myśli gwałt.

Przyciągnął ją do przewróconego stołu, a potem wypuścił z rąk jej nogawki. Pomógł jej usiąść. Oparła się plecami o blat i zwiesiła głowę. Nie miała siły jej utrzymać. Krew ściekała z ran prosto do oczu, powodując nieprzyjemne szczypanie.

Krople spływały po całej twarzy i skapywały z brody.

– Wyglądasz okropnie.

Dominice udało się otworzyć jedno oko i spojrzeć na oprawcę. Ten zerknął na trzymany pistolet, odłożył go na szafkę kuchenną, a potem pochylił się nad Wadryś-Hansen. Znów uderzył ją pięścią w twarz.

Głowa odskoczyła jej na bok.

– Ale będziesz wyglądać jeszcze gorzej – oświadczył.

Chciała zapytać, czego od niej chce, ale głos ugrzązł jej gdzieś w gardle.

Po chwili zrozumiała, że Robert Krieger nie chce niczego. Potrzebuje po prostu dać upust swojemu szaleństwu. Bo że był szaleńcem, nie miała żadnych wątpliwości.

Zaczął uderzać ponownie, raz prawą, raz lewą ręką, jakby okładał worek treningowy. Rozkręcał się z każdym kolejnym ciosem.

Bił, jakby nigdy nie miał przestać.

Kiedy upadała, podnosił ją i sadzał z powrotem przy przewróconym stole. Wydawało jej się, że trwa to w nieskończoność.

W pewnym momencie przestała rozumieć, co do niej mówił. Myśli zaczęły kotłować jej się w głowie, nie układając w żadną zborną całość. Próbowała skupić się na czymś konkretnym, uchwycić tego jak boi ratunkowej podczas sztormu.

Była tylko jedna rzecz, na której mogła utrzymać myśli. Nie, nie rzecz, osoba.

Forst.

Zbliżyli się do siebie przez ostatni rok.

Znów niepokojący dźwięk. Kolejny cios.

Dlaczego Wiktor nie powiedział jej o niczym? Co ukrywał? I co miał wspólnego z tym człowiekiem? Ścigał go?

Następne uderzenie. Następny trzask.

Nawet kolejne pytania przestały układać się w jakikolwiek zrozumiały kształt. Wadryś-Hansen nie potrafiła dłużej skupić się na czymkolwiek. Gdzieś w zawierusze zbłąkanych obrazów z przeszłości, planów na przyszłość i ocen teraźniejszości przemknęły jeszcze jej dzieci. Same. Bez ojca, bez matki.

CZĘŚĆ DRUGA

1

Każdy kolejny dzień był coraz większą katorgą. Spodziewałam się, że prokuratura lub policja trafią na jakiś trop, zaczną odnajdywać karty, które tylko czekały na to, by je odwrócić. Tymczasem nic się nie działo. Absolutnie nic. Nudziłam się każdego dnia. Nie, nie nudziłam. Taki stan występował, kiedy byłam młodsza. W moim wieku nie było już nudy, jej miejsce zajmowała depresja. Tylko wyjątkowi optymiści nazywali ją w inny sposób.

Mierziło mnie coś w duszy. Oglądałam kolejne doniesienia w sprawie zabójstw, słuchałam niekończących się analiz. Psycholodzy byli święcie przekonani, że stworzyli już cały obraz sprawcy.

Według nich był mężczyzną – i specjalnie mnie ta teza nie dziwiła. Poszli na łatwiznę, oparli się na statystykach. A te wyraźnie mówiły, że na jakichś sześciuset morderców rocznie przypada może setka morderczyń.

Tyle że statystyka to matematyczny odpowiednik ignorancji. Mogła być wykorzystana, by udowodnić właściwie wszystko. Czasem nawet prawdę.

Nie sądziłam, by było tak w tym wypadku. Wszystkie dane związane z przestępczością stanowiły jedynie szacunki. Nikt nie miał pojęcia, jaka jest ciemna liczba przestępstw. Ile z nich pozostało niewykrytych? Ile zostało błędnie zakwalifikowanych jako samobójstwa? A ile potraktowano jako zaginięcia?

Jeśli weźmiemy pod uwagę, że kobiety są ostrożniejsze niż mężczyźni, dłużej i lepiej planują swoje czyny, możemy dojść do wniosku, że większa część niewykrytych zabójstw dotyczy właśnie spraw, w których to kobiety były sprawcami.

Ale kto to wie? Nikt. Kilkoro ludzi jednak udawało na antenie, że dysponuje taką wiedzą. Słuchałam ich godzinami. Rozprawiali na mój temat, nie mając o tym bladego pojęcia. Hałastra mizoginistów.

Nie byli nawet gotowi przyznać, że rosnąca liczba gwałtów popełnianych przez kobiety o czymś świadczy. A świadczyła. Obecnie była to największa część niewykrytych przestępstw. Powód był prosty – męska duma nie pozwalała ofiarom zgłaszać się na policję.

Specjaliści zająknęli się o tym, ale żadnych wniosków nie wyciągnęli. Potem wszyscy zgodnie wrócili do hipotezy, że zabójca jest mężczyzną.

Wyłamał się jeden z mędrców w innym programie, na antenie innej stacji. Upierał się, że za zbrodnie odpowiadać może kobieta, bo świadczy o tym osobliwy *modus operandi*. Nie byłam pod wrażeniem. Okazał się jednym z wyznawców teorii, że kobiety zabijają delikatniej, że są co do zasady raczej trucicielkami niż mordercami z siekierą w ręku.

Nie mogłam dłużej słuchać tych dyrdymałów. Kobiety zabijały tak samo jak mężczyźni. Niczym się od nich na tym polu nie różnimy, może tylko tym, że robimy to z większą elegancją.

Z pewną gracją, której oni nie posiadają.

Ale równie dobrze można by to odnieść do każdej innej sfery życia.

W końcu przestałam śledzić doniesienia. Wyszukiwałam w internecie tylko tego, co mnie interesowało. Prokuratura nie przekazywała żadnych wieści, Wadryś-Hansen nie pojawiała się w mediach. Policja również milczała jak grób.

Liczyłam na coś innego. Na to, że ktoś okaże się godnym przeciwnikiem.

Zastanawiałam się, gdzie jest Forst.

Chciałam, żeby ktoś wykazał równie wielką determinację, jak komisarz podczas ścigania Bestii z Giewontu. Ale może do tego celu potrzeba było uderzyć w sferę osobistą śledczego? Może to był warunek *sine qua non*?

Coś w środku z każdym dniem mierziło mnie coraz bardziej. Narastało we mnie, powodowało, że nie wiedziałam, co ze sobą zrobić. Było jak ciąża, choć zamiast ludzkiego zarodka drzemało we mnie coś innego. Zalążek czegoś niewygodnego, co próbowało przeformować mnie na swój obraz.

Miotałam się we własnym ciele jak zwierzę w klatce. Dzień za dniem stawałam się coraz bardziej nerwowa, nie potrafiąc stwierdzić, dlaczego tak jest. Kurwa, wszystko było w porządku. Niczego mi nie brakowało, byłam szczęśliwa.

A jednocześnie nie mogłam znieść swojej pierdolonej egzystencji. Coś rozsadzało mnie od środka.

Budziłam się każdego dnia z myślą, że to będzie dobry, udany dzień. Szybko przekonywałam się, że to gówno prawda. Myłam zęby z uśmiechem, ale już podczas porannego nastawiania kawy miałam ochotę rozjebać ekspres w drobny mak tylko dlatego, że zabrakło wody. Że sama zapomniałam jej nalać wieczorem, by rano nie musieć się denerwować.

Miałam tego dosyć.

Postanowiłam działać. Tym bardziej że wiedziałam doskonale, jak mogę sobie pomóc.

Byłam jak Bestia z Giewontu. Potrzebowałam swojego Wiktora Forsta.

Odpowiednika tego komisarza. Albo jego samego.

2

Pierwszy rejs na luksusowym jachcie odbył się tak, jak opisywał to Uljan Pierłow. Forst nie miał na pokładzie nic do roboty. Obserwował, jak dziewczyny wchodziły przez trap w Alicante, słuchał jęków podczas podróży po wybrzeżu, a potem odprowadził je wzrokiem, gdy zawinęli z powrotem do portu.

Dolly, która organizowała cały proceder, okazała się Polką. Wiktor odniósł zresztą wrażenie, że wszystkie dziewczyny przyleciały z kraju nad Wisłą. Nie mógł mieć jednak pewności, bo część odzywała się jedynie do szejków, a jego traktowała jak powietrze.

Tego samego nie mógł powiedzieć o Dolly. Krótko ostrzyżona trzydziestolatka o nieco męskim usposobieniu i urodzie nieustannie starała się go zagadywać. Zbywał ją jednak milczeniem.

Podczas pierwszego rejsu odezwał się dwa, może trzy razy. W czasie kolejnego nie było inaczej. Przy trzecim w ogóle się nie odzywał.

Dopiero w trakcie czwartego, kiedy wraz z Dolly załatwili wszystkie wstępne sprawy, dał się wciągnąć w rozmowę. Siedzieli w mesie siedemdziesięciometrowego jachtu, którego budowa kosztowała właściciela ponad sześćdziesiąt milionów euro.

Dziewczyny tym razem miały być towarzystwem dla grupy biznesmenów z Portugalii. Wszyscy przebywali na tarasie słonecznym, podczas gdy Forst i Dolly popijali piwo pod podkładem.

– W porównaniu do nich dostajesz orzeszki – zauważyła.

Wiktor spojrzał na jej wydatne kości policzkowe i fryzurę, która przywodziła mu na myśl dawnych macho z największych hitów amerykańskiego kina akcji. Właściwie sama mogłaby robić za ochroniarza. Była jak Dolph Lundgren w najlepszych latach kariery.

– Zdajesz sobie z tego sprawę? – spytała.

Wiktor spojrzał na kufel piwa. Wyglądało, jakby naprawdę miało w sobie jakiś alkohol. Smakowało też jak zwyczajne. W rzeczywistości miało jednak dokładnie zero przecinek zero procent.

Dolly początkowo oponowała przed otwieraniem butelki super bocka, zupełnie jakby miało to w jakiś sposób skompromitować Forsta w oczach właściciela jachtu i jego gości. Wiktor wyszedł jednak z założenia, że nie bez powodu właśnie to piwo znajduje się na pokładzie. Zresztą było jednym z najpopularniejszych towarów eksportowych Portugalii – a wersja bezalkoholowa robiła furorę w Arabii Saudyjskiej.

Nieco dojmujące było to, jak bardzo w ostatnim czasie Forst pogłębił swoją wiedzę o napojach pozbawionych procentów. Nie miał jednak zamiaru się nad tym zastanawiać.

Podobnie jak nad zarobkami. Dolly jednak nie dawała za wygraną, jakby za punkt honoru postawiła sobie nawiązanie z nim jakiejś relacji.

– Za jeden rejs trwający kilka dni dostają od łebka od piętnastu do dwudziestu pięciu tysięcy dolarów – ciągnęła. – Czy może od cipki.

Zaśmiała się cicho.

– W przeliczeniu na złotówki minimum sześćdziesiąt, a maksimum sto tysięcy – dodała. – Za parę dni roboty.

Wiktor westchnął.

– Moje zarobki w zupełności pokrywają potrzeby, które mam.

Spojrzała na niego ze zdziwieniem, rozszerzając oczy. Zupełnie jakby do tej pory prowadziła monolog tylko z przyzwyczajenia i nie spodziewała się, że doczeka się jakiegokolwiek odzewu.

– Ty... potrafisz wydawać dźwięki – zauważyła. – Mówić!

– Mówię tyle, ile trzeba.

Uniosła rękę i wykonała falujący gest.

– To dyskusyjne – oceniła. – Ale nie ciągnijmy tego tematu. Nie, kiedy w końcu udało mi się zmusić Stramowskiego do powiedzenia czegoś.

– Stramowskiego?

– Kilka dziewczyn mówi, że wyglądasz jak on.

– Dlaczego?

– Mnie nie pytaj, sama tego nie rozumiem. Może chodzi o gęstą brodę i wygolony łeb. Poza tym żadnych podobieństw nie widzę. Zresztą Stramowski w *Pitbullu* miał irokeza.

Znów zalegla cisza. Forst zrobił łyk piwa, dochodząc do wniosku, że to jeden z niewielu przypadków, kiedy może zgodzić się z zapewnieniami producenta. Jedyna różnica między wersją bezalkoholową a wyskokową sprowadzała się do procentów.

A może Wiktor po prostu zapomniał już, jak smakowało prawdziwe piwo.

Opróżnił kufel, odstawił go, a potem sięgnął do kieszeni ciemnej marynarki. Siergiej i jego ludzie zorganizowali dla Forsta całą garderobę. W mieszkaniu przy calle Victoria czekały na niego ciemne marynarki i jasne koszule. Do tego informacja, że Bałajew nie życzy sobie, by Wiktor zakładał cokolwiek innego do pracy.

Wyciągnął paczkę big redów i wrzucił jedną z gum do ust.
Miał poczucie, że wrócił na dobre tory. Zamiast gorzały
pił bezalkoholowe piwa. Zamiast palenia żuł gumy.

Ale w takim razie co było substytutem dawania sobie
w żyłę? Cóż, należało uznać, że sytuacja, w której się znalazł. Była równie niebezpieczna jak heroina. Być może nawet bardziej.

– Co ty tu robisz, Krieger? – zapytała.

Odnosiła się do niego tak jak dziewczyny i ludzie Bałajewa. Oprócz Siergieja tylko dwie osoby znały jego prawdziwą tożsamość – Artiom i Uljan Pierłow. Nietrudno było
oszukać całą resztę. Niektóre dziewczyny być może rozpo-
znałyby go, gdyby nie zmiana wizerunku. Broda i łysa głowa okazały się jednak wystarczające, by mógł przyjąć nową
tożsamość.

– Szukasz kogoś?

– Nie.

– Czegoś?

– Możliwe – przyznał Forst.

Dolly powiodła wzrokiem dookoła.

– Szczęścia chyba nie – zauważyła. – Pieniędzy też, biorąc pod uwagę, że sto tysięcy nie zrobiło na tobie żadnego
wrażenia.

Wzruszył lekko ramionami, przeżuwając gumę.

– Może jesteś jakimś tajniakiem?

– Może.

– Albo uciekła ci dziewczyna? – kontynuowała Dolly,
mrużąc oczy. – Jeśli tak, to nie spodziewałabym się powrotu.
Instagram models mają tu naprawdę dobrze.

– Mhm.

– Zresztą sam widzisz, jaka jest rotacja. Raczej nie trafisz
na tę swoją.

Miała rację, dziewczyny wymieniały się dość często. Kilka dni temu Forst z ciekawości sprawdził odpowiednie tagi na Instagramie. Znalezienie grupy dziewczyn do orgii na jachcie nie stanowiło większego problemu.

Widać je było tak wyraźnie, jak światła nadjeżdżającego samochodu w środku nocy. Miały niepoważną liczbę obserwujących, a ich loginy wpisane w Google nie przynosiły żadnych rezultatów. Nie były profesjonalnymi modelkami, prostytutkami ani celebrytkami.

Stanowiły grupę zupełnie zwyczajnych kobiet. Zwyczajnych, jeśli przymknąć oko na częste wojaże, drogie ubrania i to, co robiły, by żyć na poziomie, na który niewielu ludzi mogło sobie pozwolić.

Docierało się do nich jak po nitce do kłębka. Wystarczył jeden dobry hashtag, a potem przeglądanie osób oznaczonych na zdjęciach dziewczyn. Tworzyły siatkę, z której można było wybierać dowolnie.

Prawie dowolnie. Niektóre dziewczyny miały granice, inne nie.

Rejsy najczęściej bywały nieco dłuższe, niż zapowiadał Uljan. Forst jednak nie musiał przebywać cały czas na pokładzie, podobnie jak Dolly i jej podopieczne. Jednostki cumowały do portów, a wówczas pasażerki korzystały nawet z kilku dni wolnego. Miały być dostępne przede wszystkim podczas imprez.

Kilkudniowy rejs sprowadzał się do dwóch takich okazji. Forst przeliczył dniówkę dziewczyn i wyszło mu, że średnio wynosi ona pięćdziesiąt tysięcy złotych. Nieźle.

Ale Dolly miała rację – nie chodziło mu o pieniądze.

– Zrobisz obchód? – odezwała się.

Wstał bez słowa.

– Znowu się w sobie zamknąłeś?

– Nie.

– No tak, nigdy się przecież nie otworzyłeś.

– Mhm.

– Ale skoro już dałeś głos, wytłumacz mi jeszcze, o co chodzi z tymi gumami – dodała, obracając się, kiedy ruszył w kierunku wyjścia. – Dziewczyny się ciągle nad tym zastanawiają. Robią już nawet zakłady.

– Aha.

– Obstawiają, dlaczego cały czas mielisz te big redy.

Forst zatrzymał się w progu.

– Smakują mi – rzucił, a potem wyszedł na korytarz.

Chciał ruszyć na pokład, ale usłyszał dźwięki dochodzące z kabiny obok. Zaraz potem uświadomił sobie, że biznesmeni i ich towarzyszki przenieśli się do kajut. Najwyraźniej opalanie się na pokładzie słonecznym dobiegło końca.

Westchnął, a potem ruszył wzdłuż cienkich drzwi, które dzieliły korytarz od kabin. Słychać było nie tylko postękiwania mężczyzn i jęki kobiet, ale także rozmowy, które niejednokrotnie towarzyszyły tym schadzkom.

Dziewczyny Dolly bezbłędnie mówiły po angielsku. Niektóre nawet lepiej od tych, z którymi lądowały w łóżkach.

Forst pomyślał, że naprawdę były zwyczajnymi dziewczynami. Zanim stały się *Instagram models*, chodziły na kursy językowe, rozmowy rekrutacyjne, zakładały rodziny, brały kredyty hipoteczne… żyły normalnym życiem.

I być może wydawało im się, że nadal to robią. Przynajmniej tak wynikało z obserwacji Wiktora. Żadna z nich nie sprawiała wrażenia, jakby była tu wbrew sobie.

Kłóciło się to z tym, co widywał w oczach Ukrainek czy innych dziewczyn ze Wschodu, które sprzedawały swoje ciała w Polsce. Brak alternatywy miały niemal wypisany na twarzach.

Te dziewczyny były zupełnie inne.

A przynajmniej większość z nich.

– Nie! – krzyknęła jedna, kiedy Forst mijał wejście do kajuty kapitańskiej.

Były komisarz zatrzymał się, opuścił głowę i zaklął pod nosem. Nie potrzeba mu było kłopotów, szczególnie jeśli miały dotyczyć samego właściciela jachtu. Człowieka, który płacił rachunek Siergiejowi.

– Zostaw mnie!

Wiktor zbliżył się do drzwi, ale nie chwycił za klamkę. Przez moment nasłuchiwał. Istniała szansa, że po drugiej stronie odgrywana jest jakaś scenka. Nie takie rzeczy już słyszał podczas ostatnich rejsów.

– Hej!

Nie, nie brzmiało to jak zabawa.

Zebrał się w sobie, a potem załomotał do drzwi. Nie miał zamiaru ograniczać się do cichego pukania, od samego początku chciał pokazać bezkompromisowość. Będzie musiał odegrać zgrabny teatrzyk, jeśli dziewczynie rzeczywiście coś groziło.

Odgłosy po drugiej strony ucichły.

Wiktor uderzył jeszcze raz.

Dopiero po chwili usłyszał kroki. Drzwi powoli się uchyliły, ale nie na tyle, by mógł spojrzeć do środka.

– *Que se passa?* – spytał podstarzały, gruby mężczyzna o ciemnej karnacji.

Forst zrobił krok w kierunku właściciela, licząc na to, że ten machinalnie się odsunie. Kapitan jednak ani drgnął.

– Wszystko w porządku? – spytał Wiktor po angielsku.

– Nie. Miałem mieć spokój.

– Rozumiem, tylko że…

– *Não se meta nisso* – rzucił mężczyzna.

Zamknął drzwi, zanim Forst zdążył się zastanowić, czy była to obelga, czy polecenie, żeby jak najszybciej zniknął mu z oczu. Wiktor nabrał tchu, starając się powściągnąć emocje. Potem znów załomotał.

Grubas otworzył tym razem na oścież.

– Co powiedziałem?

– Nie rozumiem po...

– Po ludzku? – wpadł mu w słowo. – W takim razie przełożę ci to na wersję dla takich prymitywów jak ty: wypierdalaj stąd. Natychmiast.

Wiktor zerknął do środka. Nie dostrzegł nigdzie dziewczyny.

– Muszę najpierw sprawdzić, co z...

– Musisz zniknąć, *filho da puta*.

Forstowi zawsze wydawało się, że obelgi i przekleństwa mają w sobie coś uniwersalnego. Coś, co nawet bez znajomości języka pozwalało je z grubsza zrozumieć.

Wbił wzrok w oczy Portugalczyka, a potem zrobił krok ku niemu.

– Stój.

Wiktor założył, że jeśli wykaże odpowiednio dużo determinacji, być może uda mu się uniknąć tragedii, a jednocześnie zrobić to, po co w ogóle tutaj był.

I nie pomylił się. Kiedy zbliżył się do kapitana na odległość kilku centymetrów, ten w końcu się wycofał. Forst wszedł do kajuty i rozejrzał się. Dziewczyna leżała naga na podłodze za łóżkiem.

Płakała, zwinięta w kłębek.

– Co tu się stało? – spytał Wiktor.

Przykucnął obok niej, ale uważał, by nie obrócić się tyłem do mężczyzny. Cały czas kątem oka kontrolował, co robi Portugalczyk.

Dziewczyna nie miała żadnych śladów pobicia, żadnych ran. Na nadgarstkach widać było lekkie zaciemnienia, ale Forst wiedział, że to pamiątka po wizycie na poprzednim jachcie.

– Ustaliłem wszystko z Dolly – odezwał się grubas.

Forst podniósł wzrok na jego nagie uda. Spływały po nich krople potu.

Miał na sobie tylko bokserki i T-shirt, który musiał narzucić tuż przed tym, jak otworzył drzwi. Plamy na klatce piersiowej i pod pachami były niewielkie, ale wyraźne.

Wiktor przyjrzał się dziewczynie, po czym powoli się podniósł.

– A wcześniej Siergiej zapewnił mnie, że jesteśmy we wszystkim zgodni – dodał Portugalczyk.

Spuścił nieco z tonu, dostrzegając, że nie trafił mu się jeden z uległych ochroniarzy, dla których klient i poziom jego zadowolenia były najważniejsze.

– Słyszysz, co do ciebie mówię?

– Tak.

– Zapłaciłem za wszystko.

Forst wątpił, by nawet setki tysięcy złotych mogły stanowić odpowiednią zapłatę za to, co się tutaj działo. Wprawdzie śladów znęcania się nie dostrzegł, ale był przekonany, że w takiej czy innej formie do niego doszło.

– Co jej zrobiłeś? – spytał.

– Nic.

– Kuli się na podłodze i łka bez powodu?

– *Porra...* – jęknął pod nosem kapitan.

Intonacja kazała sądzić, że był to portugalski odpowiednik słowa „kurwa".

– Nie jestem żadnym zboczeńcem, rozumiesz? – dodał właściciel. – To wy zawiniliście.

– My?

– Przysłaliście mi nieprzygotowaną dziwkę.

Forst skrzywił się na to określenie. Z jakiegoś powodu po ostatnich rejsach zaczął odczuwać sympatię wobec tych dziewczyn. Starał się nad tym nie zastanawiać, jakby obawiał się własnej empatii, ale prawda była taka, że im współczuł. Owszem, nikt ich nie zmuszał do zarabiania na życie w taki sposób – ale nikt nie musiał. Robiły to same.

– Nie chodziło o żadne pokrętne gówno – dodał Portugalczyk.

Zwijająca się na podłodze pracownica Siergieja zdawała się temu przeczyć.

– Chciałem po prostu wejść od tyłu.

– Co?

– Miała dać się zerżnąć w dupę. Co jest dla ciebie niejasne?

Forst przez moment patrzył na rozmówcę, a potem znów przykucnął obok dziewczyny. Zapytał, czy to prawda, a ona w odpowiedzi jedynie skinęła głową. Wyglądała na przestraszoną, ale dopiero teraz Wiktor zrozumiał, że znacznie bardziej niż Portugalczyka obawiała się jego.

Jeśli rzeczywiście uzgodniono, że seks analny wchodzi w grę, zmiana zdania w ostatniej chwili mogła okazać się dla niej tragiczna w skutkach.

Forst westchnął ciężko.

– Zapłaciłem za to i tego oczekuję – dodał Portugalczyk. – I dzięki Bogu, że to mnie się trafiła taka kanciara. Gdyby którykolwiek z moich gości…

Urwał i machnął ręką. Wiktor do świętych nie należał, ale wspomnienie o Bogu w takiej sytuacji wydawało mu się absurdalne.

Złapał dziewczynę za rękę i podniósł ją. Wzbraniała się, ale kiedy posłał jej ostrzegawcze spojrzenie, szybko się uspokoiła.

Wiedział, że znajdował się na pokładzie także po to, by dziewczyny wypełniły swoje zobowiązania. Renoma w tym biznesie była wszystkim, cała reklama opierała się bowiem na marketingu szeptanym.

– To prawda? – spytał po polsku.

– Proszę, ja…

– Mówi prawdę czy nie?

– Tak – odparła, zakłopotana.

– Kurwa mać…

– Krieger, przepraszam, ja… zrobię, co trzeba, tylko…

Forst pociągnął ją w kierunku drzwi.

– Hej! – krzyknął kapitan. – *O que há contigo*?!

Co ty wyprawiasz? Gdzie się wybierasz? Co sobie wyobrażasz? Jedno z tych tłumaczeń zapewne było trafne, pomyślał Wiktor, kiedy wyprowadził dziewczynę na korytarz.

Przepraszała, łkając cicho. Zapewniała, że wywiąże się ze swojego zobowiązania, tylko potrzebuje chwili.

– Nigdy tego nie robiłam… – jęknęła.

Forst starał się ignorować zarówno to, co mówiła dziewczyna, jak i fakt, że właściciel jachtu natychmiast ruszył za nimi.

– Dzwonię do Siergieja, kurwa twoja mać!

– Dzwoń.

– Dawaj ją z powrotem!

Forst nie miał zamiaru tego robić. Zaprowadził ją do mesy, a potem posadził przy stoliku, ignorując pytające spojrzenie Dolly. Zostawił je same i ustawił się przed drzwiami, przypuszczając, że zaraz będzie musiał odeprzeć jednoosobowy portugalski najazd.

Pomylił się. Kapitan nie zjawił się, bo nie musiał. Wystarczyło, że zrobił to, co zapowiedział.

Jeden telefon do Bałajewa sprawił, że komórka w kieszeni Forsta nie przestawała dzwonić, dopóki nie odebrał.

– Co ty odstawiasz? – odezwał się spokojnym tonem Siergiej.

– Dziewczyna nie chce od tyłu.

– I? Zgodziła się na dużo więcej.

– Widocznie się nie zastanowiła.

Odpowiedziało milczenie. Wiktor spodziewał się, że zaraz padną dwie, może trzy krótkie komendy, po których będzie musiał odpuścić.

Pomylił się. Siergiej widocznie uznał, że wystarczy jedna.

– Rób, co mówi kapitan.

W pierwszej chwili Forst miał ochotę zaoponować. W porę się jednak zmitygował. Jeśli chciał cokolwiek osiągnąć, musiał ostrożnie stawiać każdy krok. Milczał, czekając, aż szef doda coś jeszcze.

– Jesteś tam?

– Tak.

– Słyszałeś, co powiedziałem?

– Nie – odparł Wiktor, a potem się rozłączył.

Odwrócił się do dziewczyny i Dolly. Skrzyżował ręce na piersi, po czym posłał stanowcze spojrzenie krótko ostrzyżonej kobiecie.

– Zostaje tutaj – oznajmił. – Nie wraca do kajuty.

– Nie bądź śmieszny.

Nie zdążyła powiedzieć nic więcej, bo zadzwonił jej telefon. Odebrała niemal od razu, jakby spodziewała się, że zaraz po tym, jak Wiktor się rozłączył, Bałajew będzie kontaktować się właśnie z nią.

Dalej wszystko potoczyło się tak, jak Forst przypuszczał.

Jedna groźba ze strony Siergieja była ogólna. Przestrzegł, że jeśli Wiktor nie wypuści dziewczyny, będzie miał problemy. Druga była bardziej szczegółowa i dotyczyła powrotu do Czarnego Delfina.

Ostatecznie Forst ustąpił.

Od początku zresztą zamierzał to zrobić.

Nie chodziło o dziewczynę ani jej dobro. Dążył jedynie do tego, by po powrocie ta powiedziała swoim koleżankom, że Krieger to porządny facet. Że można mu zaufać.

Kiedy wieść się rozejdzie, Forst będzie mógł w końcu wziąć się do roboty. I zrobić to, po co przyleciał do Hiszpanii.

3

Szpitalne lustro musiało być jednym z tych, które sprawiały, że odbicie wyglądało gorzej niż rzeczywistość. A przynajmniej tak powtarzała sobie Wadryś-Hansen, patrząc na siebie i nie dowierzając.

Wokół źrenic miała czerwone kręgi, które wyraźnie odcinały się na tle białek. Właściwie niemal całe oczy zaszły jej krwią i sprawiały przez to niepokojące, wręcz upiorne wrażenie. Rozcięć na twarzy miała co niemiara, ale część znikła pod opuchniętą skórą. Krwiaki rozlewały się od skroni aż po brodę. Niektóre były tylko fioletowe, inne niemal czarne.

Opuchlizna była tak duża, że Dominika z trudem rozpoznawała owal własnej twarzy.

Wyglądała ohydnie.

Pocieszała się jedynie myślą, że Robert Krieger nie uszkodził jej zębów i nie złamał nosa. W pewnym momencie wydawało jej się, że ten poskładał się jak harmonijka. Była gotowa przysiąc, że słyszała, jak kości ustępują pod naporem kolejnych ciosów. Prześwietlenie nie wykazało jednak żadnych złamań.

– Wychodzisz? – spytał Gerc.

Chwilę wcześniej przyszedł do sali, w której leżała, a ona niczym podlotek uciekła przed nim do toalety. Na myśl o tym, że ktokolwiek mógłby ją zobaczyć, czuła wstyd. Nie dlatego, że wyglądała okropnie. Powód był bardziej skomplikowany i sprowadzał się do tego, że jej obrażenia stanowiły namacalny dowód na to, że poniosła fiasko. Dała się obezwładnić, a potem pobić do nieprzytomności.

– No? – ponaglił ją Aleksander.

– Moment.

Przez chwilę czekała na jakąś uszczypliwą uwagę związaną z tym, że i tak nie poprawi swojego wyglądu. Gdyby Gerc ją sformułował, nie minąłby się z prawdą. Najwyraźniej jednak uznał, że w tej sytuacji musi zrezygnować ze swojej zwyczajowej zgryźliwości.

Spojrzała jeszcze raz na swoje odbicie, poprawiła przetłuszczone włosy, a potem wyszła z łazienki.

Popatrzył na nią, jakby była istotą z zaświatów. Cofnął się o pół kroku, niemal niezauważalnie. Potem odchrząknął nerwowo.

– Nie jest… nie jest źle.

– Jest – odparła. – A potwierdza to fakt, że zamiast docinka oferujesz mi słowa pociechy.

Przełknął ślinę. Wyraźnie nie wiedział, jak odnaleźć się w tej sytuacji.

– Co z Osicą? – zapytała.

– Nadal jest podpięty do aparatury.

– Nie odzyskał przytomności?

– Nie. I jeślibyś mnie spytała, nie zanosi się, żeby…

– Nie pytam – ucięła. – A ty nie powinieneś się wychylać z diagnozami, o ile pod moją nieobecność nie skończyłeś medycyny.

Ta nieobecność nie trwała długo, przynajmniej w sensie fizycznym. Straciła przytomność tylko na moment, kiedy Krieger ją znokautował, ale pod względem psychicznym nie było jej znacznie dłużej. Właściwie nie pamiętała, co działo się w słupskim mieszkaniu.

Potrafiła przywołać jedynie obraz, kiedy obudziła się w szpitalu. I do tej pory nikt nie uzupełnił luk, nikt nie chciał odpowiadać na jej pytania. Lekarze zapewniali, że potrzebują zgody policji lub prokuratury – i na nic zdały się zapewnienia Dominiki, że w tym drugim wypadku może sama jej udzielić.

Byli jednak nieprzejednani. Koniec końców Wadryś-Hansen musiała czekać na Gerca. Przypuszczała, że ten będzie czerpał niezdrową satysfakcję z tego, że wie więcej od niej samej. W ogólnym obrazie jego osoby dostrzegała wyraźne pociągnięcia pędzla szaleńca. Ostatecznie jednak obawy okazały się nieuzasadnione.

– Stracił dużo krwi – odezwał się Aleks. – Ale kula przeszła na wylot, nie uszkodziła żadnego z najważniejszych organów. Miał dużo szczęścia.

I co z tego?

Gorzkie pytanie odbiło się echem w jej głowie. Całe to szczęście będzie funta kłaków warte, jeśli Osica się nie obudzi.

– Uratowałaś mu życie – dodał Gerc.

– Co takiego?

– Po tym, jak odzyskałaś przytomność.

Potrząsnęła głową. Szybko tego pożałowała, odnosząc wrażenie, jakby przy tym rozerwała kilka szwów.

– Naprawdę nic nie pamiętasz – oznajmił Aleksander.

– Niestety.

Nabrał głęboko tchu z miną nadal tak poważną, że sama w sobie stanowiła potwierdzenie tego, w jak nieciekawej sytuacji znalazła się Dominika.

– Kiedy odzyskałaś przytomność, Kriegera już nie było w mieszkaniu – zaczął Gerc. – Ślady krwi na podłodze sugerują, że doczołgałaś się do inspektora, a potem zatamowałaś krwawienie. Zadzwoniłaś po pomoc i podobno uciskałaś ranę do momentu, aż zjawili się ratownicy. Gdyby nie to, wykrwawiłby się zupełnie.

Zamiast tego wykrwawił się niezupełnie. Niewielka różnica, pomyślała Wadryś-Hansen. Nie powinna w ogóle dopuścić do takiej sytuacji. Należało zachować większą uwagę, wszak oboje znaleźli się w mieszkaniu człowieka, który mógł mieć związek z morderstwami.

– Gdzie mój telefon? – spytała.

Aleks wskazał na szafkę przy łóżku.

Sprawdziła komórkę, ale nie było niczego nowego od Forsta. Skrzywiła się. W tej sytuacji było to co najmniej niezrozumiałe.

Popatrzyła badawczo na Gerca. Podczas gdy ona była nieprzytomna, towarzysz mógł grzebać w jej rzeczach do woli. O ile jednak pamięć jej nie myliła, skasowała wszystkie wiadomości od Wiktora.

A skoro nie przysłał żadnego SMS-a, Aleks nie miał sposobu, by dowiedzieć się, że byli w kontakcie. Zmarszczyła czoło, dochodząc do wniosku, że milczenie Forsta prowadzi tylko do jednej konkluzji.

– Media jeszcze nic nie wiedzą? – zapytała.

– Nie – potwierdził Gerc. – I się nie dowiedzą.

– Wątpię. Zawsze znajdzie się jakiś żądny splendoru lekarz, sprzątacz, pielęgniarz, ratownik czy…

– Wszystko jest trzymane w tajemnicy.

– A rodzina Osicy? Powiadomiliście ją?

– Jaka rodzina?

Pytanie zdawało się wypełnić pomieszczenie smrodem. Przez moment oboje trwali w bezruchu, patrząc na siebie. Potem Dominika wymownie skinęła głową. Zabrała swoje rzeczy, z bólem pochylając się nad szafką, po czym ruszyła w stronę drzwi.

Aleksander nie protestował, choć na dobrą sprawę dla samego poczucia kontroli, którego potrzebował jak tlenu, mógł próbować zmusić ją, by dała sobie więcej czasu na odpoczynek.

– Moje dzieci wiedzą?

– Przypuszczam, że nie.

– Przypuszczasz?

– Dzwoniłem do twojej kuzynki, o wszystkim ją poinformowałem. Nie wiem, czy przekazała młodym.

Dominika miała nadzieję, że nie. Dzieci były przyzwyczajone do służbowych wyjazdów mamy, nie trzeba było wiele inwencji, by ułożyć jakąś wiarygodną wersję.

Szybkim krokiem ruszyła ku dyżurce pielęgniarek. Przeszło jej przez myśl, że wiele innych matek na jej miejscu zaczęłoby od telefonu do kuzynki. Od skontaktowania się z dziećmi, sprawdzenia, czy wszystko z nimi w porządku.

Tak zrobiłyby dobre matki. Ona jednak do nich nie należała. Ani teraz, ani wcześniej. Nawet kiedy żyła z Gjordem, to on obdarzał dzieci większym uczuciem, otaczał je opieką, był dla nich zarówno rodzicem, jak i dobrym kumplem do zabawy.

Teraz wzdrygała się na samą myśl o tym.

Nie to było jednak najgorsze. Problem związany z nową sytuacją, w której się znalazła, był znacznie poważniejszy. Ilekroć patrzyła na jedno lub drugie dziecko, widziała w nich swojego męża. Nie mogła myśleć o nich w oderwaniu od niego.

Niczemu nie były winne. Nie było w nich żadnego zła.

A mimo to od kiedy prawda wyszła na jaw, Dominika stała się jeszcze bardziej wyrodną matką. Tak, należało to powiedzieć wprost.

Odsunęła te dojmujące wnioski i zapukawszy do drzwi, otworzyła je. Szybko poprosiła, by zaprowadzono ją do Osicy.

Inspektor wciąż był nieprzytomny, podłączono mu kroplówkę i starano się napompować go krwią niczym pęknięty balon powietrzem. Przynajmniej takie wrażenie odniosła.

Podeszła do niego, położyła mu rękę na ramieniu, a potem szeptem zapewniła, że znajdzie Kriegera. Choćby miała poruszyć niebo i ziemię.

– Dorwę go raz-dwa – przyrzekła, pochylając się. – Więc niech pan lepiej szybko się obudzi.

Obróciła się, spojrzała na czekającego na nią Gerca, a potem oboje wyszli ze szpitala. Służbowy volkswagen stał na parkingu przy wybrukowanej drodze, tuż obok północnego skrzydła budynku.

Dominika zajęła miejsce pasażera. Na moment zamknęła oczy, starając się poukładać sobie wszystko w głowie.

Szybko uznała, że to daremne. Obraz zdawał się rozbity na miriady kawałków. To nie były puzzle, raczej mozaika tworząca swoiste panoptikum. Abstrakcyjny obraz z elementów, które wydawały się niestworzone. Które były nie na miejscu, dezorientowały i zbijały z tropu.

Otworzyła oczy i popatrzyła na Gerca. Jego obecność właściwie stanowiła jeden z nich.

– Co ty tu w ogóle robisz?

– Hę?

Włączył silnik i ruszył w kierunku Hubalczyków, ulicy biegnącej wzdłuż szpitala. Skręcił w prawo, w stronę centrum.

– Nie przyjechałbyś tu tylko po to, żeby sprawdzić, co ze mną.

Zerknął na nią z pretensją.

– Naprawdę? Takie masz o mnie mniemanie?

– Zapracowałeś na nie.

Zaśmiał się cicho.

– Może i tak – przyznał. – A nawet jeśli nie, to teraz to zrobię.

Pokiwała głową ze zrozumieniem. Powinna od razu dojść do tego, że nie przejechał przez pół Polski tylko po to, by ją wozić.

– Zjawił się w końcu ten specjalista od pyłków.

– Palinolog?

– Aha – potwierdził Gerc, przyspieszając trochę. – Wyjątkowy nudziarz, jeślibyś chciała znać moją opinię.

W jego ustach oznaczało to mniej więcej tyle, że rozmówca był kompetentny.

– Dowiedziałeś się czegoś?

– Znacznie więcej, niżbym chciał.

– To znaczy?

Aleksander zatrzymał się na czerwonym świetle i stękając, wrzucił luz, jakby kosztowało go to sporo sił. Spojrzał przeciągle na Dominikę.

– Uświadomił mi, że klucz tkwi w egzynie, twardej skorupce ze sporopolenin, w której znajdują się pyłki.

Wadryś-Hansen uniosła brwi.

– Zapamiętałeś to tylko po to, żeby mi powtórzyć?

– Tak.

Zerknął na światła, a potem pstryknął palcami, jakby coś jeszcze sobie przypomniał. Wskazał na schowek, a kiedy Dominika go otworzyła, zobaczyła w środku duże, czarne damskie okulary.

– Co to jest?

– Kamuflaż.

Najwyraźniej Gerc jednak nie był tak nieczułym i nietroskliwym człowiekiem, za jakiego go miała.

– Dzięki – rzuciła.

Założyła okulary przeciwsłoneczne, a potem spojrzała w lusterko. Maskowały przynajmniej część siniaków i obrażeń.

– Nie ma problemu – odparł Aleks. – Ale wróćmy do tych skorupek… To one sprawiają, że ziarna nie niszczeją, mimo że unoszą się do atmosfery, a potem na powrót opadają.

– Rozumiem.

– Cały proces oczywiście odbywa się cyklicznie. W określonych porach roku, dzięki czemu można stwierdzić…

– Naprawdę zamierzasz mi referować wszystko, co powiedział ci ten człowiek?

– Tak. W końcu sam musiałem tego wysłuchać.

– A ja wystarczająco dużo już przeszłam – odparła i zmusiła się do lekkiego uśmiechu. Natychmiast tego pożałowała, bo zabolał ją bodaj każdy mięsień twarzy. – Mów, dlaczego tu przyjechałeś?

– Bo facet zidentyfikował pyłek jakiejś bardzo charakterystycznej rośliny – oznajmił z niezadowoleniem Gerc. – Ale naprawdę nie chcesz usłyszeć o całunie turyńskim? W jego przypadku nawet po dwóch tysiącach lat wiele wywnioskowano z pyłków. Odkryto niemal sześćdziesiąt różnych odmian, przy czym zdecydowana większość występowała jedynie w Judei, więc…

– Aleks.

– W porządku – odparł, a potem nabrał tchu. – Palinologowi udało się ustalić, że to cypryśnik błotny.

– Aha.

– Iglak jednopienny.

Dominika popatrzyła na Gerca z powątpiewaniem.

– Nie masz pojęcia, co to znaczy.

– Nie mam – przyznał. – Zapamiętałem po prostu, co mówił nudziarz.

– Jakieś konkrety zapadły ci w pamięć czy same nieistotne niuanse?

– Ten niuans jest wyjątkowo ważny – zastrzegł Aleksander, ruszając spod świateł. – Cypryśnik błotny to rzadko spotykane drzewo w Polsce. Nawet bardzo rzadko. Pyli w maju, kwietniu i czerwcu. A igły zrzuca na zimę.

– I?

– Naturalnie występuje głównie na wschodnim wybrzeżu USA, ale też w niektórych stanach południowych, jak Luizjana, Missisipi czy Alabama.

– Bardziej interesuje mnie Europa. Szczególnie Polska.

– Dojdę do tego.

Wadryś-Hansen westchnęła na tyle głośno, by nie uszło to uwadze rozmówcy. Rzadko pozwalała sobie na takie gesty, więc tym bardziej stawały się wymowne.

– Po prostu powiedz, jakie to ma dla nas praktyczne znaczenie.

– Takie, że wiem, dokąd dojechać.

Spojrzała przed siebie. Przez chwilę starała się zorientować w okolicy, ale bez skutku. Przejrzała plan miasta przed przyjazdem do Słupska, jednak nie na tyle wnikliwie, by móc się teraz odnaleźć. Wiedziała jedynie, że zmierzają w kierunku cmentarza.

– To drzewo jest wyjątkowo wybredne – kontynuował Gerc. – Potrzebuje wilgotnej, właściwie bagnistej gleby. W dodatku w młodym wieku jest wyjątkowo wrażliwe na mrozy. Nie sadzi się go zbyt często.

Z niepokojem pomyślała, że gdzie jak gdzie, ale w miejskiej nekropolii wilgoci w glebie jest pod dostatkiem. Przynajmniej dopóty, dopóki ciała nie zaczną zamieniać się w szkielety.

Wzdrygnęła się.

– To wszystko doprawdy arcyciekawe, Aleks – powiedziała. – Ale takich drzew z pewnością w Polsce jest sporo.

– W Polsce tak – przyznał Aleksander. – W Słupsku jest tylko jedno.

– Co takiego?

– Zasadzone dwadzieścia lat temu przez pewnego nauczyciela. Niedaleko Łąkowej, gdzie znajduje się trochę bajor. Miejsce podobno dobre.

Dominika spojrzała na Aleksa i zmrużyła oczy.

– Hodują tego cypryśnika głównie w arboretach – dodał. – To niezbyt popularne drzewo w naszym klimacie. Na szczęście.

– Więc...

– Więc jeśli jesteśmy na dobrym tropie, właśnie dostaliśmy kolejną wskazówkę. A może nawet więcej.

Wadryś-Hansen przez moment się zastanawiała. Poszlaki zaczynały układać się w pewną sekwencję. Koszula na miejscu zdarzenia – Forst – karteczki samoprzylepne – Krieger – Słupsk – pyłek z cypryśnika błotnego.

Czy ten ciąg dowodowy mógł być słuszny? Z jednej strony wystarczyło wetknąć w niego jedną niewiadomą, a mógł posypać się jak domek z kart. Z drugiej jednak zdawał się logiczny.

– Problem polega na tym, że drzewo rośnie tam od dwóch dekad.

– I co w związku z tym? Pyłek z pewnością tak długo nie znajdował się w nozdrzach dziewczyny.

– Jesteś pewna?

Dominika się zamyśliła.

– No tak – odezwała się. – Całun.

– Otóż to – przyznał Aleksander. – Skoro pyłki ostały się na kawałku materiału przez dwa tysiące lat, równie dobrze mogły przetrwać dwadzieścia w nosie dziewczyny. Cholera wie, kiedy je wciągnęła. Nie zawęzimy perspektywy czasowej. Nie szkodzi, skwitowała w duchu Dominika. Liczyło się, że mieli jakiś trop.

– Zresztą może się okazać, że to konkretne drzewo nie ma z tym nic wspólnego.

– Może – przyznała Wadryś-Hansen.

– Choć to byłby wyjątkowy zbieg okoliczności... – dodał Gerc. – Trafiasz do Słupska tropem Kriegera i okazuje się, że akurat tutaj rośnie takie drzewo.

– Próbujesz przekonać mnie czy siebie?

Wzruszył ramionami i nie odpowiedział.

Kiedy dotarli na miejsce, zrozumiała, że ta druga opcja była słuszna. W okolicy pracowało już kilka grup techników, większość od razu rozpoznała Aleksandra i Dominika doszła do wniosku, że koordynował ich pracę już od jakiegoś czasu.

Jeden ze starszych kryminalistyków podszedł do niej i Gerca.

Popatrzył niepewnie na obrażenia Wadryś-Hansen, a potem szybko odwrócił wzrok. Otarł pot z czoła.

– Wilgoć jest tu nieznośna – oznajmił.

Gerc zbył to milczeniem.

– Ustaliliście coś? – rzucił.

– Właściwie tak.

– To znaczy?

– Odnaleźliśmy ślady krwi – odparł technik, chyba dopiero teraz rozumiejąc, jak ważne jest to dla śledczych.

Oczy Dominiki i Gerca zdawały się nagle rozświetlić.

– Stare, sprzed miesięcy, może lat.

– Lat? – spytał z powątpiewaniem Aleksander. – Nie wytrzymałyby tak długo.

– Przeciwnie. Jakiś czas temu odkryto ślady krwi na narzędziach pochodzących sprzed stu tysięcy lat. – Zrobił pauzę, patrząc to na jedno, to na drugie. – Oczywiście w sytuacji, kiedy minęło kilka dni lub tygodni od przestępstwa, jest znacznie łatwiej. Dysponujemy sprzętem z ciekłokrystalicznymi filtrami, który poprzez zabarwienie krwi potrafi sporządzić…

– Jak stare są te tutaj? – wpadł mu w słowo Gerc, wskazując w stronę korzeni, które wyrastały z ziemi.

– To przesądzą badania w centrum analiz.

– Zdobędzie się pan na jakieś szacunki?

Technik zdecydowanie pokręcił głową, jakby samo zadanie takiego pytania godziło w przestrzeganie zasad sztuki kryminalistycznej.

– Gdzie są te ślady? – zapytała Dominika. – Na korze? Na ziemi?

– Na pniu.

– W takim razie mamy zakres czasowy. Od dwudziestu lat w dół.

Obaj mężczyźni pokiwali głowami.

Niewiele im to dawało. Okres był zbyt szeroki, poza tym sam w sobie nie stanowił ani dowodu, ani kolejnej poszlaki, dzięki której mogliby ruszyć dalej.

Kiedy jednak próbki trafiły do laboratorium, okazały się cennym źródłem informacji. Przedział czasowy nie był tak duży, jak Dominika się obawiała. Ustalono, że w grę wchodzi ostatni rok, być może półtora.

Szybko wyodrębniono też trzy rodzaje grup krwi. Potem starano się dokonać identyfikacji właścicieli.

Jedna należała do Roberta Kriegera. Druga do nieznanej osoby płci żeńskiej. Trzecia do Wiktora Forsta.

4

Wszystko szło dokładnie tak, jak powinno – co kazało Wiktorowi sądzić, że coś jest nie w porządku. Odnosił wrażenie, że wiszą nad nim ciemne chmury, a on dostrzeże je, dopiero kiedy nastąpi ich oberwanie.

Wrócił z kolejnego rejsu, tym razem po Zatoce Perskiej. Poleciał do Dubaju, tam spotkał się z Dolly i wypełniał swoje zwyczajowe zadania. Tym razem obyło się bez emocji. Z całego rejsu zapamiętał jedynie tyle, że w Zjednoczonych Emiratach Arabskich obowiązuje zakaz spożywania alkoholu. Ale były wyjątki. Przede wszystkim pić mogli goście hotelowi. Oprócz tego była też inna możliwość – James Bond dostawał od Jej Królewskiej Mości licencję na zabijanie, zaś turysta w Dubaju mógł otrzymać od władz imienną licencję na picie.

Forst uznał, że to dla niego idealny kraj. Mieszkając w Emiratach, mógłby ustawowo pozbawić się możliwości spożywania alkoholu.

Raz po raz patrzył rzewnie na sączących drinki przybyszów z Europy. Arabów z butelkami nie widywał, choć nie miał wątpliwości, że w domowym zaciszu sobie folgują. Nie wspominając już o tych na jachcie. Najdroższe alkohole lały się na pokładzie strumieniami.

I może dlatego żadna z dziewczyn tym razem nie robiła problemów. Szczególnie że wymogi szejków były znacznie dalej idące od tego, czego oczekiwali klienci z Europy. Ci drudzy mieli skrupuły, ci pierwsi nie znali nawet tego pojęcia.

O tym wszystkim opowiadały mu dziewczyny mieszkające w rezydencji Siergieja. Po incydencie z Portugalczykami zdobył ich sympatię – i właśnie o to mu chodziło. Było to pierwszym krokiem do osiągnięcia celu.

Powoli się do niego zbliżał.

Po cichu liczył na to, że uda mu się przyspieszyć nieco po powrocie z Zatoki Perskiej, ale ponieważ nie działo się tam nic, co wymagałoby jego interwencji, musiał zdać się na tradycyjne sposoby zdobycia zaufania i sympatii.

Lot Aeroflotem z Dubaju do Alicante trwał ponad dziesięć godzin, a dodatkowo zakładał przesiadkę. Forst wrócił do Villamartín zmęczony, nie mając ochoty wdawać się w jakiekolwiek rozmowy.

Nie mógł jednak przegapić okazji. Wszystkie dziewczyny były w części wspólnej rezydencji, na parterze. Siedziały na kanapach, sprawiając wrażenie, jakby czekały na Wiktora.

Kiedy tylko się zjawił, skierowały na niego wzrok. Nie był już anonimową osobą, przeciwnie. Wiele z nich widziało w nim jedynego mężczyznę w willi, na którym można było polegać.

Mijały się z prawdą, ale Forst nie miał zamiaru ich uświadamiać. Zresztą zapewne by mu się nie udało – pozbawione podstaw tezy zazwyczaj są tymi, które zdobywają najszersze grono zwolenników.

– Usiądziesz na chwilę, Krieger? – spytała jedna z nich.

– Nie mogę. Przyjechałem tylko, żeby zdać raport Siergiejowi.

– Sierioża poczeka – zauważyła inna.

Kiedy nie było go w pobliżu, pozwalały sobie na to zdrobnienie. W jego towarzystwie jednak nigdy. Szef go nie znosił, choć Forst nie wiedział dlaczego. W Rosji zdawało się równie popularne, jak w Polsce mówienie na Jerzego Jurek lub na Jakuba Kuba.

– Może i poczeka – przyznał Wiktor. – Ale potem mnie będzie czekała bura.

Zaśmiały się z kultury jak jeden mąż.

– Komu jak komu, ale tobie to chyba nie przeszkadza.

– Przeciwnie.

– Na tej portugalskiej łajbie naraziłeś się znacznie bardziej.

Zatrzymał się przed kamiennymi, masywnymi schodami prowadzącymi na piętro. Obejrzał się przez ramię i przypatrzył dziewczynom.

– Nie zrobiłem tam wszystkiego, co powinienem.

Jedna z nich wstała i podeszła do niego.

– Zrobiłeś więcej, niż musiałeś. To się liczy.

– Nie.

– Może nie dla ciebie – dodała inna. – Dla nas tak.

– Zostań – dorzuciła kolejna. – Sierioża naprawdę chwilę zaczeka. Tym bardziej że jest z nim Jola.

Wiktor powiódł wzrokiem po stopniach. Jeśli kochanka Bałajewa rzeczywiście mu towarzyszyła, zapewne Forst odejdzie z kwitkiem. Mimo że byli razem od kilku lat, Siergiej zdawał się wciąż nienasycony jej obecnością, dotykiem i bliskością. Przez to lgnął do niej jak ćma do ognia. I nieraz się przy tym oparzył.

Jola Wajerska była Polką – i zdaniem Forsta reprezentowała swój kraj nad wyraz dobrze. Momentami można było nawet odnieść wrażenie, że to ona jest bossem całego tego przedsięwzięcia, nie Bałajew.

Potrafiła stawiać go do pionu, nieraz pokazała swoją nieustępliwość i właściwie zdawała się robić wszystko, na co miała ochotę. Wielu podwładnych Siergieja patrzyło na nią krzywo, ale nikt nigdy nie śmiał choćby zasugerować, że może mieć zbyt dużą władzę nad szefem.

Forst przypuszczał zresztą, że przynajmniej do pewnego stopnia to jedynie pozory. Gdyby przyszło co do czego, a Wajerska by przeholowała, Rosjanin z pewnością zareagowałby tak, jak umiał najlepiej. Siłą.

Jednocześnie trudno było dziwić się jego częściowej uległości. Jola wyglądała jak z okładki żurnala. W dodatku umysł miała ostry jak brzytwa, przez co trudno było powiedzieć, czy bardziej pociągająca w jej przypadku jest powierzchowność, czy charakter.

Była niebezpieczną kobietą. Forst zrozumiał to, gdy tylko ją zobaczył. Nie musiał zamieniać z nią nawet słowa.

– Nie było go kilka dni – odezwała się któraś z dziewczyn. – Musi się nią nacieszyć.

– A ty tymczasem…

– Naprawdę nie mogę – rzucił Forst, po czym ruszył w górę schodami.

Wszedłszy na półpiętro, powiódł jeszcze raz wzrokiem po dziewczynach. Wszystkie lekko się do niego uśmiechały, jakby z niedowierzaniem, że naprawdę nie skorzysta z okazji.

Wszystkie oprócz jednej. Młoda brunetka siedziała na ostatniej kanapie, zapatrzona w jakiś punkt w oddali.

Forst przypuszczał, że ma powody, by być nieobecna. Nie miał jednak zamiaru w to wnikać. Niepotrzebne mu były problemy, nie tutaj. Na jachtach mógł pozwolić sobie na nieco więcej, ale kopanie dołków na podwórku Siergieja nie wchodziło w grę.

Joli być może potrafił wybaczyć to czy tamto, ale była to jedyna osoba, która mogła liczyć na pobłażliwość.

Wiktor zapukał do pomieszczenia, które pełniło rolę zarówno gabinetu, jak i niewielkiej siłowni. Potem uchylił lekko otwarte drzwi.

– Nie krępuj się – rzucił Bałajew.

Forst wszedł do środka i się rozejrzał.

– Spodziewałeś się, że będę zajęty?

– Dziewczyny twierdziły, że...

– Że dawno mnie nie było, więc na pewno posuwam teraz Ilę?

Wiktor przypuszczał, że gdyby była w pomieszczeniu, Siergiej musiałby gęsto się tłumaczyć. Nawet gęściej, niż gdyby tę uwagę usłyszała jego żona. Wajerska zadbała jednak o to, by ta wraz z dziećmi nigdy nie opuszczała Rosji.

– Na dobrą sprawę to nawet prawdopodobny scenariusz – przyznał. – Ale tutaj? Powinieneś już się nauczyć, że zasady są zasadami. To jest dla mnie miejsce pracy. Nad organizacją, nad sobą.

Forst skinął głową. Miał nadzieję, że to nie pora na złote myśli szefa.

– Nie słyszałeś nigdy, żeby nie mieszać przyjemności z pracą?

– Nie.

Właściwie słyszał odwrotną tezę. Przynajmniej z ust tych, którzy w życiu osiągnęli prawdziwy sukces.

– Wtedy przyjemność staje się pracą, a praca przyjemnością – dodał Bałajew. – Od tego do śmierci już niedaleka droga.

Zaśmiał się, jakby rzeczywiście tkwiło w tym coś przewrotnego. Forst usiadł przed biurkiem, a potem zgarbił się trochę. Po locie z Dubaju miał ochotę wrócić do mieszkania w Orihueli i grzmotnąć się do łóżka na co najmniej siedem godzin.

– Nie wyglądasz najlepiej.

– Długa podróż.

– Mogłeś się wspomóc przed wylotem.

Nie był to pierwszy raz, kiedy Siergiej składał mu taką propozycję. Było dla niego zupełnie niezrozumiałe, że Wiktor stroni nie tylko od alkoholu, ale także od lekkich narkotyków.

Twierdził, że bez wspomagania wszystko jest tylko chwilową przyjemnością i nieuchronnie prowadzi do bólu. Być może w pewnym sensie miał rację. W przypadku Forsta jednak nie było takiego zagrożenia, nic bowiem nie sprawiało mu przyjemności. Nawet chwilowej.

– Ale ty oczywiście jesteś anhedonistą – rzucił Rosjanin.

Wiktor nie był pewien, czy takie słowo w ogóle istnieje.

– Anhedonia – dodał Bałajew, dostrzegając jego niepewność. – Neuropsychiatryczne zaburzenie. Element poważnych stanów depresyjnych. Melancholijny stan, który wyklucza możliwość odczuwania przyjemności.

Forst się nie odezwał.

– Rejs przebiegł bez problemów?

– Najmniejszych.

Bałajew pokiwał głową z zadowoleniem.

– Nie chciałbym tłumaczyć się drugi raz przed klientami.

– Nie będziesz musiał.

– Oby – odparł Siergiej, poważniejąc. – Bo tamta sytuacja była dla mnie wyjątkowo niewygodna. Pierwszy raz zdarzyło się coś takiego.

Czekał na jakąkolwiek odpowiedź, ale Wiktor nie miał zamiaru jej udzielać. Wytłumaczył się po powrocie z portugalskiego jachtu i samo w sobie było to wystarczająco uwłaczające. Sądził, że nie będą już do tego wracać, ale zadra najwyraźniej w Bałajewie pozostała.

– I nie muszę ci chyba przypominać, że znam kilka osób w FSB.

– Nie musisz.

– Osób, które mogłyby awansować, gdyby tylko udało im się sprowadzić Wiktora Forsta do Rosji. A konkretnie do Sol-Ilecka. Jesteś tego świadomy, prawda?

– Tak.

– A także tego, że Salinas zawsze chętnie przyjmą cię w swoje wody?

Wiktor milczał.

– Tak? – upewnił się Siergiej.

– Trudno byłoby o tym zapomnieć.

Bałajew przez chwilę trwał w zupełnym bezruchu, jakby zamienił się w posąg. Potem na jego twarzy wykwitł szeroki uśmiech. Klasnął cicho.

– Świetnie – rzucił. – Lubię, kiedy sytuacja jest jasna.

Forst przypatrywał mu się badawczo, starając się stwierdzić, dlaczego w ogóle poruszył ten temat. Przypuszczał, że te niezbyt zawoalowane groźby nie bez powodu pojawiły się akurat teraz.

– Szejkowie na coś narzekali? – spytał Wiktor.

– Nie, byli wyjątkowo zadowoleni.

– W takim razie…

– Po prostu lubię mieć pewność, rozumiesz? – odparł Bałajew, unosząc refleksyjnie wzrok. – A żeby ją zyskać, trzeba wyjść z pozycji powątpiewania.

– Może i tak – przyznał Forst.

Przypuszczał, że to już koniec. Jeśli przesadzał i nic nie było na rzeczy, szef powinien odpuścić.

– Ważne jest dla mnie, żebyś pamiętał o swojej roli – ciągnął jednak Rosjanin. – Szczególnie teraz, kiedy dziewczyny zaczynają darzyć cię pewną sympatią. Mówię o naszych, nie o hostessach.

– Mhm.

– Mogą próbować cię podejść.

– Podejść?

Rosjanin wzruszył ramionami, jakby sam nie był do końca pewien, co ma na myśli. Wiktor spodziewał się jednak, że jest wprost przeciwnie.

– Niektóre mają namącone w głowach. Ila stara się jakoś je ułożyć, ale wiesz, jak jest.

– Wiem.

Jola Wajerska pracowała raczej nad tym, by przejawiały jak największą uległość. O ile te na jachtach były zwykłymi dziewczynami, które na boku dorabiały do pensji – lub raczej pomnażały ją kilkakrotnie – o tyle te w willi były niemalże niewolnicami.

Miały być na każde skinienie ludzi z najbliższego otoczenia Siergieja, a od czasu do czasu zapewne także spełniały zachcianki samego bossa. Wajerskiej zdawało się to nie przeszkadzać, sama zresztą nie stroniła od uciech na boku.

Forsta specjalnie to nie dziwiło. Nie podejrzewał dwójki niemoralnych osób o to, by w relacjach międzyludzkich przejawiali inny system wartości niż w przypadku działalności, którą prowadzili.

– Będą się starały cię urobić – dodał Bałajew. – I to nie dlatego, że wpadłeś im w oko. Nie, Wiktor. Chodzi im tylko o protekcję. Liczą na to, że jeśli wkupią się w twoje łaski, roztoczysz nad nimi parasol ochronny.

– Zrozumiałe.

Oczy Siergieja lekko się rozszerzyły.

– Na ich miejscu ty też wolałbyś dawać dupy jednemu niż całej zgrai.

Wiedział, że powinien zachować tę uwagę dla siebie. Właściwie niewiele znaczyła, a Bałajew już nie takich rzeczy się w życiu nasłuchał, ale czasem niewiele było trzeba, by go urazić.

Widmo palących ran przemknęło przez głowę Wiktora. Przełknięcie śliny przyszło mu z pewną trudnością.

– Pewnie masz rację – odparł w końcu Siergiej. – Dlatego miej się na baczności. I nie wierz we wszystko, co mówią. Będą próbowały wielu rzeczy.

Forst pokiwał głową, jakby usłyszał jedną z najważniejszych mądrości życiowych.

Opuszczał biuro szefa, nie mając pojęcia, czemu miała służyć ta rozmowa. Zrozumiał to dopiero chwilę później, gdy zszedł masywnymi schodami do części wspólnej. Dwie dziewczyny paliły skręty, reszta nie bawiła się już w marihuanę.

Forst czasem słyszał, jak niektórzy twierdzili, że w rezydencji jest tylko jedna królowa. I nie jest nią Jola Wajerska, ale heroina.

Wiktor musiał przyznać, że mieli rację. Tyle że nie odnosiło się to jedynie do wilii Siergieja. Heroina była nie tylko jego zmorą z przeszłości, ale także najpopularniejszym narkotykiem na świecie.

W Villamartín przyjmowano ją głównie, wciągając opary. Forst nigdy nie lubił tej formy. Kiedy brał, decydował się wyłącznie na iniekcje. Doskonale pamiętał stan, kiedy tłok przesunął się do końca.

Błogość, spokój, bezbrzeżne zadowolenie, euforia.

Potrząsnął głową, starając się zignorować charakterystyczny cierpki, niemal octowy zapach. Nie był tak wyraźny jak przy polskiej heroinie. Ta musiała być czystsza, z pewnością pozbawiona zanieczyszczeń i domieszek innych substancji.

Zszedł z ostatniego stopnia, skupiając na sobie wzrok tych dziewczyn, które jeszcze były obecne nie tylko ciałem, ale i duchem. Nie zostało ich wiele. Im późniejsza pora, tym liczba szybciej malała. Niebawem jedna po drugiej zaczną wchodzić na piętro, do pokojów zajmowanych przez najbliższych współpracowników Siergieja.

Rozpiska była zrobiona już dawno. Chodziło o to, by podwładni Bałajewa nie wchodzili sobie w paradę i dzielili się dziewczynami po równo.

Wiktor dostrzegł, że jedna z nich wpatruje się w niego niemal z agresją. Dopiero po chwili zrozumiał, że emocje w jej oczach nie są wyzwaniem, ale wołaniem o pomoc.

Była to ta sama, którą wypatrzył przed wejściem do gabinetu Siergieja. Zamyślona, nieobecna, chuda dziewczyna na końcu pokoju.

Westchnął, zamierzając ją zignorować. Czegokolwiek od niego chciała, nie miał czasu ani energii się tym zająć. Ani powodu. Bałajew wyraził się dostatecznie jasno, a wszystko, co zrobił dotychczas, potwierdzało, że nie rzuca słów na wiatr.

Dziewczyna nie miała jednak zamiaru odpuścić.

Podniosła się, a potem ruszyła za Forstem. Wyszła przed rezydencję chwilę po nim.

Wiktor obrócił się i posłał jej ostrzegawcze spojrzenie.

– *Wiernis… wrut…* wracaj do środka, *pażałsta*.

– Jestem Polką.

Forst nabrał głęboko tchu. W jej głosie wyczuł niewypowiedziane błaganie, jakby była ofiarą przestępstwa, która po długiej tułaczce po bezdrożach w końcu odnalazła posterunek policji. Znał ten ton. Był ostatnim, jaki chciał usłyszeć.

– Słuchaj, zanim cokolwiek…

– Mysza.

– Co?

– Tak na mnie mówią.

Wiktor przyjrzał się jej. Właściwie określenie nie było pozbawione podstaw. Była wyjątkowo szczupła, twarz miała pociągłą, a nos spiczasty. Miała charakterystyczny typ urody, który rzeczywiście mógł kojarzyć się z myszą.

– Wracaj do środka.

– Nie ma mnie dzisiaj w rozpisce, jestem... niedysponowana.

Tak niebezpośredniego określenia Forst się nie spodziewał. Tutejsze dziewczyny nie miały żadnych skrupułów, przez co z ich słowników znikło także pojęcie tabu. Każda inna po prostu oznajmiłaby, że dzisiaj ma ciotę. Te z większą inwencją powiedziałyby, że trwa karmazynowy przypływ.

Jednak nie tylko dlatego Mysza sprawiała wrażenie, jakby była nie na miejscu. Wiktor nie poczuł od niej ani alkoholu, ani narkotyków.

– Możemy się przejść? – spytała.

– Jestem zmęczony. Muszę wracać do siebie.

– Do Orihueli?

– Mhm.

– Podejdę z tobą do samochodu.

Tylko tego było mu trzeba. Sam krótki spacer nie był niczym nadzwyczajnym ani podejrzanym – podwładni Siergieja często zabierali dziewczyny na przejażdżki, pojawiali się z nimi w nadmorskich knajpach lub na plaży. Wiktor wiedział jednak, że w tym wypadku nie byłoby to bezinteresowne.

I nieprzypadkowo Bałajew akurat teraz wezwał go na rozmowę. Musiał wiedzieć, że rosnące zaufanie w końcu sprawi, że któraś z dziewczyn się przed nim otworzy. Ale w jakiej sprawie? Wiktor wolał nie wnikać.

– Nie mam siły, naprawdę – rzucił i ruszył w stronę samochodu.

Mysza poszła za nim.

– Daj mi tylko...

– Wracaj do rezydencji.

Złapała go za rękę, Forst machinalnie odtrącił jej dłoń. Spojrzała na niego, jakby wyrządził jej większą krzywdę niż wszyscy, którzy się do niej dobierali, od kiedy tutaj trafiła.

– Posłuchaj mnie przez moment – powiedziała. – Jesteś jedynym, który może…

– Nic tu nie mogę.

– Wiesz, że to nieprawda – odparła i podeszła bliżej. – A jest ktoś, kto potrzebuje twojej pomocy.

Forst uśmiechnął się lekko.

– Sam potrzebuję pomocy – zauważył. – Problem w tym, że nigdy nie potrafiłem jej sobie udzielić.

– Mówię poważnie – zastrzegła, obracając się. – Wejdź do garażu, sprawdź sam.

– Jakiego garażu?

Wskazała na niewielką dobudówkę przy głównym budynku. Miała cztery automatycznie podnoszone bramy. Za nimi na noc zamykano aston martiny, lamborghini i inne samochody Bałajewa. I to tylko po to, by rankiem znów ustawić je przed rezydencją.

– Zauważyłeś, że z jednego nie wyprowadzają już żadnych aut?

– Nie. Nie było mnie kilka dni.

Przełknęła ślinę, rozglądając się trochę zbyt nerwowo.

– Mogę ci pokazać, jak się tam dostać przez rezydencję. Musisz zejść do piwnicy, przejść kawałek w kierunku rozdzielnicy elektrycznej i wejść na klatkę, która…

– Nie mam zamiaru.

– Proszę cię…

Wiktor ruszył w stronę swojego auta.

– Poczekaj…

– Wracaj do środka i rób, za co ci płacą – rzucił jeszcze przez ramię.

– Nikt mi nie płaci.

Zaklął cicho i się zatrzymał. Mysza natychmiast skorzystała z okazji i podeszła do niego. Znów złapała go za rękę, a on
tym razem jej nie odtrącił. Obróciła go do siebie, ostrożnie, jak
kruche chuchro starające się ostrożnie podejść giganta.

– To ja płacę cenę za... za to wszystko – odparła. – Ale to
i tak nic w porównaniu z tym, co dzieje się w tamtym garażu.

– Nie chcę tego słyszeć.

– Bo niewiedza jest dla ciebie błogosławieństwem?

Forst wzruszył ramionami.

– Nic na tym świecie nim nie jest – odparł. – Ale każdy
robi coś, żeby nie zwariować. Ja nie wnikam w sprawy, w które nie powinienem.

Mysza przez chwilę przytrzymywała jego wzrok, a potem
spojrzała w kierunku garaży.

– Przetrzymują tam kogoś – powiedziała. – Dziewczynę.

Forst również popatrzył w tamtą stronę.

– Robią z nią, co chcą...

Nie chciał słuchać ciągu dalszego, ale wiedział już, że nie
może tak po prostu zignorować tego, co mówiła.

– Znęcają się nad nią – dodała cicho. – A potem po prostu
ją tam zostawiają, w zupełnej ciemności, pobitą, upokorzoną
i związaną.

Próbował sobie tego nie wyobrażać, ale nie było łatwo.

– Jest niewinna. Nic nikomu nie zrobiła.

Forst milczał.

– Niczym nie zawiniła.

Jeśli potrzebował ostatecznego potwierdzenia, że Bałajew
nieprzypadkowo wezwał go na rozmowę, właśnie je otrzymał.
Cokolwiek działo się w garażu, Rosjanin musiał się obawiać,
że któraś z jego dziewczyn wywęszy sprawę. I że okaże się na
tyle lekkomyślna, by zwrócić się do Forsta.

– To nieludzkie – dodała Mysza. – Traktują ją gorzej niż szmatę…

Wreszcie puściła jego dłoń.

– Gwałcą ją po kolei, na różne sposoby… przestała już nawet błagać o pomoc.

Wiktor mimo woli wrócił myślami do przeszłości. Do domu na wzgórzu w Rabce-Zdroju, tuż pod lasem, blisko innych zabudowań, ale jednocześnie dostatecznie daleko od oczu innych ludzi, by mogły dziać się tam najgorsze okropieństwa.

Wzdrygnął się, czując, jak krew odpływa mu z twarzy.

Przypomniał mu się opuszczony budynek na Słowacji.

Podłoga zalaną krwią, ekskrementami, a pośród tego wszystkiego zmasakrowane ciało dziewczyny.

Bestia z Giewontu żyła w jego umyśle.

Spojrzał na dziewczynę, a potem na garaż.

– Proszę, Krieger, oni ją tam… zerżną na śmierć.

Przypuszczał, że to nie przejęzyczenie. Ani nie przesada. Dziewczyna nie nakłaniałaby go tak usilnie, gdyby nie była pewna, że takie rzeczy naprawdę dzieją się za garażową bramą.

– Wierzę, że po coś tutaj jesteś… – dodała.

Forst pomyślał, że to nie kwestia wiary. Raczej fakt.

5

Powinni już dawno ustalić znacznie więcej. Zauważyć poszlaki, które dla nich przygotowałam. Dotrzeć do miejsca, do którego ich kierowałam.

Tam i tylko tam. Tam i aż tam.

A jednak dreptali w miejscu, nie posuwali się naprzód. Nie doceniali mnie. Co gorsza, nie stworzyli warunków, by inni mnie docenili.

Nikt nie widział moich czynów, choć przecież ich rezultaty mówiły same za siebie. W mediach nadal dyskutowano o zabójcy, nigdy o zabójczyni. Temat powoli wybrzmiewał. Brak postępów w śledztwie sprawiał, że sprawa się wyciszała. Umierała śmiercią naturalną.

Czułam się z tym coraz gorzej.

Nie tak to wszystko miało wyglądać. Kilkanaście ciał na zboczach Giewontu, kolejne niemal w samym sercu Zakopanego. Takie rzeczy nie powinny schodzić z czołówek gazet.

A mimo to przestawano się tym interesować. Zaczynałam odnosić wrażenie, że jedynymi ludźmi, którzy jeszcze o tym mówią, są prokuratorzy i policjanci.

Wadryś-Hansen i Gerc wrócili ze Słupska. Kontynuowali śledztwo w Zakopanem, błądząc po omacku. Dotarcie do Roberta Kriegera niczego im nie dało, zresztą jego tożsamość była wydmuszką.

Ustalili za to związek z Wiktorem Forstem. To mnie cieszyło. Było jedynym pozytywnym akcentem ostatnich dni. Potrzebowałam jego udziału coraz bardziej, ale po byłym komisarzu wciąż nie było śladu. Gdzie się zaszył? Dlaczego? I jak miałam wywabić go z kryjówki?

Znałam odpowiedź na to pytanie.

Kolejne zabójstwa. Musiałam dalej robić to, co podpowiadała mi moja natura.

Nie, nie musiałam, chciałam.

Coraz bardziej.

A może nie? Może to jednak nie kwestia chęci, ale potrzeba?

Miotałam się tak dniami i nocami, niezborne myśli nie dawały mi spokoju. Narastała we mnie potrzeba bycia docenioną. Nawet jeśli nie jako jednostka, to jako przedstawicielka płci rzekomo słabszej, delikatniejszej.

Chciałam być tą, która udowodni, że czas najwyższy zmienić to postrzeganie. Chciałam zapisać się w annałach historii. Nie imieniem i nazwiskiem – czynami.

A żeby to osiągnąć, musiałam dalej zabijać.

Nie miałam innego wyjścia.

6

Zapisy monitoringu ze stacji benzynowych potwierdzały to, co Dominika od początku właściwie przyjęła za pewnik. Morderca był zbyt ostrożny, by dać się namierzyć w tak prosty sposób. Na żadnym nagraniu nie przewinęła się ta sama osoba, choć sprawdzono materiały z kilku tygodni wstecz.

Właściwie jedyną dobrą wiadomością było to, że stan Osicy się ustabilizował. Po kilku dniach na tyle, że inspektora wyprowadzono ze śpiączki farmakologicznej. Potem uznano, że można przetransportować go bezpiecznie do Zakopanego. Trafił do jednoosobowej sali w szpitalu na Kamieńcu. Przed odwiedzeniem go Wadryś-Hansen kupiła w kiosku „Wprost", „Do rzeczy", „Uważam Rze" i „Rzeczpospolitą". Cały zestaw tytułów, które cenił sobie Edmund.

Kiedy weszła do sali, popatrzył na nią z uznaniem i wdzięcznością. Był blady jak śmierć, a kiedy się uśmiechnął, odniosła wrażenie, jakby znacznie pociemniały mu zęby.

– Wie pani, co dobre.

– Raczej co doda panu trochę energii – odparła, kładąc gazety na szafce. – Jak tylko poczyta pan o tych wszystkich imigrantach, którzy nieustannie zagrażają naszemu bytowi, i o krwiożerczej opozycji planującej zamach stanu, od razu wstanie pan z łóżka, gotowy walczyć.

Jakby na potwierdzenie tego próbował podciągnąć się do wezgłowia. Skrzywił się jednak i szybko zrezygnował.

– Choć pańscy prawicowi koledzy mogą nie chcieć stać z panem w jednym szeregu.

– Słucham?

– Służył pan w milicji, prawda?

– Jak większość słusznych wiekowo policjantów.

– To chyba dyskwalifikuje pana jako ewentualnego bohatera prawej strony sceny politycznej.

– Niechże pani da spokój…

– Swoją drogą, nie planują przypadkiem zmniejszać wam emerytur?

Osica pokręcił głową, a potem sięgnął po „Wprost". Łapczywie przerzucił kilka stron, jakby dowiedzenie się, czy przez ostatni tydzień coś w polityce go nie ominęło, stanowiło być albo nie być.

Na jego miejscu Dominika zainteresowałaby się śledztwem. Z pewnością nie dostał od nikogo żadnych informacji, to ona była jego bezpośrednim dojściem do prokuratury. Odsunęła sobie krzesło i usiadła przy łóżku.

W końcu Osica zamknął tygodnik i spojrzał na Wadryś-
-Hansen. Przez moment miała wrażenie, że nie patrzy na nią, tylko na swoje odbicie w ciemnych szkłach jej okularów.

– No dobrze – powiedział.

Pytająco uniosła brwi.

– Niech pani mówi.

– Co?

– Przyszła przecież pani, żeby zreferować mi, co się dzieje.

– W żadnym wypadku.

– Siedzi pani tu, gapi się na mnie i czeka, aż zapytam.

– A jednak nie pyta pan, więc…

– Bo nie ma o co.

W pokoju zaległa cisza.

– Moi ludzie powiedzieli mi, że przy tym cholernym drze-
wie znaleziono ślady krwi Forsta. Stare. Sprzed roku, tak?

– Tego nie wiadomo.

– Taka cezura padła.

– To maksimum, panie inspektorze – odparła ciężko Dominika. – Wiadomo, że nie są starsze, ale nic poza tym. Równie dobrze mogą mieć miesiąc.

Edmund spuścił wzrok i przez chwilę wlepiał go w okład-
kę gazety. Wyglądał jak zawiedziony ojciec, który dowiedział
się, że jego syn dopuścił się rzeczy, których robić nie powinien.
Odłożył tygodnik i westchnął.

Dopiero teraz Dominika zrozumiała, dlaczego nie wypy-
tywał o szczegóły. Nie chciał wiedzieć.

– Wiadomo coś więcej? – spytał.

– Na razie nie.

– Nic? Absolutnie?

– Tożsamość Kriegera okazała się… wątpliwa.

– To znaczy?

– Zawarto na jego imię i nazwisko trochę umów, między
innymi ubezpieczenie OC, kredyt na samochód i jakieś po-
mniejsze zobowiązania.

– I niczego nie spłacono?

– Nic. Ale to wyszło dopiero niedawno – odparła. – Poza
tym potwierdził swoje istnienie w kilku urzędach, co przy
braku centralnej bazy danych nie nastręczało mu wielkich
problemów.

Edmund nie skomentował. Oboje wiedzieli, że Dominika
odnosi się do sprawy z tamtego roku, o której oboje chcieli
zapomnieć.

– Więc Krieger to wydmuszka – mruknął Osica, poprawiając kołdrę.

Wadryś-Hansen na myśl przychodził szereg innych określeń. Oczami wyobraźni zobaczyła tego człowieka stojącego nad nią. Natychmiast odsunęła tę wizję.

Poprawiła nerwowo okulary, z którymi z pewnością nie rozstanie się w najbliższym czasie.

– Wynajął też mieszkanie, do którego trafiliśmy w Słupsku – dodała.

– No tak.

– I była to chyba jedyna umowa, w ramach której dokonywał jakichkolwiek wpłat. Do czasu, rzecz jasna.

– Nikt nie odkrył, że coś jest nie w porządku?

– Nie.

Nie był to pierwszy raz, kiedy taka sytuacja miała miejsce. Ci najbardziej zaradni przestępcy potrafili miesiącami, nawet latami wyłudzać duże sumy. Krieger natomiast był ostrożny, nie szarżował, nie dawał nikomu powodu, by nader czujnie mu się przyglądać.

Metoda na wnuczka była przeżytkiem. Pewien emerytowany policjant w Warszawie wyłudzał setki tysięcy złotych, podając się za kuzyna byłego premiera. Wpadł, dopiero kiedy nieopatrznie próbował okantować agentów Centralnego Biura Śledczego.

W Toruniu trzydziestoszeciolatek wzbogacał się kosztem kobiety, której nawet nie znał. Wystarczyło, że posłużył się jej adresem mailowym i danymi. Właściwie uczynił z tego sposób na życie, a kiedy w końcu stanął przed sądem, samo odczytanie aktu oskarżenia trwało stanowczo za długo.

Gdański wyłudzacz robił tournée po różnych placówkach tego samego banku. Nikt go nie zatrzymał, sprawa wyszła na jaw dopiero po fakcie. We Wrocławiu oszust miał większy rozmach, a na fikcyjne dane w różnych bankach udało mu się zaciągnąć kredyty na niemal siedemset tysięcy złotych. I nie były to odosobnione przypadki.

Podobne procedery zaczynały stanowić prawdziwą plagę, a Dominika nie chciała nawet myśleć o tym, ile z nich pozostaje niewykrytych tylko dlatego, że przestępcy nie przekraczają pewnego pułapu. Tak jak do czasu robił to Robert Krieger.

– Więc? – odezwał się Osica.

Wadryś-Hansen potrząsnęła lekko głową.

– Mówił pan coś?

– Pytałem, czy wystawiono list gończy? Nie słyszała pani?

– Nie.

Przypatrywał jej się niby obojętnie, ale dostrzegła w jego oczach niepokój. I próbę analizy. Dogłębnej analizy.

– Wszystko z panią w porządku? – spytał.

– Tak.

– Nie widzę oczu, więc…

– Na razie muszę nosić te okulary.

– Mniejsza z nimi. Mam na myśli to, co pod spodem.

Odchrząknęła i poruszyła się nerwowo.

– Dojść do siebie po czymś takim… – zaczął, ale nie dokończył. Zawiesił głos, a potem pokręcił głową. – Nie jest łatwo – dorzucił.

– Nie, nie jest.

– A pani nie wygląda najlepiej.

– Dziękuję, panie inspektorze. Doceniam to.

– Nie, nie… miałem na myśli po prostu to, że…

Ewidentnie nie odnajdywał się w tej roli. Mogłaby zbyć temat albo pomóc mu go pociągnąć, ale nie bardzo wiedziała, jak zrobić jedno lub drugie. Ona także nie była mistrzem w relacjach międzyludzkich. Może była to jedna z niewielu rzeczy, które łączyły prokuratorów i policjantów.

– To znaczy…

– Doceniam troskę, panie inspektorze.

– Chodzi mi o… cóż, to zrozumiałe, że nie może pani w tej sytuacji wyglądać zbyt dobrze. Te wszystkie rany, siniaki, cały ten makabryczny *entourage* i…

Wypowiedział to jak „makijaż", z polskim, płaskim akcentem. Dominika miała nadzieję, że na tym zakończy.

– Ale nie ma pani nawet ułożonej fryzury – dodał.

– Słucham?

– Zawsze starannie układa pani każdy włos.

Liczyła, że jej wysoko uniesione brwi są widoczne zza okularów.

– Dążę do tego, że wygląda pani inaczej.

Nie tylko wyglądała, ale także czuła się inaczej. Być może nie była gotowa jeszcze do końca tego przed sobą przyznać, ale wewnętrznie niszczała. Stopniowo, niespiesznie niszczała. Zaczęło się od Gjorda, ale teraz osiągnęło to punkt krytyczny.

Od kilku dni nie dbała ani o siebie, ani o swoje ubrania, ani nawet o wynajmowany apartament przy Krupówkach. Niegdyś było dla niej nie do pomyślenia, by wyjść z domu bez ułożonej fryzury, w niewyprasowanej bluzce, zostawiając w kuchni niepozmywane naczynia.

Teraz robiła to bezrefleksyjnie.

– Nie miałem nic złego na myśli. Zwyczajnie się martwię.

– A ja to doceniam, naprawdę – powtórzyła. – Ale pytał pan o list gończy…

– Tak.

Wadryś-Hansen odetchnęła, widząc, że on również chętnie zmieni temat. Jeszcze trochę, a zaczęłaby czuć się jak jego córka. Osica z pewnością boleśnie odczuwał jej brak, być może podświadomie próbował jakoś zapełnić miejsce, które zajmowała w jego życiu.

– Właściwie wystawiono dwa.

– Dwa? Na litość boską, niech pani nie mówi, że…

– Obawiam się, że tak.

Edmund zasłonił ręką oczy, potem potarł czoło i przesunął dłonią po przerzedzonych włosach.

– Drugi wystawiliście za Forstem? – upewnił się.

Potwierdziła ruchem głowy.

– W dupach wam się poprzewracało?

– Panie inspektorze…

– Przepraszam – rzucił, unosząc otwarte ręce. – Przecież doskonale zdaje sobie pani sprawę, że on nie ma z tym nic wspólnego.

Dominika milczała.

– Prawda?

– Tak – przyznała.

Znów zaległa niewygodna cisza. Tym razem uwierała Wadryś-Hansen nawet bardziej, Osicę natomiast wyraźnie zaintrygowała. Zmrużył oczy, a Dominika pomyślała, że być może w końcu wyczuł, że coś jest na rzeczy. Coś więcej, niż była gotowa przed nim przyznać.

– Skąd to zakłopotanie?

Dominika usłyszała swój własny przyspieszony oddech. Poczuła szybsze bicie serca.

To, czego mu nie powiedziała, nie było wielką tajemnicą. A przynajmniej być nie powinno. Jednak fakt, że nie tylko Osica, ale i nikt inny o tym nie wiedział, sprawiał, że Wadryś- -Hansen miała wrażenie, jakby był ku temu dobry powód.

Myliła się.

Uświadomiła sobie to już jakiś czas temu, ale na dobrą sprawę nie miała się z kim tym podzielić. W końcu doszła do wniosku, że teraz przyszedł moment dobry jak każdy inny, by powiedzieć o tym inspektorowi.

– Problem polega na tym, że nie mogę w tej sprawie nic zrobić, ponieważ... nie jestem do końca obiektywna.

– A Gerc jest?

– Nie taki rodzaj braku obiektywizmu mam na myśli.

– A jaki?

Nabrała głęboko tchu i dobrze zastanowiła się nad słowami, które miała zamiar wypowiedzieć. Mogła dać się ponieść chwili i wyrzucić z siebie wszystko, ale obawiała się, że skończy się to dukaniem.

– Utrzymywałam z Forstem kontakt – powiedziała. – Właściwie od kiedy pożegnał go pan na dworcu.

Żaden mięsień na twarzy inspektora nawet nie drgnął. Kamienne spojrzenie kazało jej sądzić, że powinna kontynuować.

– Początkowo wymienialiśmy wiadomości co kilka dni, może raz na tydzień. Potem coraz częściej. Byliśmy na bieżąco ze swoimi sprawami, ja relacjonowałam, jak mają się postępy w śledztwach dotyczących Bestii z Giewontu, on dawał mi znać, jak sobie radzi. Z trudem odnajdywał się w nowej rzeczywistości.

Osica nadal trwał w bezruchu.

– Mam na myśli rzeczywistość, w której właściwie stał się zwykłym, niczym niewyróżniającym się obywatelem. Bez policyjnej legitymacji, bez poczucia stałego zagrożenia, ale za to z ciężkim bagażem doświadczeń.

Sądziła, że Edmund coś odpowie, ale ten wbijał w nią nieruchomy wzrok.

– Po kilku tygodniach właściwie... cóż...

Drgnął. Wykonał lekki, ponaglający ruch ręką.

– Starczy powiedzieć, że w pewnym momencie nie wyobrażałam sobie końca dnia bez tego osobliwego podsumowania – dodała. – Pisaliśmy do siebie maile, właściwie przez długi czas była to jedyna forma kontaktu. Potem zaczęliśmy wymieniać SMS-y. Ale ani razu się nie widzieliśmy, ani razu do siebie nie dzwoniliśmy.

Poczuła się lepiej, wyrzucając to z siebie. Nie było w tym nic zdrożnego, a mimo to wprawiało ją w zakłopotanie.

Nie potrafiła stwierdzić, jaki był powód. Może to, że brzmiała jak nie ona? Jak nastolatka wyolbrzymiająca i widząca pewne rzeczy tam, gdzie ich nie było?

Tyle że nie była smarkulą. Wiedziała, jaki charakter ma ich relacja. Nie było w niej nic romantycznego, nic seksualnego, zresztą opierała się jedynie na kontakcie na odległość.

Nawet gdyby było inaczej, nie miałoby to żadnego znaczenia. Nie byli dwojgiem ludzi, którzy szukaliby kolejnych partnerów. Był to pierwszy powód, dla którego stanowili dobry duet. Drugi sprowadzał się do tego, że oboje byli osobami o zniszczonych życiorysach.

Jak między kimś takim miałaby wywiązać się nić czegokolwiek romantycznego? Ciepłego? Nie było w ich kontaktach miejsca na takie rzeczy. Były przesiąknięte nostalgią.

Nostalgią i wieczną tęsknotą za życiem, które nie tylko dawno odeszło w zapomnienie, ale było tak odległe, że zdawało się nigdy nie istnieć.

Kiedy Osica nabrał chrapliwie tchu, Dominika przypuszczała, że zaraz usłyszy wymowny komentarz. Im dłużej milczał, z tym większą niecierpliwością czekała na to, co inspektor powie.

W końcu odkaszlnął.

– Skurwysyn – syknął.

Nie tego się spodziewała.

– Przeklęty skurwysyn – dodał przez zęby Osica. – Żegnałem go na tym zapyziałym dworcu jak syna, a on... ledwo wsiadł do pociągu, już pisał do pani? Mnie tymczasem zupełnie... –

Urwał i pokręcił głową. – Dobrze zrobiliście, wysyłając ten list gończy. Ten człowiek nie powinien chodzić wolny.

Uśmiechnęła się mimo woli i szybko rozbolała ją cała twarz.

– Po wszystkim, co dla niego zrobiłem... – bąknął Edmund. – Cały rok. Żadnego znaku życia. A tymczasem...

Machnął ręką, jakby mógł odgonić te wnioski niczym niewielkiego natrętnego insekta.

– Nieistotne – rzucił. – Niech pani lepiej powie, gdzie on jest?

– Nie wiem.

Osica odchylił głowę do tyłu i mruknął coś tak cicho, że Dominika nie mogła usłyszeć jego słów. Po prawdzie nie musiała.

– Forst nie był zbyt otwarty, jeśli o to chodzi.

– To znaczy?

– Od początku niechętnie dzielił się tym, co robi, gdzie przebywa, co zamierza... Na dobrą sprawę rozmawialiśmy albo o mnie, albo o sprawach błahych.

– O pierdołach. Niech pani nazywa rzeczy po imieniu.

Znów uniósł otwarte dłonie i spojrzał na nią przepraszająco. Nie miała mu za złe. Przeciwnie, dobrze było go widzieć w zwyczajowej formie.

– Wiedziałam, że spędził trochę czasu na Pomorzu, a potem wrócił do Zakopanego. Nic poza tym.

– Kiedy ostatnio się z panią kontaktował?

– Zaraz po tym, jak zaczęła się ta sprawa. Ale nie odnosił się do niej. Zupełnie jakby nie wiedział o zabójstwach.

– Więc trzeba przyjąć, że był gdzieś daleko. W miejscu, do którego wieści zbyt szybko nie dotarły.

– Może – przyznała Wadryś-Hansen, lecz bez przekonania.

Możliwości było zbyt wiele, podobnie jak zmiennych. Wyciąganie jakichkolwiek wniosków na tym etapie wydawało się bezcelowe.

– Oczywiście próbowała pani się do niego dodzwonić?

– Wielokrotnie. Wyłączył telefon.

– I pewnie szybko go nie uruchomi, biorąc pod uwagę list gończy.

– Przypuszczam, że dawno się go pozbył.

Osica wyglądał, jakby był podobnego zdania. Cmoknął z dezaprobatą i na moment zamilkł. Cisza się przeciągała.

– W końcu trafimy na jakiś trop – zauważył inspektor. – I trzeba będzie nim podążyć. Rozumie pani, że w takiej sytuacji... cóż.

– Muszę się wykazać krystalicznym obiektywizmem.

Zdawała sobie z tego sprawę doskonale. Gdyby postawiono Forstowi zarzuty, a sprawa trafiłaby w końcu do sądu, musiałaby ujawnić każdy szczegół. Także to, że nie wyłączyła się ze śledztwa, mimo że właściwie powinna była to zrobić.

Przez chwilę zbierała myśli, a potem cicho się zaśmiała. Edmund popatrzył na nią z zaciekawieniem.

– Nie, to wszystko nie ma sensu – powiedziała.

– To znaczy?

– Padliśmy ofiarami paranoi.

Ściągnęła okulary i złożyła je. Spojrzała na swoje niewyraźne odbicie w czarnych szkłach.

– Bestia z Giewontu nadal działa, panie inspektorze – kontynuowała Wadryś-Hansen. – Wciąż napędza nasze działania. A my dajemy się prowadzić w kierunku, który wyznacza nasz własny strach.

Osica nie sprawiał wrażenia zadowolonego z takiej oceny.

– Niechże pani nie dramatyzuje – burknął. – Forst się odnajdzie, zarzuty się obali, a Kriegera ujmie.

– Za co?

– Za zaatakowanie nas, do cholery.

– A te ofiary? – spytała z pretensją. – Nie sądzi pan, że to on?

– Sądzę.

– A mimo to nie ma żadnych dowodów – zauważyła. – I kiedy przyjdzie co do czego, to przeciwko Forstowi będzie toczyło się postępowanie, nie przeciwko Kriegerowi.

– Same koszula i czapka to za mało.

– To dobry początek dla Gerca.

Nie miała wątpliwości, że to on będzie oskarżał. O ile mogła uczestniczyć w tym etapie postępowania, o tyle udział w procesie sądowym był absolutnie wykluczony. Aleksander zaś już nieraz udowodnił, że nawet mając do dyspozycji znacznie mniej, potrafi zniszczyć życie oskarżonemu.

– Zmierzymy się z tym, kiedy przyjdzie pora – odparł lekkim tonem Edmund. – Niech mi pani lepiej powie, czy technicy poskładali cokolwiek z żółtych kartek?

– Jeszcze nad tym pracują.

– A tożsamość dziewczyn? Ani jednej nie udało się ustalić?

– Niestety nie.

– A zatem znajdujemy się w wyjątkowo głębokiej, czarnej...

– Tak – ucięła.

– Miałem zamiar powiedzieć: dziurze. Tej wielkiej, supermasywnej...

– Doskonale wiem, co miał pan zamiar powiedzieć.

Osica przyglądał jej się przez moment niczym lekarz starający się wstępnie ocenić, czy pacjent jest hipochondrykiem, czy może rzeczywiście cierpi na jakąś przypadłość.

– Naprawdę się pani zmieniła.

– Niech pan znowu nie zaczyna...

– Zauważyłem to już na samym początku, kiedy przyjechała pani do Zakopanego. Przede wszystkim zaczęła pani przerywać w pół zdania rozmówcom. To się wcześniej nie zdarzało.

Miał rację, ale ona nie zamierzała poświęcać temu więcej niż jedną przelotną myśli. Podniosła się, a potem z serdecznością położyła dłoń na jego ramieniu.

– Niech pan szybko wraca do zdrowia – powiedziała na odchodnym. – Odezwę się, jak tylko coś będziemy wiedzieli.

Wychodziła z sali przekonana, że niebawem w końcu tak się stanie. Technicy pracowali nad poskładaniem w całość zniszczonych kartek samoprzylepnych. Największy problem polegał na tym, że Wiktor najwyraźniej pozbył się części z nich. Nie dość, że nie znali obrazu, który układali, to puzzle były zniszczone i niekompletne.

Ostatecznie jednak musiał tkwić w nich jakiś trop.

Wróciła do apartamentu przy Krupówkach, od razu włączyła album Portishead, a potem otworzyła lodówkę. Wyciągnęła z niej butelkę wina, którego teoretycznie nie powinno się pić aż tak schłodzonego. Było jednak dla Dominiki zbyt cierpkie, a niska temperatura zdawała się to niwelować. Miało też całkiem sporo procent. Z pewnością więcej, niż powinno.

Usiadła w salonie. Przez jakiś czas przechylała duży, pękaty kieliszek, a potem znów go napełniała.

Nie mogła wiedzieć, że w sypialni czeka na nią osoba, którą starała się odnaleźć.

7

Nie było jeszcze za późno, by zawrócić. Wprawdzie sam powrót do rezydencji był podejrzany, ale gdyby Forst teraz podjął decyzję, by odpuścić, być może nikt by go nie zobaczył. Nie musiałby się przed nikim tłumaczyć.

Poczuł falę gorąca na plecach. Jasna jedwabna koszula natychmiast przylgnęła do skóry, jakby tylko czekała na odrobinę wilgoci.

W części wspólnej willi Mysza wzięła go za rękę i z uśmiechem pociągnęła w kierunku korytarza. Dała wszystkim jasno do zrozumienia, w jakim celu Wiktor wrócił. Część dziewczyn pokiwała głową z zadowoleniem. Niektóre łypnęły na nią zazdrośnie. Pozostałe były już tak odurzone heroiną, że nawet nie odnotowały obecności Forsta.

Ile z nich wiedziało, co dzieje się w garażu? Ile domyślało się, dlaczego Mysza naprawdę prowadzi go w stronę rozdzielni? Miał nadzieję, że niewiele.

– Może powinniśmy zaczekać – odezwał się. – Im późniejsza pora, tym lepiej.

– Na noc wracasz przecież do Orihueli.

– Znajdę powód, żeby zostać.

Zatrzymali się przed drzwiami prowadzącymi na niewielką klatkę schodową, którą można było dostać się do części piwnicznej.

– Zaufaj mi – powiedziała dziewczyna.

– Nie mam najmniejszego zamiaru tego robić.

– Ale…

– Nie traktuj tego jako przytyku – zauważył i westchnął. – Po prostu nigdy nie wyszedłem dobrze na ufności. Buduje się ją latami, niszczy w ułamek sekundy, a potem resztę życia spędza się na próbie zrozumienia, dlaczego tak się stało.

Patrzyła na niego pełnym niedowierzania wzrokiem. W końcu uśmiechnęła się delikatnie.

– Udziela ci się filozoficzny nastrój szefa.

– Może.

Spojrzał na drzwi.

– Idziemy?

Wyglądała, jakby zdziwił ją tym prostym pytaniem.

– Mimo że mi nie ufasz?

– Nie potrzebuję zaufania. Wystarczy mi przekonanie, że wiesz, co robisz – zadeklarował. – Schodziłaś już tam, prawda?

Skinęła głową.

Tak przypuszczał. Dziewczyna musiała doskonale orientować się, w jakich porach najlepiej zejść do piwnicy i dostać się do garażu, nie wzbudzając podejrzeń. Być może nieprzypadkowo zwróciła się do niego akurat teraz.

– Pomagałaś jej w jakiś sposób? – spytał, kiedy otworzyła drzwi.

– Zanosiłam jej trochę picia, jedzenia, czasem udało mi się nawet zdezynfekować rany.

– Nikt niczego nie zauważył?

– Nie, byłam ostrożna.

Weszli do klatki schodowej, a Mysza cicho zamknęła za nimi drzwi. Ruszyli schodami w dół.

– Jak długo to trwa?

– Nie wiem, kiedy dokładnie tu trafiła – wyszeptała dziewczyna. – Ona sama też tego nie wie, wszystko jej się w głowie pomieszało.

– Więc od kiedy do niej chodzisz?

– Od paru dni, może od tygodnia.

– Ile dziewczyn o niej wie?

– Ile? – spytała i prychnęła cicho. – Wszystkie. Każdy w rezydencji zdaje sobie sprawę z tego, co dzieje się w garażu.

Prawie każdy, pomyślał Wiktor. Na swoje usprawiedliwienie miał jednak to, że ostatnio nie bywał tu zbyt często. Poza tym jego umysł był przestawiony na inny tryb. Żeby zrealizować to, po co w ogóle się tutaj pojawił, musiał wykazać się znieczulicą. Był na to gotowy od samego początku.

Przynajmniej tak mu się wydawało.

– Jeśli był tutaj ktoś, kto nie wiedział, zeszłej nocy z pewnością krzyki rozwiały wszystkie jego wątpliwości – dodała Mysza. – Dziewczyna darła się wniebogłosy.

– Co jej zrobili?

– Nie wiem. Nie chcę wiedzieć.

Forst skinął głową. Dotarli do rozdzielni elektrycznej i Mysza wskazała na metalowe drzwi. Nie były zamknięte kłódką, najwyraźniej nie było takiej konieczności. Całe to miejsce było jak jedno wielkie więzienie.

– Dlaczego ją porwali?

– Tego też nie wiem.

– Nie zapytałaś jej o to?

– Ona sama nie zna odpowiedzi – odparła ciężko dziewczyna. – Naprawdę pomieszało jej się w głowie… i im dłużej to trwa, tym trudniejszy jest z nią kontakt.

Mysza złapała za klamkę, ale nagle zamarła. Forst miał wrażenie, że w okamgnieniu cała krew odpłynęła jej z twarzy.

Patrząc na trupio blade policzki, mógł dojść tylko do jednego wniosku. Usłyszała po drugiej stronie coś, co mu umknęło.

Wiktor zbliżył się do drzwi i zaczął nasłuchiwać. W pierwszej chwili wydawało mu się, że jedyne dźwięki pochodzą od urządzeń w korytarzu. Potem usłyszał jednak ciężki, miarowy męski oddech. A następnie odgłosy uderzania ciała o ciało.

Mysza znów złapała go za rękę i zdecydowanie pociągnęła w kierunku schodów. Ruszyli w górę bez słowa.

Dziewczyna odezwała się, dopiero gdy opuścili klatkę schodową.

– Czasem się zdarza, że któryś przychodzi wieczorem. Mają klucze do bocznych drzwi.

– Oni?

– Ogrodnicy, sprzątacze… wszyscy ci, którzy muszą tu być, ale nie mogą korzystać z rzeczy zarezerwowanych dla wyżej postawionych.

Mówiąc o rzeczach, miała na myśli zarówno siebie, jak i inne dziewczyny. Wiktor wzdrygnął się na tę myśl, choć biorąc pod uwagę, jak były traktowane, być może nie powinien się dziwić, że same zaczynają myśleć o sobie w takich kategoriach.

Zobaczył krople potu na czole Myszy.

– Spokojnie – powiedział. – Nikt nas nie słyszał.

– Wiem. Ale gdyby…

– Następnym razem zejdę sam – oświadczył. – Powiedz mi tylko, kiedy najlepiej to zrobić.

– Wolałabym pójść z tobą.

Wbił w nią wzrok i czekał. Życie nauczyło go, że najgłośniejszy sprzeciw wyraża się, milcząc.

Mysza jednak nie sprawiała wrażenia, jakby podzielała ten pogląd.

– Nie możesz iść tam sam.

– Nic nie stoi na przeszkodzie.

– Ona spanikuje, jak cię zobaczy. Muszę tam być.

– Nie.

Dziewczyna zbliżyła się o krok i popatrzyła mu prosto w oczy. Nie było to ani błagalne, ani agresywne spojrzenie. W zamierzeniu miało być zapewne uwodzicielskie, ale na Wiktorze takie rzeczy od dawna nie robiły wrażenia.

Miłość, pociąg seksualny, potrzeba bliskości... wszystko to stanowiło elementy konstrukcyjne poprzedniego życia, które zawaliło się z hukiem, gdy wszedł do piwnicy w Rabce--Zdroju.

Przypomniał sobie zastaną tam osobę. Brudną, wycieńczoną, przerażoną własnym oddechem. Ta przetrzymywana tutaj musiała być w jeszcze gorszym stanie.

Przez chwilę milczał. Przeszłość nie chciała odpuścić.

– Poradzę sobie – zapewnił. – Powiedz mi tylko, w jakich godzinach najlepiej...

– Co tu się dzieje? – rozległ się męski głos.

Forst zareagował mechanicznie. Mocno złapał Myszę w pasie, przyciągnął ją do siebie, a potem ścisnął jej pośladki. Dopiero potem popatrzył w kierunku, z którego nadszedł głos.

Poznał od razu, że należy do Uljana Pierłowa.

Rosjanin stał na schodach, przypatrując się z góry dwójce ludzi, którzy nie powinni być tam, gdzie byli. W rezydencji znajdowało się wystarczająco dużo prywatnych miejsc, w których Forst mógłby zabawiać się z tą czy inną dziewczyną. Nie musiał chować się po kątach.

Mysza przylgnęła do niego z pełną uległością. Pochwalił ją w duchu za to, że natychmiast pojęła, jak należy się zachować.

Przez moment mierzył się wzrokiem z Pierłowem, który przechylał się przez balustradę.

– Pytałem, co tu się dzieje?

– Nie widzisz?

Na chwilę znikł Forstowi z pola widzenia. Schody zaskrzypiały, a moment później Uljan stanął przed Wiktorem.

– Co tu robicie?

Forst odsunął dziewczynę.

– Już odpowiedziałem.

– Nie masz lepszego miejsca? Laskę może zrobić ci na piętrze.

– Nie wiedziałem, że są jakieś ograniczenia.

– Są.

Cisza, która między nimi zaległa, zdawała się otwartym konfliktem bez wypowiedzenia wojny. Choć właściwie Forst miał wrażenie, że wplątali się w nią już na samym początku znajomości.

Wprawdzie ze strony kierownictwa tej chorej organizacji nie spodziewał się sympatii, ale przypuszczał, że dla człowieka, który przeżył odsiadkę w Delfinie, będą mieć niejaki respekt. I niektórzy rzeczywiście go okazywali. Uljan nie.

– Ostatni raz zapytam, co tu robisz, Krieger?

– Chciałem na szybko coś załatwić. Nie łapiesz?

– Nie.

– W takim razie może pokażę ci, w czym mi przerwałeś.

Sięgnął do rozporka, ale Pierłow szybko uniósł rękę w uniwersalnym geście „stop". Wyglądał na zaniepokojonego, ale bynajmniej nie widokiem, który miał zobaczyć.

Popełniał błąd za błędem. Jeśli zależało mu na tym, by Forst nie dowiedział się o dziewczynie w garażu, powinien po prostu go spławić. Nie drążyć. Rosjanin jednak nie sprawiał wrażenia, jakby miał zamiar odpuścić.

– O co ci chodzi? – zapytał Forst. – Sierioża zapewniał, że mogę korzystać z dziewczyn.

Jakby na potwierdzenie Mysza skinęła głową. Dopiero teraz Wiktor uświadomił sobie, że młoda wbija wzrok w podłogę.

Najwyraźniej nie tylko on nie miał dobrych relacji z Pierłowem.

– Możesz korzystać, ale nie tutaj – odparł Uljan.

– Dlaczego nie?

– Bo tak powiedziałem.

Wiktor zbliżył się o krok. Należało jak najszybciej zmienić temat, odejść od samego faktu obecności tutaj. A najlepszym sposobem, by to osiągnąć, było rozsierdzenie rozmówcy.

– A kim ty, kurwa, jesteś, żeby mi mówić, co mam robić? – mruknął.

Z jego doświadczenia wynikało, że im cichszy i spokojniejszy ton, tym większa szansa, że słowa odniosą zamierzony skutek.

Uljan spojrzał na metalowe drzwi prowadzące do rozdzielni, a potem na Forsta.

– Kimś, kogo powinieneś słuchać.

Forst prychnął cicho i pokręcił głową. Potem złapał Myszę za rękę i minął Rosjanina. Ruszył na piętro.

– Poczekaj.

Zatrzymał się w półkroku i obejrzał przez ramię.

– Ona ma dzisiaj krwawą Mary.

– Co takiego?

– Ciotę.

Forst zbył tę uwagę milczeniem, a potem wszedł po schodach. Musiał przyznać, że Uljan szybko odpuścił. Stanowczo zbyt szybko.

– Potrzebujemy pokoju w pobliżu gabinetu Sierioży – szepnął do dziewczyny. – Jest tu jakiś?

Wskazała wejście do jednego z pomieszczeń. Weszli do środka, a potem Forst przyłożył głowę do drzwi. Nasłuchiwał przez chwilę, spodziewając się, że usłyszy ciężkie kroki.

Nie pomylił się. Pierłow odpuścił tylko dlatego, że miał zamiar udać się od razu szefa.

– Kurwa... – bąknął Wiktor.

– Poszedł donieść?

– Mhm.

Mysza nerwowo otarła z czoła kropelki potu, które zdawały się namnażać coraz szybciej. Forst jeszcze raz zaklął cicho, po czym odwrócił się od drzwi i przyjrzał dziewczynie. Wiedział, jaki będzie dalszy scenariusz. I zastanawiał się, czy może liczyć na to, że Mysza odegra dobrze swoją rolę.

– Co teraz? – zapytała.

– Rozbieraj się.

– Co takiego?

– Ten sukinsyn zaraz powie Sierioży, że kręciłem się w okolicach klatki schodowej. Moment później Bałajew albo przyjdzie tu sam, albo przyśle Pierłowa. Tak czy inaczej, musimy stwarzać pozory.

Rozejrzała się nerwowo, jakby szukała ratunku.

– Uspokój się – dodał Forst. – Musisz sprawiać wrażenie, że wszystko jest w porządku.

Podszedł do niej i starał się złowić jej rozbiegany wzrok.

– Rozumiesz?

– T-tak.

– Jeśli przyjdzie co do czego i...

– Co do czego?

– Jeśli zaczną wypytywać cię o tę porwaną dziewczynę, musisz odnaleźć odpowiedni balans między...

Potrząsnęła głową, oddychając coraz szybciej. Forst skrzywił się, dochodząc do wniosku, że młoda sobie nie poradzi. Wyda ich, kiedy tylko padnie pierwsze pytanie zadane zbyt agresywnym tonem.

Ujął jej ramiona i dopiero teraz poczuł, że się trzęsie.

Na Boga, Uljan i Siergiej przejrzą ją na wylot niemal natychmiast.

– Zapytają cię o nią – powiedział Wiktor. – To bardziej niż pewne. Rozumiesz?

– Ona... ona...

Forst zamknął na moment oczy, starając się powściągnąć emocje.

– To dla niej tu jesteś? – spytała nagle Mysza.

– Co?

– Przyjechałeś tutaj, żeby ją uratować?

– Nie. Nie miałem pojęcia, że przetrzymują tu kogokolwiek.

Mysza z trudem przełknęła ślinę, a potem popatrzyła z przerażeniem w kierunku drzwi. Forst nie puszczał jej ramion, jakby miał jeszcze irracjonalną nadzieję, że dzięki temu przeleje na nią trochę swojego spokoju.

– Przecież nic nie zrobiliśmy... – odezwała się.

Właściwie była to prawda. Tyle że w przypadku Bałajewa „nic" w zupełności wystarczało, by wyciągnąć konsekwencje.

Forst utwierdził się w tym przekonaniu, kiedy usłyszał, że ktoś zbliża się korytarzem.

– Rozbieraj się, już – rzucił szybko, po czym sam zaczął rozpinać koszulę.

Kiedy rozległo się pukanie, żadne z nich nie zdążyło jeszcze pozbyć się ubrań. Wiktor wskazał dziewczynie łóżko, a ta szybko się na nim położyła. Sam zrzucił spodnie i cisnął je na bok.

– Zajęte – powiedział.

– Otwórz, Krieger.

Głos Siergieja nie brzmiał, jakby coś było nie w porządku. Przeciwnie, ton kazał Wiktorowi sądzić, że szef się uśmiecha.

Forstowi przeszło przez myśl, że być może przesadził i zbyt duże znaczenie przypisał samemu faktowi, że znalazł się przy klatce schodowej.

– Szefie… – jęknął. – O co chodzi?

– Wpuść mnie na moment.

– Jestem trochę…

Drzwi nagle się otworzyły, w progu stanęli Bałajew i Uljan. Obaj spojrzeli lubieżnie w stronę leżącej na łóżku dziewczyny. Nawet w takiej sytuacji męska natura brała górę.

Forst odwrócił się do nich, poprawiając bokserki.

– Właśnie miałem…

– Co? Zerżnąć ją?

– Właściwie…

– Lubisz polować na czerwony październik, Krieger?

Wiktor zamilkł, uznając, że jakakolwiek odpowiedź zadziała na jego niekorzyść. Siergiej popatrzył znacząco na swojego podwładnego, a ten skinął głową, jakby odebrał niewerbalny rozkaz. Ruszył w stronę dziewczyny.

– Hej, moment…

Złapał ją za rękę, podniósł jej bluzkę z podłogi, a potem wepchnął ją w jej dłonie. Wyciągnął ją na zewnątrz, zanim Forst zdążył zaoponować.

Niedobrze. Tutaj mógłby trzymać rękę na pulsie, próbować jakoś jej pomóc, gdyby zaczęła się plątać. Pozostawiona sam na sam z Uljanem, nie poradzi sobie. Nie miał co do tego najmniejszych wątpliwości.

Poczuł słony smak w ustach.

Jego zmysły zaczynały wariować, a przed oczami zobaczył sceny znad jeziora. Miał ochotę się cofnąć, ale nawet nie drgnął.

Bałajew zamknął drzwi. Oparł się o nie plecami, skrzyżował ręce na piersi i popatrzył na Wiktora spode łba.

– Ostrzegałem cię – powiedział.

Takie postawienie sprawy właściwie mówiło wszystko. I dowodziło, że nie ma sensu mydlić Rosjaninowi oczu.

8

Wejście do apartamentu Wadryś-Hansen nie nastręczyło mi żadnych trudności. Wystarczyło obserwować to miejsce przez kilka dni i ustalić, w jaki sposób klucze przekazywane są nowo przybyłym turystom.

Byłam pewna, że właściciel sam się nie fatyguje. Ludzie, których stać na kupno takich nieruchomości w samym sercu Zakopanego, nie tracą czasu na bzdury. Albo kogoś zatrudniają, albo zdają się na technikę.

W tym wypadku właściciel zrobił to drugie. I dobrze.

Miał automat, który rozdzielał klucze z niewielkiej budki stojącej przy wejściu na klatkę schodową. Klient przyjeżdżał, dawał znać, że jest na miejscu, a gospodarz wysyłał SMS do centrali. Ta uruchamiała niewielki mechanizm, dzięki któremu wyskakiwał odpowiedni klucz.

Przeciętnie uzdolniony haker rozpracowałby ten system w parę minut. Tyle że żadnemu się to przesadnie nie opłacało. Włamanie się do fizycznego domu było znacznie ryzykowniejsze niż do wirtualnego, w dodatku to w tym drugim najczęściej znajdowało się znacznie więcej funduszy.

Ale ja nie potrzebowałam hakera.

Wystarczyło, że pewnej nocy rozkręciłam skrzynkę stylizowaną na starą góralską szafę, a potem wyjęłam zapasowy klucz do apartamentu, który wynajęła Dominika.

Czekając na nią, przejrzałam jej rzeczy. Niczego ciekawego nie znalazłam.

Żadnych zdjęć dzieci, co właściwie mnie nie dziwiło. Po pierwsze, niespecjalnie się nimi interesowała – złośliwiec powiedziałby, że była wyrodną matką. Po drugie, kto dzisiaj nosi ze sobą jakiekolwiek zdjęcia? Wszystkie są w komórce.

Oprócz tego jej rzeczy były bezpłciowe. Ubrania przywodziły na myśl męskie garnitury, wszystkie były w stonowanych odcieniach szarości. Żakiety uszyto tak, by podkreślały kobiecą sylwetkę, ale krój był zbyt ciężki, żeby w istocie tak było.

I bez tego Wadryś-Hansen sprawiała wrażenie zimnej suki. Na jej miejscu kupiłabym coś luźniejszego, z tkaniny w jodełkę. Duże szlufki w talii, lekko zawiązany pasek. I przede wszystkim miękkie, niewielkie poduszki na ramionach. Te, które były w garderobie Dominiki, kazały mi sądzić, że nosi na barkach nie tylko problemy rodzinne.

Nie współczułam jej. Sama na wszystko zapracowała.

Czekałam na nią nieco dłużej, niż się spodziewałam. Najwyraźniej rozmowa z Osicą się kleiła.

Byłam przekonana, że nie doszli do niczego konkretnego. Na tym etapie wciąż kręcili się w koło. Ale to miało się zmienić, sprawa miała ruszyć do przodu. Wprawdzie nie bezpośrednio dzięki nim, tylko Forstowi, ale Wadryś-Hansen będzie miała w tym niewątpliwą zasługę.

Wiedziałam bowiem, jak wyciągnąć z ukrycia byłego komisarza. Wystarczyło zaatakować jedyną osobę, na której obecnie naprawdę mu zależało.

Dominikę.

Zanim osiągnęłam to wszystko, co sobie zamierzyłam, przygotowywałam się długo i skrupulatnie. Nie tylko pod kątem kryminalistyki, ale także osób, które będą brały udział w dochodzeniu i śledztwie. Prześwietliłam Dominikę, zdawałam sobie sprawę z jej kontaktów z Forstem.

Zabicie jej było dla mnie idealnym rozwiązaniem.

Dzięki temu nie tylko wywabię Wiktora, ale także sprawię, że znów będą o mnie mówić. Po zabójstwie prokurator prowadzącej sprawę media tak szybko nie ucichną. Cały kraj będzie z zapartym tchem obserwować moje poczynania.

Ludzie będą jednak widzieć tylko marionetki. Nie osobę, która pociąga za sznurki.

Urwałam rozmyślania, słysząc klucz w zamku.

Za Dominiką do środka wpadł zapach dymu papierosowego. Wiedziałam, że od kiedy wróciła ze Słupska, zaczęła popalać. Musiałam cofnąć się daleko w jej przeszłość, by sprawdzić, czy wraca do nałogu, czy z jakiegoś powodu zgłupiała na tyle, by zaczynać w tym wieku. Oczywiście pierwsza opcja okazała się tą prawdziwą. Wadryś-Hansen paliła w liceum, zapewne starając się dymem przesłonić *image* kujonki. Że nią była, nie miałam najmniejszych wątpliwości.

Od razu włączyła Portishead. Byłam zadowolona, ale nie dlatego, że podzielałam jej gust muzyczny. Dźwięki wprawdzie sączyły się z laptopa cicho, ale tyle wystarczyło, bym nie musiała zachowywać się jak mysz pod miotłą.

Z ukrycia obserwowałam, jak moja ofiara siada przy stole z butelką wina. Nalała sobie stanowczo za dużo. Choć może tak wypadało, biorąc pod uwagę, że naczynie było raczej kielichem niż kieliszkiem.

Opróżniała je też zbyt szybko.

Wszystko to mnie cieszyło, ułatwiało mi zadanie.

Obserwowałam jej plecy, przypatrywałam się kokowi, który ułożyła niezbyt starannie. Przynajmniej jak na nią. Kiedyś była uosobieniem skrupulatności, także w sferze własnej powierzchowności. Była ikoną stylu. Teraz przypominała zwyczajną kobietę, jakich na Krupówkach wiele.

Robiłam jej przysługę, zabijając ją.

Dzieci na dobrą sprawę nie odczują jej braku. Może nawet powinny być mi wdzięczne. Przypuszczałam, że Dominika stopniowo zaczęłaby się od nich oddalać. Widziałaby w nich coraz wyraźniej Gjorda Hansena, coraz mniej samą siebie.

Rezultat mógłby być tylko jeden.

A nawet jeśli nie, nie miało to dla mnie żadnego znaczenia. Przyszłam tutaj, żeby zrobić jedyną rzecz, jaka miała w tym wypadku sens.

Obróciłam w ręce nóż kuchenny, który wbiję jej między szósty a siódmy krąg szyjny. Wybór był nieprzypadkowy. Ten ostatni z kręgów różnił się wielkością od pozostałych. Ostrze łatwiej znajdzie się w odpowiedniej pozycji.

Dominika umrze szybko. Nie było żadnego powodu, dla którego miałaby cierpieć.

Ślady będę zacierać już po fakcie, kiedy nie będzie ciążyła mi presja czasu. Teraz nie miałam go zbyt wiele, mimo że prokurator została w szpitalu dłużej, niż się spodziewałam.

Zachowałam trochę włosów, które zbierałam od miesięcy w toaletach przydrożnych barów, na przystankach autobusowych, przejściach podziemnych i w środkach komunikacji publicznej. Możliwości były nieograniczone. Zostało mi też trochę zużytych ręczników papierowych. One także były cenne.

Wszystko to podłożę niebawem. Podobnie jak na placu budowy, tak i tutaj służby niczego nie znajdą. Może nawet udałoby mi się to osiągnąć bez dodatkowego wysiłku. Liczba osób przewijających się przez apartament z pewnością była niemała.

Ścisnęłam mocniej rękojeść noża. Czułam narastające podniecenie.

To miało się nigdy nie zdarzyć. Miałam skończyć na Edycie.

Ale los chciał inaczej. I było mi z tą świadomością cudownie.

Wadryś-Hansen poruszyła się nerwowo, a ja zamarłam. Przez chwilę nie mogłam zrozumieć, co spowodowało tę reakcję. Dopiero potem zobaczyłam, że na ekranie laptopa pojawiła się informacja o nadchodzącym połączeniu przez Skype'a.

Nabrałam głęboko tchu.

Dominika zawiesiła dłoń nad gładzikiem i przez moment się zastanawiała. Nie mogłam dostrzec, kto próbuje się z nią skontaktować.

W końcu odsunęła kieliszek i zaakceptowała połączenie.

– Gdzie ty jesteś? – zapytała.

Rozmówca nie odpowiadał.

– Forst...

– Daleko – odparł.

Poczułam się, jakbym dostała obuchem. Jakbym to ja nagle stała się ofiarą.

Przesunęłam się trochę, by lepiej widzieć.

I wtedy go zobaczyłam. Wyglądał nieco inaczej, ale bez wątpienia to był on. Wiktor Forst, patrzący prosto w kamerę, jakby na przestrzał. Jakby na mnie.

Poczułam przyjemne ciarki na plecach.

Był na wyciągnięcie ręki. Człowiek, którego chciałam włączyć do tego wszystkiego.

Nie, to nie tak.

Człowiek, którego chciałam mieć.

Przyjrzałam się jego wydatnej brodzie i ogolonej niemal na łyso głowie. Twarz nosiła ślady kilku, może kilkunastu żyć. W oczach było ich widać jeszcze więcej.

Oderwał wzrok od obiektywu i spojrzał w dół, zapewne na obraz, który przekazywała kamera w laptopie Dominiki. Wzdrygnęłam się, dopiero teraz rozumiejąc, że Forst może mnie zobaczyć.

Nie, nie mógł, zapewniłam się w duchu. Stałam w części pokoju, która znajdowała się w półmroku, a laptop Wadryś-Hansen nie należał do najnowszych. Kamera z pewnością miała słabą rozdzielczość.

– Wróciłam właśnie od Osicy – dodała Dominika.

Wiktor przez chwilę nie odpowiadał. Oboje patrzyli na obraz pochodzący z kamer po drugiej stronie połączenia, przez co żadne z nich nie zerknęło nawet w obiektyw. Znak czasów. Ich wzrok nie mógł się spotkać, choć miałam wrażenie, że w jakiś sposób w pewnym momencie tak się stało.

Było między nimi coś więcej, niż przypuszczałam? Wiedziałam, że są blisko, ale nie aż tak. Wcześniej nie przywodzili na myśl przyjaciół, nawet nie kochanków. Teraz jednak kojarzyli mi się z parami, które nagle rozdzieliła wojna. Parami, które tęsknie wyczekują jakiegokolwiek, choćby ulotnego kontaktu, a potem chłoną go, jakby od tego zależało ich życie.

– Powiedziałaś mu o wszystkim? – odezwał się Forst.

– Nie.

Pokiwał głową i westchnął.

– Nigdy nie chciałem stawiać cię w tej sytuacji.

– Wiem.

Wiktor znów zamilkł. Starałam się dostrzec, gdzie jest, ale obraz nie był najlepszy. Może z premedytacją on także używał niezbyt dobrej kamery.

– Jak on się czuje? – zapytał.

– Całkiem nieźle. Zwyzywał cię od sukinsynów.

– I na tym się skończyło?

– Mniej więcej.

– W takim razie nie odzyskał jeszcze sił.

Wadryś-Hansen zaśmiała się cicho. Nie, właściwie trudno było nazwać to śmiechem. Raczej szybko wypuściła powietrze nosem. Potem oboje zamilkli. Nie odniosłam jednak wrażenia, żeby cisza ich krępowała. Przeciwnie, czuli się w niej komfortowo, jakby ich oplatała, zbliżała do siebie.

– Poczekaj, aż dowie się wszystkiego – odezwał się w końcu Forst. – Złorzeczeniu nie będzie końca.

– Nie mogę się doczekać.

– Nie wątpię.

Zerknął w kamerę. Na okamgnienie wydawało mi się, że patrzy wprost na mnie. Znów poczułam ciarki. Było coś w tym mężczyźnie. Coś niebezpiecznie magnetycznego. Nawet blizny i lekko przesunięta szczęka nie sprawiały, że jego atrakcyjność zmalała. Może nawet ślady tego, co przeszedł, dodawały mu pewnego surowego uroku.

– Nie wątpię też, że sama chciałabyś wiedzieć więcej, ale…

– Nie – przerwała mu. – Im mniej wiem, tym lepiej.

Znów popatrzył w obiektyw.

– Dziękuję.

– Za co? – odparła. – Mam na względzie swoje dobro.

– Za to, że ufasz mi mimo wszystko.

Wzruszyła ramionami, choć nie mogła oszukać ani jego, ani mnie. Dobrze zdawałam sobie sprawę z tego, że nie podchodzi do sprawy lekko. Zaufanie komukolwiek w jej przypadku graniczyło z cudem. Jeśli rzeczywiście była gotowa zawierzyć Forstowi, musiał znaczyć dla niej wiele.

Uświadomiłam sobie, że przysłuchuję się ostatniej rozmowie, jaką odbędzie tych dwoje. Słyszę ostatnie słowa, jakie wypowie Dominika, zanim odbiorę jej życie. Było w tej świadomości coś dziwnie satysfakcjonującego.

– I jest ktoś, z kim powinnaś porozmawiać – dodał.

– Kto?

– Wika Bielska.

– Pierwsze słyszę. Wiktoria?

– Tak – odparł i skrzywił się.

W pierwszej chwili myślałam, że się przesłyszałam. Wstrzymałam oddech.

Po raz drugi dostałam obuchem, tym razem znacznie mocniej. To imię i nazwisko nie miało prawa paść. Przez moment nie dowierzałam. Miałam wrażenie, jakbym śniła.

Mimowolnie cofnęłam się o centymetr, może dwa. Poczułam, że trzęsą mi się ręce.

– Zakonotowałaś? – spytał z lekkim uśmiechem Forst.

Jego grymas tylko pogarszał sprawę. Świadczył o tym, że były komisarz w istocie miał jakiś plan. I najwyraźniej zamierzał włączyć Wadryś-Hansen w jego realizację.

To imię i nazwisko zmieniało wszystko.

Dominika sięgnęła po żółtą kartkę papieru i zanotowała na niej to, co przekazał Forst.

– Zapisane – powiedziała. – W pamięci i nie tylko. Kim ona jest?

– Tego nie mogę ci powiedzieć.

– Słuchaj…

– Przynajmniej jeszcze nie teraz.

– Więc po co w ogóle wspominasz o tej kobiecie?

– Bo musisz do niej dotrzeć.

Przez kilka chwil znów milczeli, patrząc na obraz ze swoich kamer. Miałam ochotę obrócić się na pięcie i uciec. Gdyby tylko istniała szansa, by zrobić to bez zaalarmowania Wadryś-Hansen, już by mnie tam nie było.

Gotowałam się w środku, tymczasem tych dwoje sprawiało wrażenie, jakby delektowało się tą sytuacją. Jakby wiedzieli, że się przysłuchuję. I jakby tylko czekali na to, aż moje emocje osiągną punkt wrzenia.

– Musisz tylko zastosować śledczą inżynierię wsteczną – dodał po chwili Wiktor.

– Co takiego?

– Nie znasz tego pojęcia?

– Nie.

– Najwyraźniej w prokuraturze prowadzicie sprawy zupełnie inaczej niż my.

– Najwyraźniej. – Lekko się uśmiechnęła, nie miałam co do tego wątpliwości. Jej głos stał się ciepły, przyjazny, pełen serdeczności. Brzmiała prawie jak nie ona. Pomyślałam, że w podobny sposób musiała odnosić się do Gjorda Hansena. I dokąd ją to zaprowadziło?

Nie, być może jego nie traktowała z taką czułością. Rzadko zdarzało się, bym wierzyła mediom, ale tę parę zdawali się prześwietlić wyjątkowo skrupulatnie. I wychodziło na to, że ich małżeństwo było jedynie fasadą. Gdyby nie dzieci, Wadryś-Hansen zapewne pogoniłaby go na długo przed tym, jak przyszła okazja, by dodać drugi człon do nazwiska.

– Chodzi o to, żebyś trafiła na trop Bielskiej samodzielnie.

– To trudne, skoro już sam mi o niej powiedziałeś.

– Udaj, że tego nie słyszałaś. Dotrzyj do niej, a potem znajdź sposób, dzięki któremu mogłabyś to zrobić bez informacji ode mnie – powiedział lekkim tonem. – Śledcza inżynieria wsteczna.

Która miała ocalić wartość dowodową świadka, dodałam w duchu. Dominika także doskonale to rozumiała.

– A ty? – spytała. – Co w tym czasie będziesz robić?

– To, co muszę.

Zamilkła. Tym razem jednak tylko na krótką chwilę.

– Jesteś bezpieczny?

– A czy kiedykolwiek byłem?

– Właściwie nie.

Miała stuprocentową rację. Nawet kiedy nikt mu nie zagrażał, on sam stanowił dla siebie niebezpieczeństwo. Nie musiałam wnikliwie studiować życiorysu Forsta, by móc to stwierdzić.

– O co mam ją zapytać?

– Nie wiem.

– Wiesz doskonale.

– Może – przyznał. – Ale nawet jeśli, nie mogę ci tego powiedzieć. Im mniej wiesz, tym lepiej dla ciebie.

– Więc niczym rycerz w lśniącej zbroi robisz to wszystko i trzymasz mnie w niepewności dla mojego własnego dobra?

– Nie ująłbym tak tego, ale skoro ty to zrobiłaś…

– Nie znoszę melodramatyzmu, Wiktor.

– Wiem – odparł z zadowoleniem. – Dlatego od czasu do czasu staram się uderzać w takie tony.

Im dłużej trwała wymiana zdań, tym bardziej zaniepokojona się czułam. Tych dwoje nie powinno mieć ze sobą kontaktu, a tym bardziej nawiązywać tak bliskiej współpracy. Mogli przysporzyć mi problemów.

Rozmawiali jeszcze przez moment, a potem Forst oznajmił, że przez jakiś czas nie będzie mógł się kontaktować. Kiedy się żegnali, miałam wrażenie, że robią to za pomocą długich spojrzeń, a nie słów.

Potem Dominika zamknęła laptopa. Przez chwilę siedziała wyprostowana, wbijając wzrok przed siebie.

Teraz albo nigdy, pomyślałam.

Nie, nie było sensu ani powodu, by tak kategorycznie postrzegać sytuację. Była dynamiczna, wszystko mogło się wydarzyć. Dowodziło tego to, co miałam okazję przed momentem obserwować.

Poczekałam, aż Wadryś-Hansen dopije wino. Kiedy poszła umyć kieliszek, zmieniłam miejsce. Ustawiłam się w korytarzu, tuż przed drzwiami. Mogłam już teraz opuścić apartament, ale nie byłam pewna, czy woda z kranu zagłuszy dźwięki.

Ostatecznie zdecydowałam się wyjść, dopiero gdy Dominika poszła pod prysznic.

Nie musiałam pozbawiać jej życia. Forsta mogłam wciągnąć głębiej w tę sprawę w znacznie lepszy sposób.

Ale najpierw musiałam uporać się z Wiką Bielską. Ona stała się teraz moim najbardziej palącym problemem.

9

Nawet gdyby Siergiej nie zamknął drzwi i nie zatarasował ich własnym ciałem, Forst nie wątpiłby, że nie ma żadnego wyjścia.

– Ostrzegałem cię, Wiktor – powtórzył z wyraźnym zawodem szef.

– Tak. A ja cały czas miałem to ostrzeżenie…

– W dupie.

– Nie – odparł Wiktor. – Na uwadze.

– Wygląda na to, że jednak nie.

– To znaczy? Co konkretnie twoim zdaniem zrobiłem?

– Węszyłeś tam, gdzie nie powinieneś. Mimo że od początku jasno oznajmiłem ci, że masz interesować się tylko tym, na co ci pozwolę.

Forst przysiadł na łóżku, a potem sięgnął po paczkę big redów. Wyciągnął listek gumy, zgniótł papierek i schował go z powrotem do kieszeni koszuli.

– To wszystko, co masz mi do powiedzenia? – spytał Rosjanin.

Wiktor przeżuwał cynamonową gumę, patrząc na szefa. Wzruszył ramionami. Bałajew zaśmiał się pod nosem, jakby docenił tę nonszalancką reakcję. A jednocześnie jakby było to niewystarczające, by choć pomyślał o odpuszczeniu.

– Nie masz zamiaru się wytłumaczyć?

– Nie.

– Bo tylko winny to robi?

– Nie. Bo w ogóle nie zwykłem tego robić.

– Czasem warto.

– Nie wydaje mi się – odparł niewyraźnie Forst. – Przychylni ci ludzie tego nie potrzebują, a wrogowie i tak ci nie uwierzą.

– Mimo wszystko są sytuacje, w których...

– Sytuacje nie mają znaczenia – uciął Wiktor. – Ludzie zawsze słyszą tylko to, co chcą. W dodatku niektórzy za punkt honoru stawiają sobie, by się to nigdy nie zmieniło.

Siergiej nie odpowiadał.

– Tak jest w twoim przypadku – dodał Forst. – Założyłeś, że w jakiś sposób zawiodłem twoje zaufanie, i cokolwiek powiem, nie będzie miało znaczenia. Nie zmienisz zdania.

– Jesteś pewien?

– Tak.

Bałajew uśmiechnął się przebiegle. Było w tym coś bardziej niepokojącego, niż kiedy po prostu łypał na niego złowrogo.

– Mylisz się, Wiktor – odparł. – Jest sposób, żebym ci uwierzył.

– Uwierzył? Właściwie w co?

– W to, że nie węszyłeś tam, gdzie nie powinieneś.

– Nigdzie nie węszyłem.

Kiedy ich spojrzenia się skrzyżowały, Forst tylko utwierdził się w przekonaniu, że nie zmieni opinii szefa. Nieważne, co mówił. Nie było sposobu, by obrócił tę sprawę na swoją korzyść.

Najwyraźniej nie docenił ani Pierłowa, ani zaufania, jakim ten cieszył się u Siergieja.

– Co Uljan ci powiedział?

– Niewiele – przyznał Bałajew. – Ale nawet tyle wystarczyło.

– To znaczy?

– Nakrył cię z Myszą przed wejściem do rozdzielni.

Właściwie drzwi prowadziły do korytarza, którym można było dostać się do wielu miejsc, ale Forst nie miał zamiaru o tym wspominać. Obaj doskonale zdawali sobie sprawę z tego, gdzie chciał się udać z dziewczyną.

– I nie ulegało dla niego wątpliwości, że odstawiasz teatr.

– Taki jest spostrzegawczy?

– Nie musiał być. Wystarczyło, że wie, jakim jesteś człowiekiem.

Wiktor prychnął.

– Sam tego nie wiem.

– Być może – przyznał Siergiej, mrużąc oczy. – Ale pewne jest to, że nie zabawiasz się z dziwkami po kątach.

Rosjanin odsunął się od drzwi, a potem je otworzył.

– Przynajmniej nie zabawiałeś się do tej pory – oznajmił. – Od teraz się to zmieni.

Forst uniósł brwi.

– Pójdziemy na dół. Rozerwiesz się trochę i zdradzisz mi, co powiedziała ci dziewczyna.

– Nie mam zamiaru…

– Albo zrobisz, co ci polecę, Wiktor, albo rozkazy wydam komuś innemu.

Forst podniósł się powoli. Wyszedł na korytarz, od razu dostrzegając dwóch ochroniarzy, którzy czekali za drzwiami. Całkowicie zrozumiałe. Jeśli rzeczywiście odrobili lekcję i trochę go poznali, mogli spodziewać się problemów.

– *Nu*, co powiedziała ci ta mała suka? – zapytał Siergiej, kiedy ruszyli w stronę schodów.

– Niewiele.

– Konkretniej.

– Tylko tyle, że trzymacie kogoś w garażu.

Bałajew parsknął śmiechem, złapał Wiktora za ramię i obrócił go do siebie.

– Mówiłem ci, żebyś nie dał sobą manipulować, prawda?

– Mówiłeś.

– A mimo to nie tylko wysłuchałeś, co Mysza miała do powiedzenia, ale postanowiłeś działać?

– Działać? – odparł Forst, odtrącając jego rękę.

Ochroniarze natychmiast drgnęli nerwowo, ale Siergiej uspokoił ich ruchem dłoni.

– Zamierzałem przekonać się, czy to prawda – dodał były komisarz. – Tylko tyle. Ale może i aż tyle, prawda?

– Zdecydowanie.

– I nie rozumiem, co twoim zdaniem miałem planować – ciągnął Wiktor. – Uwolnienie jakiejś dziewczyny, której nigdy na oczy nie widziałem? Tylko dlatego, że ją tam gwałcicie jak najgorsze skurwiele?

Wyraz twarzy Siergieja stawał się coraz mniej przyjazny.

– Sądzisz, że obudził się we mnie uśpiony stróż prawa, czy jak?

– Nie wykluczam tego.

– W takim razie jesteś kompletnym idiotą.

Forst ruszył w dół, ale ochroniarze szybko go zatrzymali. Spojrzeli na szefa przelotnie, jakby rozkaz, by przemówić Wiktorowi do rozsądku, był tylko formalnością.

Bałajew jednak milczał. Skinął tylko głową, a potem ruszył przed siebie.

Kiedy zeszli na dół, w części wspólnej znajdowała się większość dziewczyn. Kilka krótkich komend sprawiło jednak, że niemal wszystkie rozeszły się do swoich pokojów. Została jedynie Mysza.

Siedziała na jednym z foteli, wodząc niepewnie wzrokiem po mężczyznach. Forsta posadzono na niewielkiej kanapie tuż obok.

Po chwili rozległy się kroki, a kiedy Wiktor uniósł wzrok, zobaczył Jolę Wajerską schodzącą po schodach. Stanęła przy Siergieju, a ten otoczył ją ramieniem. Przyglądali się Forstowi niczym rodzice starający się ocenić, czy ich dziecko naprawdę nabroiło tak, jak się tego obawiają.

– Ile wie? – spytała Ila.

– Dziewczyna czy Krieger?

Wajerska popatrzyła na partnera z niedowierzaniem.

– Niewiele – odparł Siergiej. – Przypuszczam, że nie wszedł do garażu, bo usłyszał, że w środku zabawia się jeden z chłopaków.

Forst przysłuchiwał się temu z niedowierzaniem. Na dobrą sprawę jeszcze godzinę temu był bezpieczny, wszystko szło po jego myśli i mógł powoli realizować kolejne etapy swojego planu. Teraz wszystko stanęło pod znakiem zapytania.

W tym także jego życie. A nawet jeśli nie ono samo, to z pewnością zdrowie. Niewiele było trzeba, by Bałajew podjął decyzję o kolejnym przesłuchaniu nad Salinas. Metoda już raz się sprawdziła.

– Więc może zdradzimy mu resztę? – spytała Jola.

– Po tym, jak sam próbował się dowiedzieć? Wbrew mnie?

– Nie zabroniłeś mu tego wprost…

– Dałem jasno do zrozumienia, gdzie są granice.

Nachyliła się i szepnęła mu coś na ucho. Forst nie spodziewał się, że Wajerska może się za nim wstawić. Owszem, obydwoje byli Polakami, ale tutaj zdawało się to nie mieć żadnego znaczenia.

A może była wdzięczna za to, że stanął w obronie dziewczyn?

Nie, miała je wszystkie gdzieś. Chodziło raczej o to, że dotychczas traktowała go niemal jak poczciwe zwierzę domowe. I nie chciała pozbywać się go tylko dlatego, że zaszło tam, gdzie nie powinno.

Po chwili wyswobodziła się z objęcia Siergieja i popatrzyła mu prosto w oczy. Czekała na jakąkolwiek reakcję z jego strony, ten jednak trwał z kamiennym wyrazem twarzy. Forst poczuł, że serce mu przyspiesza.

– Nie – rzucił w końcu Bałajew.

Wiktor powinien się tego spodziewać. Cokolwiek zaproponowała, nie miało znaczenia.

– Planuję dla niego coś innego.

– Co?

– Odskocznię. Najwyższa pora, żeby się trochę rozerwał.

Podszedł do jednej z szaf, które niemal całkowicie zakrywały ścianę tuż przy wejściu. Odsunął kilka szuflad, przejrzał parę pojemników na półkach, a potem wrócił do Forsta.

Rzucił mu niewielką ciemną torebkę foliową. Wiktor nie musiał jej otwierać, by wiedzieć, co się w niej znajduje. Kształt mówił sam za siebie.

– *White snow* – oświadczył Siergiej. – Nie żadne gówno, do którego z pewnością przywykłeś.

Forst spojrzał na torebkę. Zdawała się wypalać mu skórę dłoni. Chciał odrzucić ją Bałajewowi, ale wiedział doskonale, czym by się to skończyło.

A może nawet gdyby miał okazję, nie zrobiłby tego?

Nabrał głęboko tchu, przekonując się, że nierówno oddycha.

– W Polsce macie zanieczyszczony kompot, to jest *prima sort*.

– Dziewięćdziesiąt pięć procent czystości – dodała Wajerska.

Nadal mu się przyglądali, jakby był ich podopiecznym.

– Coś więcej muszę dodawać? – spytał Siergiej.

– Nie.

– W takim razie bierz się do roboty.

Bałajew opadł ciężko na fotel obok, a Jola przysiadła na podłokietniku. Forst z trudem przełknął ślinę. Najwyraźniej tym dwojgu zależało na torturach znacznie dotkliwszych niż te, których doświadczył nad Salinas.

– Pokaż się z dobrej strony, Krieger – odezwał się Siergiej. – Zrób, co trzeba, rozluźnij się, a potem porozmawiaj ze mną jak człowiek. Po raz pierwszy.

– Może będziesz bardziej otwarty – dodała Ila.

– I łatwiej porozumiemy się co do szczegółów twojej obecności tutaj.

Wiktor doskonale wiedział, co zamierzają osiągnąć. Heroina była perfidnym narkotykiem. W przeciwieństwie do wielu innych, wystarczyło raz ją zażyć, by nigdy się od niej nie uwolnić.

Stan, w który wprowadzała, uzależniał od razu. Nie było odwrotu.

Tych dwoje zdawało sobie z tego sprawę. A mając pod swoim dachem byłego ćpuna, nie mogli z tego nie skorzystać. Wstrzyknięcie jednej porcji było równoznaczne z założeniem sobie na szyi obroży i podaniem smyczy Bałajewowi.

Od momentu, kiedy tłok strzykawki wepchnie narkotyk w krwiobieg Wiktora, do momentu, aż poczuje euforię, minie kilkanaście sekund. I tyle wystarczy, by stał się niewolnikiem Siergieja.

Spojrzał na Rosjanina, a potem rozsunął suwak torebki. W środku był biały proszek, łyżeczka, zapalniczka i strzykawka. Ta ostatnia była fabrycznie zamknięta.

– Śmiało – odezwał się Bałajew. – Wszyscy jesteśmy tu pod wpływem tej czy innej substancji, nie ma się co krępować.

– Nie – odparł Forst, a potem odłożył woreczek na siedzisko obok.

Ochroniarze natychmiast ruszyli w jego stronę, jakby tylko na to czekali. Bałajew znów ich zatrzymał, unosząc rękę.

– Moment – rzucił. – Krieger potrzebuje tylko dodatkowej motywacji.

Naprawdę rozumieli się bez słów. I w pewnym sensie było to dla Forsta niepokojące.

Rosjanin nie musiał mówić nic więcej. Nie musiał nawet przelotnie patrzeć na Myszę, by Wiktor doskonale wiedział, jak brzmi niewypowiedziana groźba.

Przez moment trwał w bezruchu, mimo że myśli kotłowały mu się w głowie. Gorączkowo poszukiwał ratunku, ale ostatecznie musiał przyznać się przed sobą do porażki. Nie było wyjścia.

Podwinął rękaw koszuli i spojrzał w miejsce, które niegdyś było usłane niewielkimi strupami. Dopiero teraz uświadomił sobie, że nigdy nie przywykł do tego, że na skórze nie ma żadnych śladów po zastrzykach.

Poklepał się w zgięciu łokcia, żyły uwidoczniły się natychmiast. Za jakiś czas znów zaczną się chować, nie miał złudzeń.

Podniósł wzrok i popatrzył na Myszę. Wciąż siedziała w głębokim fotelu, zapadając się, niemal wciskając w obicie. Zupełnie jakby w ten sposób mogła znaleźć się w bezpiecznym miejscu.

– Dalej, Krieger – ponaglił go Bałajew. – Albo to, albo kończymy naszą znajomość.

Wiktor nasypał trochę proszku na łyżeczkę, podgrzał ją, a potem nabrał zawartość do strzykawki. Ręce mu się trzęsły, poczuł zimne krople potu na rozgrzanych plecach. Serce waliło mu jak młotem.

Zaczynał czuć się cudownie.

Nie chciał tego przed sobą przyznawać, ale tak było. Nie on jeden zresztą na tym etapie odczuwał już narastające podniecenie i euforię. Ci, którzy raz zaznali uroku heroiny, wiedzieli, co ich czeka. Organizm był tego świadomy. Wskutek tego już na końcowym etapie przygotowań zaczynał wytwarzać endorfinę czy serotoninę, Forst nie był pewien. Był za to przekonany, że zaraz znajdzie się w innym świecie.

Siergiej wstał i podszedł do niego.

– Wyceluj dobrze – powiedział, przyglądając się bacznie.

Czy naprawdę nie miał wyjścia? Czy wykazał odpowiednio dużo oporu?

Czy na dobrą sprawę w ogóle się bronił?

Nie chciał zadawać sobie tych pytań, a tym bardziej poznawać odpowiedzi. Być może podświadomie zawsze dopuszczał, że tak to się skończy. Bałajew był rozgarniętym człowiekiem, który w końcu musiał zdać sobie sprawę z tego, że najłatwiej będzie kontrolować Forsta, uzależniając go na powrót od narkotyków.

Na powrót?

Bzdura, skwitował w duchu Wiktor. Nigdy nie przestał być uzależniony, nigdy nie przestało brakować mu tego jedynego w swoim rodzaju, niepowtarzalnego uczucia. Heroina była jego prawdziwą miłością.

Forst przyłożył igłę do żyły w zgięciu łokcia, a potem powoli przesunął tłok. Po chwili cała zawartość zniknęła.

Efekt był natychmiastowy.

Euforia. Apatia. Pobudzenie. Błogość.

Żadne z tych określeń nie oddawało tego, co Forst nagle poczuł. Nabrał głęboko tchu i odniósł wrażenie, jakby po raz pierwszy od długiego czasu jego płuca wypełniły się powietrzem. Jakby do tej pory funkcjonował na bezdechu.

Osunął się lekko na kanapie. Poczuł, że się uśmiecha.

Rozsadzało go uczucie bezgranicznego, niemal niemożliwego do objęcia rozumem szczęścia.

Więcej, więcej.

Dopiero co przesunął tłok, a już było mu mało. Odniósł wrażenie, jakby po długiej, niekończącej się podróży dotarł do upragnionego celu. Uczucie bezgranicznego upojenia radością było wszechogarniające.

Siergiej usiadł obok.

– W końcu wyglądasz jak człowiek – oznajmił.

Wiktor obrócił do niego głowę. Uśmiechnął się.

Nie tylko wyglądał – wreszcie poczuł się jak człowiek.

– Teraz możemy zacząć pracować ze sobą na poważnie – dodał Bałajew, klepiąc go po ramieniu. – A jest co robić, zapewniam cię.

Forst z zadowoleniem skinął głową. Był gotów na wszystko, świat stał przed nim otworem. Właściwie nic nie było poza jego zasięgiem.

– Mam dla ciebie wyjątkowe zadanie – dodał Siergiej.

Zanim Wiktor zdążył dopytać, na czym konkretnie ma ono polegać, szef podał mu sprzęt i zachęcił ruchem głowy, by zrobił sobie kolejny zastrzyk.

Forst nie musiał zastanawiać się dwa razy.

10

Śledcza inżynieria wsteczna brzmiała całkiem nieźle. Z pewnością lepiej od klasycznej „dupokrytki", którą na co dzień posługiwano się w zbliżonym kontekście zarówno w szeregach policjantów, jak i prokuratorów.

Ustalenie, kim jest Wika Bielska, zajęło Wadryś-Hansen tylko chwilę. Odnalezienie jej także nie nastręczało problemów. Kłopotem było to, jak formalnie uzasadnić zainteresowanie akurat nią.

Dziewczyna miała dwadzieścia pięć lat, nic nie łączyło jej ze sprawą. Nie znając tożsamości ofiar, Dominika nie mogła wprawdzie stwierdzić, czy jakiś związek nie występował, ale przypuszczała, że nie. Inaczej Forst podsunąłby ten trop w inny sposób.

W Wiktorze dostrzegła coś dziwnego. I bynajmniej nie chodziło o tajemniczość w przekazywaniu informacji.

Wadryś-Hansen odniosła wrażenie, że coś zmieniło się w jego oczach. W pewnym sensie przypominał innego człowieka. Był... odprężony? Tak, chyba należało tak to określić. W przypadku każdej innej osoby nie byłoby to nic wykraczającego ponad normę, ale u Forsta taki stan zwyczajnie nie występował.

A tymczasem naprawdę wyglądał na zrelaksowanego i zadowolonego z życia. Długo czekała, by zobaczyć go w tak dobrej formie, i wypatrywała choćby szczątkowych znaków, że jest z nim nieco lepiej.

Teraz jednak, kiedy wreszcie je zobaczyła, czuła się dziwnie. Coś było z nim nie w porządku.

A może nie z nim, ale z nią? Pytanie odbijało jej się echem w głowie, kiedy rankiem opuściła apartament i wyszła na Krupówki. Było jeszcze zbyt wcześnie, by pojawili się turyści. Ci, którzy wstawali o tej porze, robili to tylko dlatego, by wyjść wcześnie w góry. Tutaj nie mieli czego szukać.

Wyciągnęła paczkę cienkich vogue'ów i zapaliła jednego. Przez chwilę zastanawiała się nad tym, z czego wynika jej podejrzliwość względem Forsta. Ostatecznie doszła do wniosku, że to wszystko wina podświadomych oczekiwań. Spodziewała się, że oboje będą tkwić w pewnym marazmie, może nawet wzajemnie się w nim wspierając. Tymczasem teraz on zdawał się pójść dalej. A ona została tam, gdzie była.

Wypuściła dym i powiodła wzrokiem po ulicy. Opustoszałe Krupówki stanowiły aberrację, napełniały niepokojem niemal tak jak nocne niebo zupełnie pozbawione gwiazd i księżyca.

Wadryś-Hansen dopaliła papierosa, zgasiła go w popielniczce przy ulicznym koszu, a potem ruszyła w stronę Gubałówki. Kiedy dotarła do skrzyżowania z Kościeliską, minęła raptem kilkoro ludzi. Paru zaspanych górali o przekrwionych oczach, którzy niebawem mieli rozstawiać się ze swoimi straganami. Żaden nie zwrócił na nią uwagi.

Dopiero pijany żul, obok którego przeszła tuż za kościołem Świętej Rodziny, podniósł na nią wzrok. I zrobił to tylko dlatego, że rozbrzmiał dzwonek jej komórki.

Spojrzała na wyświetlacz i westchnęła. Kuzynka. Zapewne odwiozła już dzieci i dzwoniła, żeby zrelacjonować, co robiły w ostatnich dniach. I zapewnić ją, że wszystko jest w porządku.

Tyle że gdyby było inaczej, Dominika najpewniej wiedziałaby o tym pierwsza.

Przez moment zastanawiała się, czy po prostu nie schować telefonu do kieszeni. Zanim podjęła decyzję, kuzynka przestała dzwonić. Wadryś-Hansen zawahała się, a potem wybrała jej numer.

– Nie zdążyłam odebrać – powiedziała na powitanie.

– Nie szkodzi. Co u ciebie?

– W porządku.

Rozmówczyni czekała zapewne, aż z drugiej strony padnie podobne pytanie. I właściwie Dominika powinna je zadać. Choćby dla świętego spokoju.

Kuzynka jednak ją uprzedziła.

– U nas też – oznajmiła. – Choć dzieciaki za tobą tęsknią.

– Ja za nimi też.

Pozostawiła to bez odpowiedzi.

– Kiedy wracasz?

– Trudno powiedzieć, sprawa jest…

– Jest dość oczywista, jeśli wierzyć mediom.

– Dlatego nigdy nie należy tego robić – odparła Dominika i lekko się uśmiechnęła.

To również kuzynka zbyła milczeniem.

– Ktokolwiek zabił te dziewczyny, dawno opuścił Zakopane – odezwała się rzeczowym tonem rozmówczyni, jakby to ona była doświadczonym śledczym. – Nie ma powodu, żebyś tyle tam siedziała.

– Nie mam wyjścia.

– Nie?

Odbywały podobne rozmowy co jakiś czas i Dominika doskonale zdawała sobie sprawę z tego, że pozornie niewinne pytanie jest przynętą rzuconą prosto w ławicę potencjalnych emocji. Nietrudno było dzięki niej coś wyłowić.

– Nie ustaliliśmy nawet tożsamości ofiar – odparła ciężko.

– Żartujesz? Do tej pory?

Odprowadzana przez pijaka wzrokiem, ruszyła w lewo, ku kaplicy Gąsieniców i charakterystycznemu kościołowi z jasnego drewna.

– To nie takie łatwe.

– A jednak spodziewać by się można, że tak podstawową sprawę już załatwiliście. Nie pobraliście odcisków palców? DNA?

– Pobraliśmy – mruknęła.

– No i? Nie ma jakiejś bazy danych, w której możecie sprawdzić tożsamość?

– Jest – przyznała Wadryś-Hansen. – Ale znajdują się w niej tylko te osoby, które miały jakikolwiek kontakt z prawem. Powiedzmy.

Kuzynka przez moment milczała, a Wadryś-Hansen usłyszała w tle rozweselone głosy dzieci. Najwyraźniej jeszcze ich nie odwiozła, były w samochodzie. Dominika pomyślała, że zaraz padnie kolejne pytanie, które może rozpętać burzę. Pytanie o to, czy chce z nimi porozmawiać.

– Więc… na dobrą sprawę nie macie gdzie sprawdzić?

– Nie.

– To co ty tam robisz?

– Szukam sprawcy – odparła, czując, że wzbiera w niej gniew. – Poza tym są inne sposoby ustalenia tożsamości. Sprawdzamy zaginięcia, staramy się ustalić, kto…

– Ile ci to zajmie?

– Nie wiem. Naprawdę.

– Dzieci się niepokoją, że tak długo cię nie ma.

Wesołe dźwięki w tle kazały sądzić, że to nie do końca prawda.

– Niedługo zapomną, jak wyglądasz.

– Nie przesadzaj.

Na linii zaległa cisza. Dominika przyspieszyła kroku, spoglądając w dal. Dom, w którym mieszkała Wiktoria Bielska, był jeszcze poza zasięgiem wzroku, ale po minięciu kilku skrzyżowań powinna go widzieć.

Dane Wiki ściągnęła bez problemu z bazy CEPiK, żałując przy tym, że sytuacja nie jest tak prosta w przypadku dziewczyn odnalezionych na zboczach Giewontu. Zastanawiała się, czy kiedykolwiek uda im się ustalić, kim są.

Najprościej byłoby upublicznić ich wizerunki. Ktoś z pewnością zdołałby je rozpoznać, nawet jeśli nosiły wyraźne zmiany pośmiertne. Tyle że sam widok byłby makabryczny. Zbyt makabryczny, by rozpowszechniać go w mediach.

Ale czy to nie był stan wyższej konieczności? Może należało poświęcić jedno dobro dla ratowania innego? Pomyślała, że w istocie tak jest.

Wiedziała jednak, że nie przekona do tego ani swoich przełożonych, ani komendanta głównego. Ci, którzy znajdowali się najwyżej w hierarchii, mieli największy dystans do przebycia, gdyby nagle spadli ze swoich stołków.

A do tego z pewnością mogłoby dojść, gdyby politycy stwierdzili, że podlegające im osoby doprowadziły do skandalu w opinii publicznej.

– Jesteś tam? – spytała kuzynka.

– Jestem.

– Naprawdę musisz zastanowić się nad swoimi priorytetami.

– Nie muszę, dobrze je znam.

– W takim razie je przeformułuj – odparła kąśliwie rozmówczyni. – Bo ja nie mam zamiaru przez całe życie cię zastępować, rozumiesz?

– Tak.

Znów zaległa cisza. Dominika zwiększyła tempo jeszcze bardziej, jakby dzięki temu, że szybciej dotrze do celu, będzie mogła z czystym sumieniem się rozłączyć.

– Po prostu załatw, co musisz, a potem wracaj jak najszybciej. To nie może tak wyglądać.

– Wiem.

– To wszystko na nie wpływa – dodała szeptem kuzynka. – Jeśli sądzisz, że jest inaczej…

– Nie – ucięła Wadryś-Hansen. – Doskonale zdaję sobie z tego sprawę. I wrócę, jak tylko domknę kilka spraw.

Była to oczywista bzdura. Śledztwo było w powijakach, właściwie nie mieli żadnych konkretów. Krieger był fałszywą tożsamością, udział Forsta stanowił niewiadomą, a Wiktoria Bielska nie mogła sama w sobie doprowadzić do przełomu.

A może jednak?

Dominika minęła skrzyżowanie ze Stolarczyka, a potem skręciła w prawo, w niewielką, ledwo utwardzoną drogę prowadzącą w dół. Nie miała nazwy, sprawiała wrażenie, jakby prowadziła donikąd. Kawałek dalej znajdował się jednak dom osoby, której szukała.

Budynek odróżniał się od tych stojących przy Kościeliskiej. Tam przeważała typowa góralska zabudowa, ale wystarczyło odejść kawałek od głównej drogi, a oczom zbłąkanego turysty ukazywał się architektoniczny przekrój małomiasteczkowego PRL-u. Niewielkie kanciaste bryły, dachy pokryte eternitem, małe okna, pozbawione jakichkolwiek ozdób elewacje. Zrobiło to na Wadryś-Hansen dojmujące wrażenie.

Dopiero po chwili uświadomiła sobie, że to nie wina architektonicznego belfegora, ale poczucia, że zawodzi jako rodzic. Coraz bardziej, bezustannie.

– Przemyśl to sobie – dodała kuzynka.

Dominika usłyszała irytujący pisk, oznajmujący, że ktoś inny próbuje się z nią skontaktować. Przez moment zastanawiała się nad tym, co odpowiedzieć, i ostatecznie doszła do wniosku, że najlepiej będzie po prostu się pożegnać.

Rozłączywszy się, zerknęła na wyświetlacz i zobaczyła, że dzwonił Osica. Potoczyła wzrokiem po oknach, szukając jakiegokolwiek ruchu. Nie mogła jednak dostrzec niczego przez zabrudzone, stare firanki.

Wybrała numer Edmunda.

– To jakiś absurd, na litość boską – powitał ją rozgorączkowany.

Machinalnie wycofała się o kilka kroków, jakby Wiktoria Bielska mogła stać przy jednym z okien i przysłuchiwać się rozmowie.

– Co się dzieje, panie inspektorze?

– Nie słyszała pani?

– O czym? Jestem w terenie.

– W terenie?

– Później panu wszystko wytłumaczę – odpowiedziała, licząc na to, że w istocie znajdzie sposób, by dotrzeć do Bielskiej z pominięciem cynku od Forsta. – O co chodzi?

– Mamy kolejnego trupa.

Dominika rozejrzała się z niepokojem. W głowie rozległa się kanonada pytań, tak głośna i tak niespodziewana, że żadne z nich nie znalazło się na jej ustach. Milczała, czekając, co powie Osica.

– Dopiero co znaleźli ciało – dodał.

Usłyszała wyraźnie, że głos mu się zatrząsł.

– Gdzie? – spytała. – Czyje?

I dlaczego to on ją o tym informował? Nadal przebywał w szpitalu i był jedną z ostatnich osób w policji, do których taka wieść powinna dotrzeć. Pod jego nieobecność wszystkie obowiązki wykonywał pierwszy zastępca, całkiem kompetentny młodszy inspektor.

– Gdzieś na szlaku – odparł nerwowo Osica.

– Co takiego? W górach?

Nie lubiła, kiedy tendencyjne, bezmyślne pytania wbrew woli płynęły z jej ust. W tym przypadku jednak było to silniejsze od niej. Umysł natychmiast przywołał obrazy morderstw popełnionych przez Bestię z Giewontu.

– Nie wiem, gdzie dokładnie – dodał Edmund. – Chłopaki powiedziały mi tyle, że… – Urwał i odchrząknął, starając się uspokoić. – Dzwonił do mnie jeden z podkomendnych, jest na miejscu zdarzenia. Wszyscy są w szoku.

Nie była przekonana, czy chciała słyszeć ciąg dalszy.

– Ofiara ma w ustach przeklętą monetę – dodał Osica.

Ciarki prześlizgnęły się Dominice od karku do lędźwi. Wzdrygnęła się, jakby nie było to uczucie, ale oślizgły wąż.

– Jaką? – zdołała wydusić.

– Nie wiem. Na miejscu są same żółtodzioby. Dlatego zadzwonili, nie wiedzą, jak się zachować.

– Niech…

– Niczego nie będą ruszać, spokojnie. Powiedziałem, żeby poczekali na panią.

Wadryś-Hansen nawet nie spojrzała na dom Bielskiej. Natychmiast ruszyła w kierunku, z którego przyszła, przeklinając się w duchu za to, że nie podjechała tutaj samochodem, który wynajęła na czas pobytu w Zakopanem. Potrząsnęła głową, starając się odgonić myśli o Bestii.

Wiktoria musiała poczekać. Cokolwiek starał się jej przekazać Forst, zeszło teraz na drugi plan. Zresztą gdyby tutaj był, z pewnością zareagowałby identycznie. Dziewczyna była istotna, to nie ulegało wątpliwości, ale jeśli byłaby

Wadryś-Hansen szybkim krokiem minęła kaplicę, a potem zaczęła truchtać.

– Gdzie jest to ciało? – zapytała.

– Mówiłem, że nie...

– Na którym szlaku?

– Gdzieś w Dolinie Kościeliskiej.

– Kto je znalazł?

– Na Boga, pani prokurator, nie wiem... – jęknął Osica. – Zadzwonili do mnie, powiedzieli, że znaleźli trupa i nie wiedzą, jak się zachować. Jeden się zrzygał, tego jestem pewien, bo słyszałem. Kazałem im natychmiast poinformować komendę, a ci od razu się rozłączyli. Niczego więcej nie wiem.

– W porządku.

Rozłączyła się bez pożegnania. Normalnie ceniła sobie *savoir-vivre*, ale teraz zasady musiały zejść na drugi plan. Zresztą Osica z pewnością nie poczuje się urażony, znosił znacznie gorsze rzeczy ze strony Forsta.

Zadzwoniła do pierwszego zastępcy komendanta, który z pewnością był już w drodze na miejsce zdarzenia. W takiej sytuacji w Dolinie Kościeliskiej stawią się wszystkie osoby zajmujące eksponowane stanowiska w organach ścigania.

Moneta.

Nie, to było niemożliwe. Wprawdzie istniała teoretyczna możliwość, ale...

– Dobrze, że pani dzwoni – odezwał się młodszy inspektor. – Właśnie miałem...

– Potrzebuję szczegółów.

– Rozumiem – odparł rzeczowo. – Ofiara to około trzydziestoletnia kobieta, odnaleziono ją w jednej z jaskiń przy czerwonym szlaku w Dolinie Kościeliskiej. Zaalarmował nas pracownik TPN-u.

– Zatrzymaliście go?

– W tej chwili składa zeznania.

– Niech zamkną ten szlak, natychmiast. I nikogo nie wypuszczają.

– Oczywiście.

Przeszła z truchtu w bieg. Chciała już być w samochodzie.

– Gdzie można stamtąd pójść? – spytała. – Na które szlaki?

– Cóż... jest trochę możliwości.

– Proszę mówić – wysapała.

– Żółty prowadzi do Wąwozu Kraków, ale...

– Wiem, to zamknięta trasa – ucięła. – Chodzi mi o te, którymi można opuścić teren parku, panie inspektorze.

– No tak... – mruknął. – To problematyczna sprawa. Z Doliny Tomanowej można iść na wschód zielonym szlakiem, a później możliwości są właściwie nieograniczone. Przez Czerwone Wierchy można zajść aż do Krzyżnego.

Nie podejrzewała, by ktokolwiek zdecydował się na tak długą wędrówkę, choć jeśli na szali było zniknięcie z radaru śledczych, należało taką ewentualność wziąć pod uwagę.

– Ile jest zejść po drodze?

– Do Zawratu sześć, siedem... nie wiem, może osiem. A dalej jeszcze więcej, bo schodzić można na drugą stronę, do Doliny Pięciu Stawów i... Nie, wcześniej też jest możliwość. Z Suchej Przełęczy można dostać się na Słowację.

– To przy Kasprowym?

– Tak.

Dominika pokręciła głową. Byłaby to idealna trasa ucieczki dla sprawcy.

– Jak długo idzie się z Ornaku na Kasprowy? – zapytała. – Mniej więcej?

– Sześć godzin.

– A jeśli komuś się spieszy?

– To wyrobi się poniżej pięciu, jak sądzę…

W tym wypadku należało uznać, że mordercy byłoby wyjątkowo spieszno. Odległości były duże, ale im więcej czasu minęło, tym bardziej gęstniał tłum na szlakach. Za godzinę czy dwie sprawca zniknie w masie turystów.

W końcu Wadryś-Hansen dotarła do parkingu znajdującego się nieopodal apartamentu. Otworzyła drzwiczki samochodu na tyle mocno, że odbiły się od zawiasów.

Wsiadła do auta, z trudem łapiąc oddech. Od razu odpaliła silnik.

– Gdzie jest to ciało? – zapytała.

– W Jaskini Raptawickiej.

– Dojadę tam samochodem?

– Tuż pod.

Dominika wycofała, wbiła jedynkę i wdusiła pedał gazu. Dodała go stanowczo za dużo, silnik zaryczał głośno.

– Wszystko przygotujemy – zapewnił młodszy inspektor.

Wiedziała, że to niemożliwe. Nikt nie mógł być przygotowany na to, co się działo.

W słuchawce znów rozległ się pisk świadczący o tym, że ktoś inny próbuje się do niej dodzwonić. Przypuszczała, że telefony będą się urywać. Zapowiadał się długi dzień.

11

O pewnych rzeczach wiedzieli albo tylko heroiniści, albo głównie oni. Jedną z nich był powód, dla którego w toaletach nocnych klubów montowano niebieskie oświetlenie. Taki kolor miał utrudniać odnalezienie żył, w które można by się wkłuć.

Na luksusowym jachcie, na którym znajdował się Forst, takiego problemu jednak nie było. Nie musiał nawet zamykać się w kabinie, by dostarczyć sobie dawki narkotyku. Siedział w mesie z Dolly, a ona zdawała się nie odnotować tego, że w pewnym momencie wyciągnął narkotykowy osprzęt.

Po raz kolejny pływali po Zatoce Perskiej. Grupa kilku szejków zamówiła parenaście dziewczyn, wszystko szło bezproblemowo. Forst przypuszczał, że to ostatni raz, kiedy przyszło mu wykonywać tak spokojne zadanie.

Bałajew zapowiedział, że charakter jego pracy drastycznie się zmieni. I należało uznać, że nie przesadzał.

Forst dosunął tłoczek do końca, a potem całkowicie odpłynął. Dzięki dwóm dieslowskim silnikom sześćdziesięciometrowy jacht poruszał się z prędkością piętnastu węzłów, ale Wiktor miał wrażenie, jakby wchodził w nadprzestrzeń. Widoczne przez iluminator morze się rozmyło, a on rozsiadł się wygodniej przy stoliku.

Nie wiedział, ile czasu minęło, nim Dolly się odezwała.

– Widzę, że dopiero zaczynasz – oznajmiła.

Zaśmiał się cicho, a ona wskazała na zgięcie łokcia.

– Mało strupów – powiedziała. – Jest jeszcze gdzie się wkłuć. Potem będziesz miał problem.

– To żaden problem.

– Biorąc pod uwagę inne, które cię czekają, może i masz rację.

Spojrzał na nią spode łba. Była ostatnią osobą, po której spodziewał się takich uwag. Po chwili uświadomił sobie jednak, że wynikają jedynie z przekory.

– Mam pewne doświadczenie – rzucił.

– Tak? Nie widać było po tobie.

Forst nie odpowiedział. Czuł, że błogość powoli go opuszcza. Uczucie będzie trwało jeszcze przez jakiś czas, ale stanowczo za krótko. Stosunkowo szybki powrót do rzeczywistości był jednym z minusów brania heroiny.

– A może się mylę – dodała Dolly. – Może to, że byłeś takim smutasem, świadczyło o odstawieniu.

– Pewnie tak.

– W takim razie nie przestawaj brać, Krieger.

Zaśmiał się cicho, chrapliwie.

– Nie mówię, że to samo dobro – ciągnęła. – Ale akurat towar od Siergieja jest najwyższej klasy.

– To jest samo dobro – odparł.

Przesunęła dłonią po krótkich włosach przywodzących na myśl szczotkę. Potem popatrzyła na niego z mieszanką politowania i sympatii w oczach.

– Nie bez powodu sprzedawał ją kiedyś Bayer, określając jako *wonder drug* – dodał Wiktor. – Wcześniej badano aspirynę, ale wycofano ją po testach klinicznych, stwierdzając, że heroina jest znacznie bardziej bezpieczna.

– Kiedy to było? Przed pierwszą wojną światową?

Forst zbył pytanie milczeniem.

– Rzecz w tym, że trzeba umiejętnie jej używać.

– Pewnie, pewnie.

– Swego czasu określano ją jako zdrowy zamiennik morfiny. W stu procentach bezpieczny.

– Aha.

– Tłumiono nią ból, leczono kaszel i szereg chorób, jak gruźlica czy astma.

– Nie odpowiedziałeś na pytanie, Krieger. Kiedy to było?

– W dwudziestym wieku. Bayer eksportował ją do kilkudziesięciu krajów, produkował rocznie jakąś tonę, w dodatku stała się jednym z podstawowych leków na kaszel w Stanach. Dopiero po jakimś czasie...

– Więc to całe uzależnienie i wyniszczenie organizmu to jedna wielka ściema? Może to koncerny farmaceutyczne są winne?

– Nie – przyznał Forst. – Ale największy problem polega na innych zagrożeniach. Miesza się heroinę z innym syfem, a do tego dochodzą kwestie związane z brudnymi strzykawkami, dzieleniem się igłami i tak dalej.

– Ach, tak.

Wiktor zamknął swój przybornik, w którym trzymał niezbędny osprzęt.

– Poza tym heroiniści często sięgają po inne rzeczy. To ich gubi.

– Ty oczywiście jesteś inny.

– Poniekąd.

– Tyle że każdy tak mówi, prawda?

Zapewne tak było, choć Forst przypuszczał, że niektórzy z góry zakładają dalszą przygodę narkotyczną. Szczególnie powszechne było połączenie z kokainą, niejeden ćpun w ten sposób zakończył swoją karierę. Nie była to żadna tajemnica, a mimo to często najpierw dawano sobie w żyłę, a potem wciągano coś do nosa. Wszystko po to, by doznania były jeszcze bardziej niesamowite.

Forstowi wystarczało to, co miał.

Nie chciał więcej.

I miał zamiar powtarzać to sobie tak długo, jak będzie to konieczne.

– Trzeba by zrobić obchód – odezwała się Dolly. – Dziewczyny powinny już powoli się zbierać.

– Zaraz.

Spojrzała na niego badawczo.

– Dasz radę? – spytała.

– Czemu miałbym nie dać?

Wskazała na przybornik.

– Biorę tylko tyle, ile mi potrzeba. I tyle, ile mogę, by nie kolidowało to z moimi obowiązkami.

Sam był zaskoczony tym, jak poważnie i rzeczowo zabrzmiał. Zupełnie jakby wcześniej dokonał precyzyjnych rachunków i ustalił, ile tego świństwa może wtłoczyć sobie do żył.

Westchnął głośno. Najwyraźniej efekty słabły szybciej, niż się spodziewał. Samo określenie heroiny w ten sposób dowodziło, że wraca do swojego zwykłego ja.

– A więc do dzieła, Krieger. Sprawdź, czy nam żadnej nie zabili.

Wiktor nie przypuszczał, by którejkolwiek z dziewczyn coś groziło. Nie miał wprawdzie dużego doświadczenia, ale z dotychczasowych obserwacji jasno wynikało, że Arabowie są znacznie lepszymi klientami od Europejczyków.

Ci w dodatku sprawiali wrażenie, jakby ktoś żywcem wyciągnął ich z ekskluzywnych szkół dla nowobogackich dzieci.

– Wyglądali raczej na niemoty.

– Tacy są najgroźniejsi.

– Ale wszystko z nimi uzgodniłaś zawczasu.

– Mhm – potwierdziła, kiedy Forst się podniósł. – I wierz mi, kosztowało mnie to sporo energii. I jeszcze więcej czasu.

– Tacy byli wymagający?

– Chcieli mieć wszystko ustalone. Wszystko.

– Lepsze to niż późniejsze niespodzianki, jak z Portugalczykami.

– Może – przyznała. – Tyle że ci byli po prostu upierdliwi. Wytypowali jednego, który ustalał ze mną szczegóły. Najpierw wybierał dziewczynę, a potem szła cała litania pytań. Czy zgodzi się na to, czy na tamto, a czy na pewno, a czy tak, siak... – Machnęła ręką i też wstała.

Złapała Forsta za ramiona i spojrzała mu głęboko w oczy.

– Wyglądasz na porządnie naćpanego.

– Pozory.

Przypatrywała mu się przez moment.

– Nie rób niczego głupiego. Nieważne, co zobaczysz.

Pokiwał głową, a potem odwrócił się i wyszedł z mesy. Ruszył wąskim korytarzem, słysząc zwyczajowe dźwięki. Dziewczyny dawały z siebie wszystko, doskonale zdając sobie sprawę, jak cennymi klientami są szejkowie.

Oprócz petrodolarów dysponowali także dostępem do luksusowych hoteli i ośrodków wypoczynkowych. Na jachcie dziewczyny były raptem kilka godzin, resztę czasu w oczekiwaniu na lot spędzały w znacznie lepszych miejscach.

Forst zatrzymał się przed jedyną kajutą, zza której drzwi niczego nie było słychać. Oparł się o nie plecami i potarł skronie. Zaczął zastanawiać się nad tym, jak długa powinna być przerwa przed kolejnym zastrzykiem.

Nie powinien przesadzać. I nie było powodu, by gorączkowo podchodzić do sprawy. Jeśli uda mu się zachować spokój, okiełznać przejmującą potrzebę...

Urwał tok myśli, kiedy zza drzwi dobiegł zduszony protest.

Nie mógł mieć wątpliwości co do tego, co usłyszał. Dziewczyna w środku przed czymś oponowała, ale usta miała zamknięte.

Przeklął pod nosem, a potem się odwrócił. Wolał nie myśleć o możliwych scenariuszach.

Zapukał na tyle cicho, by nie alarmować szejka, ale jednocześnie na tyle głośno, by nie został zignorowany. Zduszone mamrotanie natychmiast ucichło. W kajucie zaległa cisza.

Dopiero po chwili Wiktor usłyszał kroki. Odsunął się nieco od drzwi.

Otworzył mu półnagi Arab, patrząc na niego, jakby ten zabił mu matkę. Drzwi do toalety w pomieszczeniu były uchylone, Forst szybko poczuł wyjątkowo nieprzyjemny smród. Najwyraźniej szejk nie dbał o przesadnie romantyczną atmosferę.

– *What's wrong?* – zapytał mężczyzna.

Forst zapewnił, że wszystko jest w najlepszym porządku i tylko sprawdza, czy może w czymś pomóc. Była to upokarzająca formułka, którą musiał wygłaszać po tym, co miało miejsce na portugalskim jachcie.

Wymienili kilka zdań, wzajemnie zapewniając się o braku jakichkolwiek problemów.

Forst ukradkowo zerkał do środka. Dopiero po chwili dostrzegł jedną z dziewczyn – czy hostess, jak same wolały być nazywane. Zupełnie zdębiał.

Natychmiast zrozumiał, że zapach nie wydobywał się z toalety.

Z trudem przełknął ślinę.

– Wszystko w porządku? – spytał.

– Tak – odparła dziewczyna, uciekając wzrokiem.

Zrobił krok do tyłu. Spojrzał na Araba.

– *Everything's fine?* – spytał kontrolnie mężczyzna, jakby chciał się upewnić, że nie posunął się za daleko.

– *Yes* – przytaknął Forst, skinął do niego głową, a potem odwrócił się i ruszył z powrotem w kierunku mesy.

Przez kilka chwil zastanawiał się, czy zobaczył to naprawdę, czy tylko mu się wydawało. Wszedł do pomieszczenia, zatrzymał się tuż za progiem i posłał długie spojrzenie Dolly. Ta popijała kawę, wpatrując się w horyzont.

– Coś nie tak, Krieger?

Wiktor podszedł do stolika i odebrał jej kubek. Pociągnął spory łyk, zanim włożył go z powrotem w jej dłoń.

– One pozwalają…

Obróciła się do niego i uniosła pytająco brwi.

– Co?

– Pozwalają na siebie srać.

Nie wiedział, jak inaczej to ująć. Bezpośrednio było chyba najlepiej.

Dolly nie wyglądała na choćby lekko zdziwioną. Kiwnęła głową, jakby potwierdzała prognozę pogody na kolejny dzień, a potem odstawiła pusty kubek.

– Czasem szejkowie lubią robić takie rzeczy – powiedziała.

Forst opadł ciężko na jedno z krzeseł przy niewielkim stoliku. Położył łokcie na stole, a potem podparł brodę rękoma. Spojrzał z niedowierzaniem na rozmówczynię.

– Żartujesz sobie?

– Nie. Zdarza się, że łamią im się do ust.

Był zadowolony, że w swoich nie miał kawy, boby się popluł.

– Nie słyszałeś o tym? – zapytała. – To była głośna sprawa. W dwa tysiące piątym, o ile mnie pamięć nie myli. Musieliśmy potem odczekać trochę, zanim znowu zaczęliśmy działać na tym polu.

– Musiałem… musiałem wtedy mieć głowę zajętą innymi sprawami.

Dolly przez moment pocierała krótkie włosy, jakby skóra głowy niemiłosiernie ją swędziała. Potem rozejrzała się, podeszła do niewielkiej lodówki i wyciągnęła z niej dwie puszki zimnego piwa Red Horse.

Postawiła je na stole, wetknęła paznokcie pod zawleczki, a potem rozległ się przyjemny syk. Wiktor pokręcił głową.

– Jak chcesz – rzuciła. – Sprawę w każdym razie ujawnił serwis TagTheSponsor. Banda zwykłych łowców sensacji i złamanych kutasów, jeśli chciałbyś wiedzieć. Podszyli się pod szejka, zaczęli uzgadniać z konsjerżem szczegóły, w tym między innymi to, czy mogą się łamać na modelki.

Modelki. Hostessy. Wszystko eufemizmy.

Forst żył w eufemistycznym świecie.

– Gość dał namiary na profile na Insta, rzekomy Arab obejrzał, ocenił, poprzebierał i wybrał. Ostatecznie uzgodnili dość przeciętną cenę, a potem cały internet zawrzał, bo wszystko wylądowało na blogu. W Polsce wszyscy podnieśli raban, bo okazało się, że konta należały do naszych pięknych dziewczyn.

Forst popatrzył na czerwoną puszkę piwa, które do Dubaju ściągano bodaj z Filipin. Do niedawna omijał je szerokim łukiem, bo zamiast zera procent miało niemal siedem. Ale czy musiał nadal to robić?

Dawał w sobie żyłę, do cholery, dlaczego miałby nie napić się piwa?

Sięgnął po red horse'a.

Było inaczej niż z heroiną. Pierwszy łyk mu nie smakował, nie wywołał żadnego miłego odczucia. Przeciwnie, miał ochotę zwymiotować. Ale może nie była to wina alkoholu, ale zapachu, który zdawał się nadal mieć w nozdrzach.

– Afera była gigantyczna – dodała Dolly. – Musieliśmy na jakiś czas przenieść się na inne media społecznościowe, głównie te rosyjskie. Ale nie wszyscy wiedzieli, w jaki sposób nas tam znaleźć.

Dopiła piwo i ścisnęła puszkę. Potem sięgnęła po tę, którą Forst odstawił na stolik.

– Przyszły prawdziwe wieki ciemne, Krieger – dorzuciła, po czym westchnęła. – A wszystko przez to, że jakieś skurwiele zrobiły sobie używanie. Potem poszło lawiną. Wszyscy wyzywali dziewczyny od kurew, sprzedajnych suk i tak dalej.

Forst chrząknął.

– Coś ci, kurwa, nie pasuje?

– Nie, po prostu...

– One nie mają nic wspólnego z prostytutkami.

Uniósł brwi, ale się nie odezwał.

– Błagam cię – ciągnęła. – Żyjemy w dwudziestym pierwszym wieku. Poza tym jeżeli uważasz, że one sprzedają swoje ciała, ale nie robią tego górnicy w pierdolonych kopalniach węgla kamiennego, to ewidentnie widzisz świat przez pryzmat moralności, a nie rozumu.

Przyjął jeszcze bardziej zdziwiony wyraz twarzy, Dolly wzruszyła w odpowiedzi ramionami.

– No co? Przeczytałam to gdzieś, powtarzam tylko.

– Brzmi nieźle.

– Jest, kurwa, prawdziwe.

Przechyliła gwałtownie puszkę, jakby jej myśl wymagała takiego przypieczętowania. Opróżniła całą, a potem zgniotła ją jak poprzednią i wrzuciła do kosza.

– To normalne dziewczyny, Krieger. Studiują, pracują, mają rodziny, związki... to, co robią na jachtach, to forma rozrywki.

Trudno mu było się z tym zgodzić, wciąż miał bowiem przed oczami scenę z kajuty.

– Jak Mick Jagger w wieku siedemdziesięciu czterech lat robi orgię, to jest okej, ale jak te młody dziewczyny się zabawiają, to już nie?

– On już chyba nie…

– Mniejsza z nim, wielu jest takich. Ich *lifestyle* jest w porządku, bo co? Bo *sex, drugs and rock'n'roll*? Ale jak chodzi o dziewczyny, to już inna śpiewka?

– Tego nie powiedziałem.

Dolly prychnęła z wyższością, wstała i sięgnęła do lodówki po kolejne piwo.

– Ale chyba nie wszystkie tak to postrzegają – dodał Wiktor. – Szczególnie ta, którą Siergiej trzyma w garażu w Villamartín.

Dolly zamarła, pochylona nad drzwiczkami. Dopiero po chwili je zamknęła, a potem powoli się odwróciła. Zerknęła niepewnie w stronę korytarza.

– O niej nie gadamy.

– Bo?

– Bo można za to popłynąć w podobny rejs jak ten. Tyle że w jedną stronę. I nasrają ci na łeb bez pytania i bez płacenia.

Wiktor uznał, że najlepiej zbyć tę ostatnią uwagę milczeniem. W przypadku wcześniejszych jednak nie miał zamiaru odpuszczać. Popatrzył na swój przybornik, myśląc o tym, że rozmowa poszłaby znacznie łatwiej, gdyby oboje wstrzyknęli sobie choć pół porcji.

– Nie walę w żyłę – odezwała się Dolly, jakby czytała mu w myślach. – Biorę tylko pixy.

Forst nie odpowiedział.

– Ecstasy.

– Tak, wiem.

– Więc czemu wyglądasz, jakbyś usłyszał coś z kosmosu?

– Zastanawiam się…

– Nie nad tą laską z garażu, mam nadzieję.

– Właśnie nad nią.

– To przestań, bo będziesz miał pozamiatane, Krieger.

– Doniesiesz na mnie?

– Nie, ale już i tak interesowałeś się tym za bardzo.

Dolly wprawdzie była obeznana w większości spraw dotyczących Bałajewa i jego organizacji, ale Forst nie spodziewał się, że wiedziała także o tym.

– Zdziwiony?

– Trochę.

– Mnie nic nie umyka – zapewniła. – A już szczególnie to, jak mój ulubiony goryl niemal dostaje czapę.

– Goryl?

Przewróciła oczami.

– Może nie wyglądasz jak typowy mięśniak, ale jesteś bardziej niebezpieczny niż ci, co pakują – powiedziała i westchnęła. – Tyle że nic ci po tym. Jak będziesz się interesował tą sprawą, upierdolą cię, i tyle.

– Dlaczego?

– Jezu! Z kim ja rozmawiam? Z dzieckiem?

– Chcę się tylko czegoś dowiedzieć.

– Zajeb sobie lepiej w żyłę.

– Zaraz – odparł z lekkim uśmiechem. – Ale najpierw powiedz mi, co to za dziewczyna?

Dolly zastanawiała się przez moment. Dobrze się czuła w tej sytuacji, a Wiktor doskonale zdawał sobie z tego sprawę. Czerpała przyjemność z tego, że wie więcej niż rozmówca. I jakiś wewnętrzny głos z pewnością już jej podpowiadał, by to udowodniła.

Namyślała się znacznie krócej, niż powinna. Może gdyby poświęciła temu trochę więcej czasu, wzięłaby sobie do serca swoje własne słowa i nie ciągnęła tematu.

– Nie wiem, jak się nazywa – oświadczyła. – Nigdy mi się nie przedstawiła.

– Długo ją trzymają?

Wzruszyła ramionami tak energicznie, jakby wstrząsnął nią niekontrolowany spazm.

– Nie bywam tam za często. Czasem wyskakuję z Ilą na miasto, ale mam robotę na jachtach. Czaisz?

– Mhm – potwierdził Wiktor. – Wiesz, skąd się tam wzięła ta dziewczyna?

– Niektórzy mówią, że z Hiszpanii, ale pewna nie jestem. Moim zdaniem jest z Polski.

Forst zmrużył oczy, a potem opuścił ręce. Położywszy je na stole, zabębnił palcami o blat.

– Dziwisz się? Większość dziewczyn pochodzi z Polski.

– Masz na myśli te, które są tam dobrowolnie.

– No taa… – odparła przeciągle i odgięła się do tyłu.

– A tę dlaczego w ogóle tam trzymają?

– Bo ma dużą wartość.

– To znaczy? Chcą okupu?

Odpowiedziała wymownym milczeniem.

Wiktor był przekonany, że wraz z Robertem Kriegerem dokładnie sprawdzili wszystko, co robił Siergiej. Nie dotarli do niczego, co kazałoby im sądzić, że zajmuje się także porwaniami.

Może był to jednorazowy wyskok? Może skorzystał z jakiejś okazji?

Równie dobrze mógł po prostu dobrze ukryć tę część swojej działalności. Wszak o to chodziło.

– Tylko tyle wiesz? – zapytał Forst.

– To i tak więcej, niż powinnam. A ty przestań się tym interesować.

– Może tak zrobię.

– Może? – zapytała, ściągając brwi. – Dlaczego w ogóle w tym grzebiesz, co? Masz w tym jakiś biznes?

– Nie.

– Więc to wszystko dlatego, że Myszy odpierdoliło?

Skinął głową dla świętego spokoju. Sam nie nazwałby tego w ten sposób – przeciwnie, powiedziałby, że Mysza jako jedyna wykazała się jakimikolwiek ludzkimi odruchami. Wszyscy w willi wiedzieli, co dzieje się w garażu. Wszyscy wiedzieli także, że Forst nie ma oporów przed stawaniem po stronie dziewczyn. A mimo to nikt oprócz Myszy się do niego nie zgłosił.

– Trzymaj się od tego z daleka – dodała na koniec Dolly. – Chyba że chcesz się zamienić rolami z tą dziewczyną, którą widziałeś u szejka w kajucie.

Powinien wziąć sobie tę radę do serca.

Powinien, ale nie zrobił tego.

Po powrocie do Alicante wiedział już, że nie zostawi tak tej sprawy. Wsiadł do samochodu, który czekał na niego nieopodal lotniska, a potem pojechał w kierunku Torrevieja. Po drodze zatrzymał się na niewielkim parkingu przy jednym ze słonych jezior. Widok różowej tafli był niepokojący, ale tylko przez moment. Kiedy zacisnął gumkę na ręce, a potem wpuścił do krwiobiegu heroinę, wszystko, co złe, odeszło w niepamięć.

Dopiero w takich chwilach w ogóle orientował się, jaki ciężar nosił na barkach. Jak parszywe było jego życie. I jak długo towarzyszył mu ból w skroniach. Przyzwyczaił się do ćmienia na tyle, że nawet go nie zauważał. Przynajmniej dopóty, dopóki ten nie znikał.

Wtedy zalewała go fala błogości.

Niemal zapomniał o zmaltretowanej dziewczynie w garażu, która w tej chwili najpewniej była gwałcona przez kolejnego mężczyznę.

Teraz była już tylko niewyraźną myślą. Jedną z wielu, które utkwiły gdzieś we mgle na końcu umysłu.

Ocknął się po półgodzinie. Potrząsnął głową, niechętnie potoczył wzrokiem po tafli jeziora, a potem wrócił na drogę N332, prowadzącą w kierunku San Javier. Mógł pojechać autostradą numer siedem, ale Siergiej namawiał ich, by unikali płatnych odcinków. Twierdził, że tam zostawiają ślady, a nigdy nie wiadomo, kiedy te mogą okazać się problematyczne.

Forst zatrzymał się w jednym z supermarketów po drodze. Kupił jodynę, trochę gazy i wodę utlenioną. Miał zamiar tej nocy dostać się do garażu i przypuszczał, że przydałoby mu się znacznie więcej tego typu środków.

Kupił jeszcze trochę picia i jedzenia. Tego dziewczynie z pewnością też brakowało.

Potem nie oszczędzał paliwa, jadąc w kierunku Orihueli.

Na miejscu był już po zachodzie słońca. Zdawkowo przywitał ochroniarzy przy wjeździe na teren willi, po czym zatrzymał się na jednym z pustych miejsc parkingowych. Rano zajmą je luksusowe auta, ale jego samochodu być może już tutaj nie będzie.

Nie, nie było sensu układać czarnych scenariuszy. Jeśli wszystko pójdzie po jego myśli, pomoże dziewczynie, nie wzbudzając niczyjej uwagi. Wyciągnął torebkę z zakupionymi produktami, a potem zatrzasnął drzwiczki.

Ruszył w kierunku bocznych drzwi, którymi do garażu dostawali się ogrodnicy i inni pracownicy. Przypuszczał, że są zamknięte, i nie pomylił się. Nie miał zamiaru wchodzić tamtędy do środka, chciał tylko sprawdzić, czy dziewczyna jest sama. Nasłuchiwał przez moment, a potem uznał, że wewnątrz nikogo nie ma.

Wszedł głównym wejściem do rezydencji. W części wspólnej skupił na sobie uwagę kilku dziewczyn, ale kiedy zobaczyły, gdzie się kieruje, natychmiast odwróciły wzrok.

Mysza się podniosła, ale powstrzymał ją ruchem ręki. Wszedł do niewielkiego korytarza za schodami, skierował się w stronę rozdzielni, a potem na wszelki wypadek jeszcze raz nasłuchiwał odgłosów z garażu.

Panowała absolutna cisza.

Dopiero po chwili usłyszał kroki. Dochodziły jednak nie z miejsca, gdzie trzymano dziewczynę, ale zza jego pleców.

Zaklął i zamknął oczy. Powinien spodziewać się, że któraś z dziewczyn okaże się zbyt lojalna wobec Siergieja lub Uljana. Odłożył siatkę z supermarketu i się obrócił.

– Krieger?

Forst odetchnął, słysząc kobiecy głos. Mysza wyłoniła się ostrożnie zza zakrętu, a potem posłała mu lekki uśmiech.

– Kazałem ci zostać.

– Tak? Musiałam źle zrozumieć. Wydawało mi się, że…

– Nie ryzykuj.

Podeszła do niego tak blisko, że poczuł drogie, ekskluzywne perfumy. Przywodziły na myśl Kenzo Amour.

Odgonił tę myśl. Była jak rezonans dawno śnionego koszmaru.

– Ja mam nie ryzykować? – spytała. – A ty?

Spojrzał jej głęboko w oczy. Białka miała przekrwione, choć pewnie z samego rana zastosowała krople. Makijaż dobrze maskował ciemne smugi, jednak z bliska Wiktor mógł wyraźnie dostrzec opuchliznę.

– Jeśli wpadniemy, grozi nam dokładnie to samo – zauważyła.

– Niezupełnie.

– Myślisz, że masz większe względy u Sieroży? – spytała z powątpiewaniem. – Jak tylko zobaczy, że robisz coś za jego plecami, to… no wiesz. On zrobi coś za twoimi.

Przypuszczał, że w tym kontekście rzeczywiście mogło spotkać ich to samo. Nie odpowiedział jednak, uznając, że nie ma sensu dyskutować z dziewczyną. Nie znał jej zbyt dobrze, ale dostrzegał jej upór bez trudu.

Odwrócił się i otworzył drzwi.

Ze środka natychmiast dobył się smród znacznie gorszy od tego na jachcie. Forst mimowolnie się skrzywił, a Mysza zasłoniła usta i nos. Weszli do środka.

Wiktor stanął przed dziewczyną przywiązaną do metalowego krzesła. Siedziała ze zwieszoną głową, ale nawet z tej perspektywy widać było liczne siniaki i rany. A przynajmniej część z nich. Reszta pozostawała niewidoczna – i to nie dlatego, że skrywało ją ubranie.

Forst przyglądał się dziewczynie w milczeniu. Mysza sięgnęła po torbę, ale nie wypuścił jej z ręki.

– Coś nie tak? – spytała.

Wiktor wciąż nie odrywał wzroku od porwanej.

– Krieger? O co chodzi?

– Znam ją.

– Co takiego?

Forst zamknął oczy i potarł nerwowo czoło. Sprawa właśnie skomplikowała się jeszcze bardziej.

12

Jaskinia Raptawicka miała jakieś sto pięćdziesiąt metrów, deniwelacja wynosiła około piętnastu. Dominika szła w kierunku wejścia szybkim krokiem, pokonując dość łagodne zbocze Raptawickiej Turni. Na końcu ścieżki czekali na nią policjanci. Złożyli jej krótki raport, z którego nie wynikało nic konkretnego, a potem cała grupa ruszyła w górę po skałach, wspomagając się łańcuchami. Metal był zimny, nieprzyjazny, jakby wpuszczono go w skały nie po to, by pomóc turystom, ale by zniechęcić ich do wspinaczki. Podobne wrażenie robiły na Wadryś-Hansen ostre pionowe skały.

Po chwili dotarła do wejścia do jaskini. Znajdowało się parę metrów poniżej kamiennego progu, który pokonała, schodząc po drabinie. W skalnej komorze panował przejmujący chłód. Dominika przypuszczała, że jest tak nie tylko za sprawą temperatury, ale także ciała leżącego pośrodku jaskini.

Ratownik TOPR-u kucał obok. Obrócił się przez ramię, patrząc niepewnie na jedyną osobę spośród zebranych, która wyglądała, jakby była nie na miejscu. Dominika miała na sobie polar, spodnie zakupione w sklepie sportowym na Krupówkach i buty trekkingowe. Przywodziła na myśl przeciętną turystkę.

– Prokurator Wadryś-Hansen – powiedziała.

Ratownik się podniósł. Sprawiał wrażenie, jakby to on tutaj dowodził.

– Ach – odparł i podał jej rękę.

Uznała, że i tak trafił się dzień, kiedy miała na sobie strój cokolwiek adekwatny do badania miejsca zbrodni w górach. Gdyby rano nie wyszła szukać Wiki Bielskiej, zapewne byłaby w żakiecie i szpilkach.

– Kuruc – przedstawił się TOPR-owiec.

Wiedziała, że to jedno z dość często spotykanych nazwisk na Podhalu. Dobra, zasłużona rodzina, w której szeregach znajdowali się i społecznicy, i artyści.

Przyjrzała mu się uważnie.

– Co pan tu robi? – spytała, ignorując leżące obok zwłoki.

– Wezwano mnie.

– To znaczy? Kto konkretnie to zrobił?

– Jeden z funkcjonariuszy – odparł ratownik, patrząc w górę.

Powinna się tego spodziewać. Ci wszyscy ludzie doskonale się znali, być może co wieczór wychodzili razem na piwo, a od czasu do czasu zaprawiali się mocniejszą gorzałą. Jeśli Kuruc cieszył się pewnym szacunkiem, nie powinno jej dziwić, że któryś z policjantów zwrócił się do niego o pomoc.

– Miałem dyżur niedaleko – dodał.

– I? Nie jest pan od badania miejsca przestępstwa.

– Niczego nie ruszałem.

– I skąd mam mieć pewność?

Przez moment świdrowała go wzrokiem. Oczy uciekły mu w kierunku ciała, ale ona nie miała zamiaru choćby na nie zerkać. Chciała dać mu do zrozumienia, że w tej chwili to on jest najważniejszym elementem na miejscu zdarzenia.

– Wie pan, co pan zrobił? – spytała.

TOPR-owiec rozejrzał się.

– Samą swoją obecnością mógł pan sprawić, że... – Urwała i pokręciła głową. – Czasem naprawdę mnie zaskakujecie.

– My?

– Górale.

Uśmiechnął się lekko. Zważając na to, gdzie i w jakiej sytuacji się znajdowali, mogłoby to być osobliwe, ale Dominika wiedziała, że prokuratorzy i ratownicy mają ze sobą wiele wspólnego. O wiele więcej, niżby to wynikało z czystej logiki. Zarówno w jednej, jak i drugiej profesji kluczem było oswojenie się ze śmiercią. W obydwu okazji ku temu było całkiem sporo.

– Szkoli się tych policjantów długimi latami, a potem wasza natura i tak bierze górę – dodała Dominika. – Macie w głębokim poważaniu spisane zasady i normy, liczy się dla was tylko...

– Chyba pani przesadza.

– Chyba nie – zaoponowała. – Ale czego się spodziewać po ludziach, którzy przez wieki ubóstwiali zbójnictwo?

TOPR-owiec nie odpowiadał.

– Czytał pan Krzyżanowskiego?

Ratownik znów spojrzał na ciało, jakby chciał jej przypomnieć, że leży tuż obok.

– Kogo?

– Józefa Krzyżanowskiego, znanego prawnika. Nawet taka osobistość niemal legitymizowała zbójnictwo. Krzyżanowski podkreślał, że to z jednej strony łamanie prawa, ale z drugiej wyraz góralskiej swobody i samoobrony przed uciskiem.

Kuruc odchrząknął nerwowo.

Nie bez powodu ciągnęła temat i zachowywała się tak, jakby nie interesowały jej zwłoki dziewczyny. Ratownik rzeczywiście stanowił w tej chwili jeden z najpoważniejszych problemów.

Ale nie dlatego, że mógł zatrzeć ślady. Owszem, było to problematyczne, bo po ujęciu sprawcy obrona mogłaby sugerować, że Kuruc podłożył coś w jaskini. Nie to jednak martwiło Wadryś-Hansen najbardziej.

Niepokoiło ją, co ratownik mógł stąd zabrać.

Nie mogła mieć pewności, że nie stoi przed nią zabójca. Na tym etapie powinna podejrzewać każdego. Od pracowników TPN-u, którzy odnaleźli ciało, przez policjantów, aż po tego człowieka.

Chciała go sprawdzić, obserwując jego reakcje. Mieściły się w normie. Tyle że w tej chwili niewiele to znaczyło.

– Pozwoli się pan przeszukać policjantom?

– Słucham?

– Po wyjściu z jaskini – dodała. – Dla mojego świętego spokoju.

– Jeśli to sprawi, że zainteresuje się pani tą dziewczyną, to jak najbardziej.

– Zapewniam, że mnie interesuje. Bardziej niż wszystko inne.

– A więc…

– I właśnie z tego względu muszę mieć pewność, że jest pan czysty.

Przytrzymała przez moment jego wzrok, a on skinął głową z wyrazem twarzy, jakby miał zamiar westchnąć, ale w ostatniej chwili się zmitygował. Dominika uznała, że sprawa jest załatwiona, choć zapewne będzie musiała patrzeć funkcjonariuszom na ręce, by byli odpowiednio skrupulatni. W końcu przeniosła wzrok na ofiarę.

Dziewczyna miała podniesione powieki, cerę trupiobladą, a w otwartych ustach dobrze widoczna była moneta.

Ofiara wyglądała upiornie, ale nie dlatego Wadryś-Hansen poczuła, że robi jej się słabo.

Patrzyła na Wiktorię Bielską.

Dziewczynę, pod której domem stała nie dalej jak godzinę temu.

Wzdrygnęła się.

– Wszystko w porządku?

Nie otworzyła nawet ust. Nic nie było w porządku. Otrzymała od Forsta namiar na osobę, która teraz była martwa. Nie mógł być to przypadek. Jeśli zresztą jakikolwiek śledczy w nie wierzył, oznaczało to tylko jedno – nie miał jeszcze odpowiednio długiego stażu w prokuraturze.

– Dobrze się pani czuje?

– Nie.

– To pani pierwszy raz? – zapytał niepewnie. – Ze zwłokami?

Odchrząknął, lekko skołowany.

– To znaczy, mam na myśli…

– Nie, to nie mój pierwszy raz.

Odwróciła się, a potem przywołała jednego z mundurowych, którzy stali w progu. Mężczyzna zszedł po kilkumetrowej stalowej drabinie, po czym stanął karnie przed Dominiką, jakby w końcu ktoś na górze zreflektował się, że oberwie im się za wpuszczenie tutaj Kuruca.

– Notuj – poleciła Wadryś-Hansen.

Funkcjonariusz jak na komendę wyjął długopis i służbowy notes. Przerzucił kartkę, a potem popatrzył na Dominikę.

– Ofiara to Wiktoria Bielska, urodzona dziesiątego czerwca tysiąc dziewięćset dziewięćdziesiątego roku w Nowym Targu, zamieszkała w Zakopanem, przy ulicy Kościeliskiej.

Potarła czoło. Gdzieś za skrzyżowaniem ze Stolarczyka, nie pamiętała dokładnego adresu. Nabrała głęboko tchu, czując, jak płuca wypełniają się chłodnym powietrzem. Zapach śmierci był ledwo wyczuwalny, jakby wsiąkał w głąb któregoś z tuneli odchodzących od głównej komory.

Ona sama była dość przestronna, w kształcie prostokąta. Kamienny strop znajdował się kilkanaście metrów nad Dominiką. W nim prokurator dostrzegła dwa niewielkie otwory. Wydawało się, że smród nie miał którędy uciekać, a jednak z jakiegoś powodu zdawało się, że tak jest.

Jakby coś w mroku go wchłaniało, karmiło się nim. Odsunęła tę myśl.

Może wynikało to z niskiej temperatury. Wadryś-Hansen zbliżyła się do Wiktorii, a potem kucnęła obok. Spojrzała w zaciągnięte bielmem oczy i przez chwilę się nie poruszała. Kłębki pary wydobywały się z jej ust.

– Pani prokurator? – odezwał się policjant.

– Na razie to tyle – powiedziała cicho. – Potem wszystko spiszemy.

– Rozumiem.

– A teraz niech pan przeszuka kolegę.

– Co proszę?

Wadryś-Hansen obróciła lekko głowę. Tylko na tyle, by mundurowy zobaczył jej profil.

– Nie słyszeliście nigdy o zabezpieczeniu miejsca zdarzenia do czasu rozpoczęcia oględzin, więc teraz nadrabiajcie zaległości.

Zanim policjant zdążył się odezwać, Kuruc podszedł do niego i sam zrzucił plecak. Otworzywszy go, pozwolił funkcjonariuszowi dokładnie sprawdzić każdy zakamarek, a potem zaczął się rozbierać.

– Do bielizny? – zapytał Dominikę.

Zignorowała pytanie, przypatrując się Wice Bielskiej.

Jak to możliwe, że jednego dnia Forst na nią wskazuje, a następnego dnia odnajdują ją martwą w jaskini? Z monetą w ustach? Co to wszystko miało znaczyć?

Echem w jej głowie rozeszły się jego wczorajsze słowa.

Jest ktoś, z kim powinnaś porozmawiać.

Musisz do niej dotrzeć.

Musisz zastosować śledczą inżynierię wsteczną.

Starała się je zagłuszyć. Nie, nie je, ale jedyne logiczne wnioski, jakie płynęły z tej sytuacji. Mogła pomyśleć tylko o dwóch. Albo ktoś w jakiś sposób trzymał rękę na pulsie i zareagował, nim Wadryś-Hansen zdążyła dotrzeć do dziewczyny, albo to Wiktor znalazł sposób, by...

Nie, ta druga myśl była tak absurdalna, że nie zasługiwała nawet na rozwinięcie. Nie pozbawiłby życia dziewczyny po to, by ona mogła ruszyć jej tropem. Na Boga, o czym ona w ogóle myślała?

Dominika przez moment przypatrywała się, czy policjant sprawdza wszystko z odpowiednim zapałem, po czym pochyliła się nad dziewczyną. Z tej odległości odór rozkładu był już dobrze wyczuwalny. Nie na tyle jednak, by wszystkie insekty z okolicy zleciały się na żer.

Zaczną od gałek ocznych. Przy otwartych powiekach to właśnie one stanowiły najbardziej atrakcyjne miejsce. Dopiero potem robactwo zacznie szukać innych, równie wilgotnych zakamarków w ciele ofiary.

Wadryś-Hansen przyjrzała się monecie. Była włożona między zęby tak, by usta się nie zamknęły, jak zapałka podtrzymująca powieki. Prokurator przez chwilę przyglądała jej się z jednej, potem z drugiej strony. Następnie zaczęła oceniać, jak doszło do śmierci.

Skóra twarzy była w kilku miejscach rozcięta, pojawiły się krwawe wybroczyny, odcinające się makabrycznie na bladej twarzy. Oprócz tego jednak żadnych obrażeń nie dostrzegła. Wika leżała na plecach, ręce miała ułożone wzdłuż tułowia. Wyglądałaby niemal spokojnie, gdyby nie hiobowa maska na twarzy.

W ciszy, która wypełniała wilgotną jaskinię, Dominika usłyszała kilka spadających ze stropu kropel wody. Każda sprawiała, że niepokój prokurator zdawał się rosnąć.

– Ruszał ją pan? – odezwała się Wadryś-Hansen.

– Nie. Przecież nie było nawet sensu sprawdzać pulsu.

Obejrzała się na niego, gdy na powrót zakładał polar.

– Ale ktoś ewidentnie ją tak ułożył po śmierci – dodał.

– Ewidentnie?

– Przypuszczam, że po spadnięciu z progu i skręceniu karku raczej nie przyjęłaby takiej pozycji.

Dominika się podniosła.

– A skąd pewność, że spadła? I że skręciła kark?

Podszedł do zwłok i wskazał na bark, a potem na bok głowy.

– Stąd – powiedział. – Widzi pani ten ślad na kurtce i skroni? Wygląda, jakby przesunęła się po czymś mokrym.

Odwrócił się do niej bokiem i przechylił nieco.

– Upadając, zaryła o podłoże, o tak – dodał, a potem przeniósł wzrok w stronę drabiny. – Wysokość nie jest duża. Tylko upadając w ten sposób, mogłaby zginąć.

– Brzmi logicznie, ale to tylko gdybanie.

– Oparte niestety na doświadczeniu.

– Zmarł tu ktoś wcześniej?

– Tutaj nie – przyznał Kuruc. – Ale taki widok nie jest niecodzienny.

Dominika przez moment milczała. Słabe światło wpadało przez trzymetrowy otwór ponad ich głowami, ale jego snop nie sięgał daleko. Już kawałek dalej w korytarzach panował mrok. A może był nawet bliżej, w oczach Bielskiej.

– Ostatnia śmierć miała miejsce w Jaskini Mylnej – odezwał się Kuruc, wskazując na wnękę po lewej stronie. – Tym korytarzem kiedyś można było stąd się do niej dostać, potem przejście zasypano.

– Kto tam zginął?

– Pewien ksiądz w latach czterdziestych. Wyruszył samotnie, nikomu nie powiedział, dokąd idzie. Ciało znaleziono dwa lata później, doszło do śmierci z głodu.

– Zabłądził? Tutaj?

– Nie bez powodu zasypano to przejście.

Wadryś-Hansen spojrzała we wskazanym kierunku.

– I nie da się tamtędy przecisnąć?

– Do Mylnej? Nie – odparł ratownik, opierając się o skały. – Ale od korytarza odchodzi wąski przesmyk w prawo. Można przejść tamtędy do Dolnej Komory.

– Gdzieś jeszcze?

– Stamtąd nie, ale Prawy Korytarz to zupełnie inna bajka. – Wskazał w jego kierunku. – Doszłaby nim pani do Partii Przystropowych, czyli całej siatki innych korytarzy. Tamtędy można się dostać do Dolnej Komory, Partii Zachodnich, a z nich do Korytarza z Kotłami Wirowymi i...

– W porządku – ucięła i posłała długie spojrzenie policjantowi. Nie wyglądał na zadowolonego. – Trzeba będzie to wszystko sprawdzić.

– Oczywiście – potwierdził.

– Niech pan woła kolegów. Terenu jest sporo.

Podniosła się i schowawszy ręce do kieszeni, wciągnęła powietrze nosem. Poczekała chwilę, aż dłonie jej się ogrzeją, po czym wyciągnęła telefon. Wybrała numer Osicy.

Padło kilka pytań, których nie mogła uniknąć. Powiedziała mu tyle, ile sama się dowiedziała, a potem czekała, aż Edmund zaindaguje o to, co zarazem chciał i czego nie chciał wiedzieć.

– Ta moneta... – jęknął.

Dominika przełknęła ślinę.

– Co to za numizmat?

– Dziesięć euro.

– Euro?

– Z Hiszpanii – dodała. – Chyba jakaś kolekcjonerska, ale nie mogę być pewna.

Usłyszała w słuchawce szelest, jakby Osica odkładał jedną z gazet lub sięgał po notatnik, by wszystko zapisać.

– Co jest na awersie? – zapytał.

– Król Juan Carlos I – odparła Wadryś-Hansen. – Na rewersie jakiś statek, niestety wiele więcej nie mogę stwierdzić.

– Trzeba ją…

– Przekażemy monetę specjalistom najszybciej, jak to możliwe, panie inspektorze. Zaraz zaczynamy zabezpieczać miejsce zdarzenia, czekam tylko na techników ze sprzętem.

Osica westchnął wprost do mikrofonu.

– Co z tym wszystkim ma wspólnego zasrana Hiszpania, do cholery?

– Nie wiem.

Edmund milczał. Przez chwilę myślała, że to wstęp do pożegnania, ale Osica najwyraźniej nie zamierzał się rozłączyć, nawet jeśli mieli się nie odzywać.

– Wiem za to, że musimy szybko to ustalić – powiedziała po chwili i popatrzyła na zwłoki Bielskiej. – Bo to wygląda jedynie na początek.

13

Dziewczyna czekała niecierpliwie, by Forst powiedział coś więcej. On jednak nie mógł dobyć głosu. Podszedł bliżej do porwanej, po czym umieścił dłoń pod jej brodą i delikatnie ją uniósł.

Rozbiegany, mętny wzrok kazał sądzić, że jest nie tylko zmaltretowana do granic wytrzymałości, ale także naszprycowana narkotykami. Nic dziwnego, musieli w jakiś sposób stłumić fizyczny i psychiczny ból, który odczuwała.

– Jak możesz ją znać? – zapytała Mysza. – Przecież... przecież mówiłeś, że to nie dla niej tu jesteś.

Ostrożnie pozwolił jej głowie opaść. Wyprostował się i odwrócił do Myszy.

– I to prawda – odparł.

– Więc...

Rozłożyła bezradnie ręce, wpatrując się w niego wyczekująco. Wiktor jednak się nie odzywał. Gorączkowo zastanawiał się nad tym, od czego zacząć, by pomóc dziewczynie. Nie miał wiele czasu.

– Krieger!

– Ciszej...

– Skąd ją znasz? Jak to możliwe?

Żeby jej to dobrze wytłumaczyć, potrzebowałby przynajmniej kwadransa. Wszystko sprowadzało się do researchu, jaki wraz z Robertem wykonali przed rozpoczęciem całego tego przedsięwzięcia. W jego ramach dotarli do ludzi, z którymi Siergiej Bałajew utrzymywał kontakty quasi-biznesowe, ale nie tylko. Niektóre były zupełnie legalne i pozwalały mu na pewnym etapie prać brudne pieniądze. Łańcuch przestępczy był długi, a osoby znajdujące się na jego ostatnich ogniwach nie wiedziały, że otrzymują środki pochodzące z nielegalnych źródeł.

Tak było w przypadku Joaquína Calavery, hiszpańskiego dewelopera, budującego niewielkie osiedla z pieniędzy pewnego inwestora. Inwestora, którego niemal całe wpływy pochodziły od Siergieja.

Calavera miał córkę, Noelię. Liczyła sobie niewiele ponad dwadzieścia lat, ale zdążyła pomóc większej liczbie osób, niż większość ludzi jest w stanie wesprzeć przez całe swoje życie. A wszystko w ramach fundacji, którą założyła dzięki środkom od ojca. Od pewnego czasu działalność charytatywna utrzymywała się już z wpłat innych, ale Noelia wciąż pilnowała, by to od Joaquína pochodziło najwięcej pieniędzy.

W dodatku trudno było zapomnieć dziewczynę, jeśli już raz się ją zobaczyło. Przynajmniej jeśli było się mężczyzną. Forst zachował w pamięci zdjęcia z tegorocznego kalendarza wydanego przez jedną z organizacji ekologicznych. Skąpo ubrane aktywistki leżały na dzikich plażach, których ekosystemy miały zostać ocalone dzięki wpływom ze sprzedaży.

Jedną z modelek była oczywiście Noelia. W trakcie przeglądania kalendarza Krieger całkiem słusznie rzucił uwagę, że bikini wynaleziono chyba właśnie po to, by mogła założyć je Calavera.

Wiktor nie sądził, by konkretnie to miał w planach Louis Réard, choć kiedy w latach czterdziestych Francuz zaprezentował ten nowatorski strój plażowy, z pewnością chciał podkreślić wybuchowość kobiecych wdzięków. Dlatego nazwę zaczerpnął od atolu Bikini, na którym USA testowały głowice jądrowe.

Noelia z pewnością była atomowa. Zarówno pod względem urody, jak i charakteru. Robert i Forst przez jakiś czas rozważali nawet, czy to nie przez nią próbować dostać się do Siergieja. Nie byłoby trudno, biorąc pod uwagę, że wedle ich ustaleń dziewczyna ceniła sobie towarzystwo starszych mężczyzn.

Problem polegał na tym, że ogniwo Calavery było oddzielone od reszty łańcucha finansowego. Deweloper nie miał pojęcia, skąd płyną środki, które pozwalały na budowanie osiedli.

A teraz Bałajew najwyraźniej miał zamiar zrobić z tego użytek.

Forst zaklął pod nosem, nie dowierzając.

– Krieger...

– Wszystko ci wyjaśnię, jak będzie czas.

Siergiej najwyraźniej postanowił stworzyć zamknięty obieg finansowy. Zamierzał ograbić dewelopera z pieniędzy, które sam przekazywał mu przez inwestora. Po to porwał tę dziewczynę, Forst nie miał co do tego wątpliwości.

Właściwie było to genialne w swojej prostocie. Nieruchomości zostaną wybudowane, będą stanowiły legalne źródło dochodu, a Bałajew odzyska przynajmniej część pieniędzy, żądając okupu.

Wiktor przyjrzał się dziewczynie. Była współżywą ofiarą zwykłej ludzkiej pazerności.

W dodatku sama stanowiła jej antytezę.

– Musimy się nią zająć, szybko – rzucił Forst. – Później powiem ci, skąd ją znam. I co tutaj robi.

– W porządku – odparła z przejęciem Mysza. – Ale...

– Żadnych ale.

Popatrzyła na niego w sposób, który kojarzył mu się ze spojrzeniem matki skierowanym na łatwowierne dziecko.

– Ale co właściwie zamierzasz? – zapytała.

Było to dobre pytanie, zresztą sam je sobie zadawał. Kiedy heroina działała, nie miał najmniejszych problemów ze znalezieniem odpowiedzi. Z każdą mijającą chwilą coraz bardziej powątpiewał, że uda mu się uratować dziewczynę.

Spojrzał na worek, w którym miał środki antyseptyczne.

– Krieger?

Co zamierzał?

Jeszcze przed momentem był przekonany, że w najlepszym wypadku wpakuje ją do samochodu i wywiezie jak najdalej stąd. W najgorszym oczyści jej rany, nakarmi ją, da jej coś do picia, a potem wróci do siebie.

Teraz żadna z tych opcji nie wydawała się wykonalna.

– Krieger!

– Myślę…

– Myśl szybciej, długo nie będziemy tu sami.

– Hm?

– Jest już po zmierzchu, zaraz robotnicy i ogrodnicy skończą pracę. A wiesz, jak kończą każdy dzień?

Forst spojrzał na nią z niedowierzaniem.

– Każdy?

– Co do jednego – potwierdziła smutno. – Ona nie ma tu wytchnienia.

I nikt nie kiwnął palcem, by zakończyć jej cierpienie, pomyślał Wiktor. Nikt poza jedną cichą dziewczyną, która nie chciała dać za wygraną i właściwie zaciągnęła go tutaj siłą, jakkolwiek nie fizyczną.

– Musimy coś zrobić.

– Wiem.

– Byle szybko – dodała, nerwowo zerkając na drzwi garażu.

Forst wyjął butelkę wody i podetknął ją pod spierzchnięte usta Noelii. Nie miała pojęcia, co się dzieje, głowa bezwładnie kiwała jej się na boki. Na szyi Wiktor dostrzegł zaschnięte smugi białej mazi. Pomógł jej się napić, gorączkowo ważąc wszystkie możliwości.

Musiał zacząć myśleć realnie. Odepchnąć absurdalne, optymistyczne myśli, które zakołatały mu w głowie tylko dlatego, że był na haju.

Mógł ją choćby częściowo nawodnić, dać jej jedzenie, ale jeśli miałby realnie jej pomóc, reszta bez trudu zobaczyłaby efekty jego starań. Nie mógł też wywieźć jej z terenu rezydencji. Zaraz by za nim ruszyli, a nawet jeśli nie, samochody Siergieja z pewnością miały lokalizatory.

– Dziś nic tu nie zrobimy – oznajmił.

– Nie możemy jej tak zostawić.

– Przeżyła do tej pory, przeżyje jeszcze trochę.

Nie było szans, by przekonał nawet siebie.

– Wiesz, że to nieprawda. Może umrzeć w każdej chwili.

Owszem, mogła. I patrząc na nią, Forst pomyślał, że zapewne także chciała. Przechodziła nieustającą gehennę i nie mogło ulegać wątpliwości, że z każdą kolejną wizytą mężczyzn było coraz gorzej.

Że też tak parszywy los musiał spotkać akurat ją. Osobę, która wedle wszelkiego prawdopodobieństwa zamierzała poświęcić się pomaganiu innym.

Forst poczuł, że Mysza lekko ciągnie go za rękaw koszuli.

– Musimy się spieszyć, naprawdę – powiedziała. – Jeśli nie chcesz jej dzisiaj stąd zabierać, to powinniśmy wracać.

Chciał. Chciał już teraz odwiązać ją, kopnąć w obsrany kubeł stojący obok krzesła, a potem przerzucić ją przez ramię i wynieść z willi.

Spojrzał w kierunku drzwi i zaklął cicho.

– Chodźmy – rzucił.

Zabrał wszystkie rzeczy, a potem szybkim krokiem ruszyli w stronę wyjścia. Calavera nawet nie podniosła wzroku. Przypuszczalnie nie wiedziała, że ktoś zjawił się w garażu. Może to wszystko wydawało jej się tylko złym, mglistym snem.

Forst zatrzymał Myszę przed wyjściem z korytarza. Przez chwilę tylko nasłuchiwał, po czym wychylił się i dał znać, że droga wolna. Przeszedł kilka kroków, zza schodów wyjrzał na część wspólną.

Zobaczył widok, którego się nie spodziewał. Dziewczyny na kanapach zdawały się robić wszystko, by zająć czymś podwładnych Bałajewa. Kilka z nich posłało mu ukradkowe, porozumiewawcze spojrzenia.

Najwyraźniej jednak nie byli zdani z Myszą na samych siebie. I dzięki temu nikt nie zwrócił uwagi na dwoje ludzi wychodzących spod schodów.

Nikt oprócz jednego człowieka.

– Krieger – rozległ się głos z góry.

Forst zamarł. Miał wrażenie, jakby Uljan policzkował go za każdym razem, kiedy się odzywał. Teraz stał na schodach, patrząc na niego srogim wzrokiem.

Widział, skąd wyszli z Myszą?

Pytanie zabrzmiało w głowie Wiktora jak salwa armatnia. Zaraz jednak uświadomił sobie, że to tylko paranoiczny pogłos heroiny. To ona przemawiała, a raczej jej brak. Gdyby tak nie było, Pierłow z pewnością zachowałby się inaczej.

Forst popatrzył na umięśnionego Rosjanina i zaczął się zastanawiać, czy on także zabawia się z dziewczyną w garażu. Być może nie. Uljan miał do dyspozycji wszystkie inne, nie musiał wykorzystywać tej, która powoli przestawała przypominać ludzką istotę.

Pierłow oderwał wzrok od Wiktora i popatrzył na Myszę.

– Znowu zabawiasz się z tą samą?

– Może.

– Mało masz innych?

– Ta mi się podoba.

Rosjanin westchnął, a potem machnął ręką.

– Nieważne – rzucił. – Ona pójdzie ze mną, a ty odwiedzisz szefa.

Wyciągnął dłoń w kierunku Myszy, a dziewczyna szybko ruszyła w jego stronę.

– Czego Sierioża ode mnie chce?

– Nie wiem – odparł na odchodnym Uljan, a potem wraz z Myszą skierował się do jednego z pokojów na piętrze. Przed wejściem dziewczyna zdążyła jeszcze spojrzeć na Forsta. Udał, że nie widzi niewypowiedzianej prośby w jej oczach.

Był w piekle. Prawdziwym piekle.

A po chwili stanął przed gospodarzem tego miejsca.

W gabinecie unosił się zapach papierosów, ale dzięki działającej na wysokich obrotach klimatyzacji nikotyna nie paraliżowała zmysłów. Siergiej siedział za biurkiem, szczerząc się do Wiktora.

– Świetnie, że jesteś.

– Mhm.

– Mam coś dla ciebie.

– Co takiego?

– Dwie rzeczy. Jedna to prezent, druga to zadanie. Od czego chcesz zacząć?

Forst wzruszył ramionami. Nie miał ochoty na gierki.

– A zatem od tego pierwszego – postanowił Bałajew, odsuwając górną szufladę biurka. – Jak mówią, najlepszych prezentów nie kupisz w sklepie. I to poniekąd prawda.

Sięgnął do szuflady, a potem z zadowoleniem uniósł dłonie. W jednej trzymał pistolet, w drugiej tłumik. Forst popatrzył na niego niepewnie.

Może się pomylił? Może któraś z dziewczyn doniosła? To by tłumaczyło, dlatego tak nagle pojawił się Uljan. I dlaczego zabrał Myszę.

Tym razem Rosjanie mogli zdecydować się na niewielki fortel, choćby dla jakiejś chorej rozrywki. Raz odpuścili mu zbytnią wścibskość. Na drugą szansę jednak nie powinien liczyć.

– Piękny, prawda? – odezwał się Siergiej, patrząc na broń. Forst skinął lekko głową.

– CZ P-09. Kanciasty, matowy i... siermiężny. I właśnie dlatego mi się podoba.

– Król pojemności.

– Co takiego?

– Tak go nazywaliśmy ze względu na duży magazynek.

Bałajew zamyślił się, a potem potrząsnął głową i umocował prostokątny tłumik na lufie. Wyglądał, jakby nie był w stanie stłumić wystrzału choćby o pół decybela. Forst jednak z doświadczenia wiedział, że sprzęt działa jak należy. Czesi nie byli może arcymistrzami w produkcji broni, ale w tym wypadku stanęli na wysokości zadania.

– No tak... – mruknął Siergiej. – Znasz się przecież na rzeczy.

– Mniej więcej – odparł Forst, zbliżając się do biurka. Wskazał na magazynek. – Zmieści dziewiętnaście naboi, plus jeden w komorze. Luger dziewięć milimetrów. Szkielet i okładzina z polimeru, zintegrowane. Szczerbinka stała, mechanizm spustowy DA/SA.

– Hm?

– Pojedynczego–podwójnego działania.

Bałajew zważył pistolet w dłoni.

– Waga? – zapytał.

– Z tym gigantycznym tłumikiem? Ponad kilogram. Bez niego jakieś osiemset pięćdziesiąt gramów.

Siergiej skinął głową z uznaniem. Potem wycelował w Forsta.

Wiktor drgnął nerwowo.

Szybko jednak się rozluźnił, widząc uśmiech Rosjanina. Ten szybko obrócił P-09 w dłoni, wstał, a potem wręczył broń Forstowi z namaszczeniem, jakby pasował go na rycerza.

– Dla ciebie – powiedział. – Zarazem prezent, jak i zadanie.

Zaległo ciężkie milczenie, Wiktor przestąpił z nogi na nogę.

– Nie weźmiesz?

Nie miał wyjścia. Od pewnego czasu wiedział, że tak to się skończy. Że zostanie zaufanym człowiekiem Bałajewa. Jednym z tych, którym szef powierza najtrudniejszą robotę.

Zresztą przybył tutaj w określonym celu, a to był krok, by go osiągnąć. Nie mógł o tym zapominać. Noelia Calavera była istotna, ale przecież istniały rzeczy ważniejsze.

Zaśmiał się cicho. Czy aby na pewno?

– Coś zabawnego wpadło ci do głowy? – spytał Siergiej.

Forst podszedł jeszcze bliżej, a potem wyciągnął dłoń. Kiedy Rosjanin wsadził mu w nią pistolet, poczuł się, jakby sprzeniewierzał się wszystkiemu, co robił przez całe życie. Gdyby ktoś w szkole oficerskiej powiedział mu, że kiedyś przyjmie zlecenie zabójstwa od bossa rosyjskiej mafii, zaśmiałby się o wiele głośniej niż teraz.

Otworzył magazynek, spojrzał na pierwszy nabój, po czym zatrzasnął go z impetem.

Potem wycelował w głowę Bałajewa.

14

Po trzech godzinach na miejscu zdarzenia Wadryś-
-Hansen miała serdecznie dosyć. Gerc zjawił się dopiero
kilkadziesiąt minut po niej i od tamtej pory pożerał wzrokiem każdy szczegół, jakby był na osobliwym prokurator-
skim głodzie.

Być może w pewnym sensie tak było, nie dotarł bowiem
do żadnych konkretów w sprawie dotychczasowych ofiar.
Żadnych danych, żadnych śladów, żadnych poszlak. Nie było
niczego, co mogłoby im się przydać.

Sekcja zwłok nie rozwiała wątpliwości co do przyczyn
śmierci. Ustalono tylko tyle, że dziewczyny spod Giewontu
udusiły się. Mogło to oznaczać, że przysypała je lawina, ale
każdy inny scenariusz był równie prawdopodobny.

Potwierdzono, że ta odnaleziona na placu budowy zmarła
od uderzenia tępym narzędziem w tył głowy. Nic więcej nie
udało się ustalić.

W przypadku Wiki Bielskiej sytuacja wydawała się jednak
oczywista. Ratownik prawdopodobnie miał rację, mówiąc
o upadku z drabiny. Czy też raczej o zepchnięciu.

Aleksander przeciągnął się i ziewnął. Dominika wyczytała
gdzieś, że jest określenie na te dwie czynności wykonywa-
ne jednocześnie. Pochodziło od łacińskiego *pandere* – i o ile
się nie myliła, po polsku brzmiało „pandykulacja".

Wadryś-Hansen schowała ręce do kieszeni, patrząc ponaglająco na Gerca.

– Starczy tej pandykulacji – powiedziała.

– Czego?

– Nieważne – odparła. – Czas się pakować.

– Się? Raczej trupa i dowody – mruknął, przyglądając się po raz kolejny ciału. – Ale daj mi jeszcze chwilę.

– Obejrzałeś ją już z każdej strony.

– Nie z każdej.

– Więc zrobisz to w zakładzie medycyny sądowej.

– Tam będę zwracał uwagę na inne rzeczy.

– A tutaj czego szukasz, Aleks? Papierków po big redach? Opakowania czerwonych westów? – bąknęła z niezadowoleniem.

Obejrzał się przez ramię i posłał jej długie spojrzenie.

– Spieszy ci się gdzieś? – spytał.

– Tak. Musimy ustalić strategię medialną i zadbać o zachowanie spokoju.

– Hę?

Wyciągnęła prawą rękę z kieszeni i wskazała na zwłoki.

– Wyobrażasz sobie, co się stanie, kiedy to wyjdzie na jaw? – spytała. – Jaka panika wybuchnie?

– Spodziewasz się, że ludzie…

Urwał i zawiesił wzrok gdzieś we wnętrzu ciemnego skalnego korytarza.

– Tak – odezwała się. – Pomyślą, że Bestia wróciła.

Gerc milczał. Stanowczo za długo.

Dominika pokręciła głową, wiedząc, co towarzysz stara się bezgłośnie zasugerować.

– Nie – powiedziała. – Bestia zginęła na zboczach Orlej Perci.

– Nigdy nie znaleziono zwłok.

– Góry są rozległe, a ciało ludzkie…

– Tak, tak, zaczyna rozkładać się już cztery minuty po śmierci. Też czytałem Becketta.

– Więc może powinieneś sięgnąć po podręcznik do kryminalistyki – odparła, marszcząc czoło. – Nie istnieje naukowy sposób, by ustalić uniwersalne interwały *post mortem*. Wszystko zależy od szeregu warunków, przede wszystkim środowiskowych.

Gerc spojrzał na nią, jakby był urażony faktem, że zdecydowała mu się to wyłuszczyć. Przez moment patrzyli na siebie, a potem przenieśli wzrok na zwłoki dziewczyny. Jej otwarte oczy nadal potęgowały poczucie upiorności.

– A jeśli już mówimy o samym momencie początkowym zmian, to zaczynają zachodzić, kiedy zatrzymuje się serce. Przestaje dostarczać tlenu do krwi, zmienia się pH. I mimo że nic nie widać na zewnątrz, komórki wewnątrz ciała niemal od razu zaczynają się rozpadać, uwalniając enzymy, które prowadzą do rozkładu ich samych i tkanek.

– Mhm.

– Autoliza.

– Tak, wiem.

– Na tym etapie bakterie w przewodzie pokarmowym zaczynają żywić się tkankami miękkimi organów.

Oboje przełknęli ślinę, nie odrywając wzroku od Bielskiej.

– Potem zaczynają się pojawiać się pierwsze oznaki *livor mortis*.

– No tak…

Zaległa cisza, którą raz po raz przerywały jedynie odgłosy kropli spadających ze stropu. W końcu Gerc odchrząknął i popatrzył w stronę wyjścia. Sprawiał wrażenie, jakby światło z zewnątrz w jakiś sposób dodało mu rezonu.

Dopiero teraz Dominika uświadomiła sobie, że oboje pozwolili marazmowi zagrać pierwsze skrzypce.

– Pakujmy się – powtórzyła. – Zrobiliśmy tu już wszystko, co mogliśmy.

Miała przekonanie, że w istocie tak było. Sfotografowała nawet monetę w ustach dziewczyny, a potem wysłała zdjęcia do specjalisty numizmatyki, z którego pomocy korzystała już wcześniej. Liczyła na szybką odpowiedź, w końcu nie chodziło ani o syryjski nominał, ani o żadną starożytną replikę. Spec jednak milczał.

Odezwał się z pierwszymi informacjami, dopiero gdy wraz z Gercem czekała w zakładzie medycyny sądowej na przygotowanie ciała do sekcji.

Odebrała połączenie wideo przez Messengera, a potem wyciągnęła telefon przed siebie. Naukowiec zrobił to samo, choć trzymał obiektyw nieco za nisko, przez co na pierwszym planie znalazła się jego broda. Jakość nie była najlepsza, najwyraźniej miał już nieco przykurzony model smartfona.

– Nie spieszyło się panu – burknął Aleks.

Dominika syknęła cicho i posłała mu ostrzegawcze spojrzenie. Zwyczajowo je zignorował, wlepiając wzrok w mężczyznę.

– Zapewniam, że…

– Co udało się ustalić? – przerwał mu Gerc.

– Cóż, przede wszystkim…

– Czas nagli.

Mężczyzna nerwowo odchrząknął.

– Doprawdy? – żachnął się. – A mnie się wydaje, że tej osobie, której zdjęcie otrzymałem, już się nigdzie nie spieszy.

– Wręcz przeciwnie – włączyła się Wadryś-Hansen. – Jej spieszy się najbardziej. Bo jeśli będziemy zwlekać, możemy nigdy nie złapać człowieka, który pozbawił ją życia.

Specjalista na moment zamilkł, a potem skinął głową. Przelotnie widać było jego czoło, potem wrócił pierwotny kadr.

– Ta moneta to okazjonalne dziesięć euro, wybite w dwa tysiące siódmym roku przez hiszpańską mennicę. Ma średnicę czterdziestu milimetrów, waży niecałe trzydzieści gramów, w sumie do obiegu trafiło dwanaście tysięcy sztuk.

– A z istotnych rzeczy? – spytał Aleks.

– Na awersie znajduje się podobizna Jana Karola Pierwszego Burbona, który...

– Hę?

– Juana Carlosa, obecnego króla Hiszpanii. Umieszczanie go na takich monetach jest powszechną praktyką.

– Na dobra. A rewers? Co to za statek?

– Okręt badawczy Hespérides – wyjaśnił naukowiec. – Musiałem nieco rozeznać się w temacie, stąd moje milczenie. Sama podobizna tej jednostki jest nieprzypadkowa, moneta bowiem została wybita z okazji obchodów Międzynarodowego Roku Polarnego.

Czy miało to jakiekolwiek znaczenie dla sprawy? Z jednej strony Dominika szczerze w to wątpiła, z drugiej nie bez powodu właśnie ten numizmat znalazł się w ustach Wiki Bielskiej.

– To potężna jednostka o wyporności niemal trzech tysięcy ton – ciągnął spec. – Jako jedyny hiszpański okręt jest w stanie prowadzić badania naukowe w najodleglejszych rejonach Arktyki i Antarktyki. Pośród tych skutych lodem wód spędza dwieście czterdzieści dni w roku, a...

– Ma pan dla nas coś pomocnego? – wpadł mu w słowo Gerc.

Naukowiec się skrzywił.

– Na tym etapie chyba wszystko może okazać się pomocne, nieprawdaż?

– Z pewnością nie bzdury o Antarktydzie.

– Cóż, Antarktyda to ląd, ale…

– Dziękujemy – uciął Aleksander, a potem stuknął w wyświetlacz, kończąc połączenie.

Dominika uniosła brwi.

– Dowiedzieliśmy się więcej, niż powinniśmy – zauważył Gerc. – Teraz chodźmy przyjrzeć się trupowi.

– Tyle że te informacje…

– Daj spokój. Nie mogły okazać się pomocne.

– Nigdy nie wiesz.

Ruszyli w stronę sali sekcyjnej. W całym budynku zdawał się panować przejmujący chłód, jakby samo powietrze sugerowało, że człowiek znalazł się w innym, odseparowanym od rzeczywistości świecie. Świecie, w którym więcej było śmierci niż życia.

Dominika weszła do środka przed Gercem, a potem oboje ustawili się przed stołem i wysłuchali wstępnych ustaleń patomorfologa. Nie dotarł do niczego odkrywczego, ale należało się tego spodziewać. Jeśli sprawcą była ta sama osoba, to dysponowała odpowiednią wiedzą i umiejętnościami, by nie pozostawić żadnych znaczących poszlak.

– Nachodzi mnie jedna myśl, być może złudna – dodał technik.

– Jaka? – rzucił niechętnie Gerc.

– Że wszystkie te zabójstwa zostały popełnione w sposób dość elegancki.

– Elegancki? – spytała Wadryś-Hansen.

– Bez niepotrzebnego rozlewu krwi, bez zadawania cierpienia.

Dominika pokręciła głową.

– Te dziewczyny spod Giewontu z pewnością cierpiały.

– Pewności nie ma – zauważył patomorfolog. – Poza tym wie pani, co mam na myśli.

– Nie, nie wiem.

– Jest w tym wszystkim nie tylko pewna gracja, ale także nieśmiałość, brak chęci do chełpienia się swoim czynem.

– Stał się pan profilerem?

– Po prostu mówię, co widzę. A widzę tu kobiecą rękę.

Wadryś-Hansen stłumiła westchnięcie, ale Aleksander nie miał na tyle determinacji. Przeciwnie, dał upust swoim emocjom, teatralnie nabierając tchu i unosząc wzrok.

– Niech pan po prostu ustali, jak ta dziewczyna zmarła.

– To jest akurat jasne.

Spojrzał wymownie na prokuratora, a ten skrzyżował ręce na piersi.

– Ułamał się ząb obrotnika, a potem wklinował w kanał kręgowy.

– Hę?

– Złamanie karku – wyjaśnił patomorfolog. – Ofiara naj-pewniej została zepchnięta z tamtej drabiny. Co też potwier-dza *modus operandi* kobiety.

Dominika nie chciała o tym słyszeć. Nie było żadnych powodów, by sądzić, że kobiety zabijają w sposób bardziej elegancki. Jeśli statystyki czegokolwiek dowodziły, to jedynie tego, że reżyserowały swoje przedstawienia tak, by nie wyglą-dały na zabójstwo. Dzięki temu seryjne zabójczynie wpadały dwukrotnie rzadziej od swoich męskich odpowiedników.

– Niczego to nie potwierdza – zauważył Aleks.

– Ale daje wstępny obraz...

– Wypadku? – wszedł mu w słowo Gerc. – Można by się z tym zgodzić, gdyby nie pierdolony obol w gębie.

Zaległo ciężkie milczenie. Cała trójka spojrzała na zamknięte usta i oczy ofiary. Nie pierwszy raz podczas swojej wieloletniej kariery Dominika pomyślała o tym, że rodziny zmarłych nigdy nie powinny wiedzieć, co dzieje się za drzwiami pomieszczeń sekcyjnych.

– A jednak…

– Zna pan badania Hickeya? – zapytała Wadryś-Hansen.

– Znam, oczywiście.

Nie miała zamiaru dodawać niczego więcej. Z ustaleń Amerykanina wynikało kilka istotnych wniosków, ale żadnego z nich patomorfolog nie mógł użyć do podparcia swojej tezy. Hickey twierdził, że w osiemdziesięciu procentach przypadków kobiety trują ofiary. To był najpowszechniejszy *modus operandi* seryjnych zabójczyń. Duszenie znajdowało się dopiero na czwartym miejscu, w ten sposób mordowała raptem garstka.

Nie mówiąc już o spychaniu ofiar z metalowych drabinek w górach.

Za najczęstszy motyw przyjmowano względy pragmatyczne – kobiety w siedemdziesięciu czterech procentach zabijały, by się wzbogacić, a nie dać wyraz jakimś wynaturzonym żądzom. W przypadku Wiki Bielskiej trudno byłoby osiągnąć taką korzyść.

Oczywiście były i takie, które szukały poczucia kontroli. Przez lata trwały w związkach, w których partnerzy mieli nad nimi pełną władzę, a one w pewnym momencie po prostu pękały.

Dominika odsunęła te myśli. Statystyki miały to do siebie, że gdyby zsumować globalnie liczbę ludzi i jąder na świecie, wyszłyby, że każda osoba ma przynajmniej jedno.

Dwoje prokuratorów opuściło budynek, nie wzbogaciwszy się o żadne konkretne informacje. Zaraz po wyjściu Wadryś-

-Hansen wyciągnęła paczkę vogue'ów i po chwili zaciągnęła się głęboko cienkim papierosem.

Gerc patrzył na nią z aprobatą.

– Prawdziwa metamorfoza.

Uznała, że najlepiej będzie nie odpowiadać na zaczepkę.

– Choć spodziewałbym się po tobie raczej cygaretki – dorzucił. – W dodatku palonej przez jakiś fikuśny ustnik.

– Daj spokój, Aleks.

– To i tak mało kreatywna wizja. Wiesz, jakie spekulacje snuje się w prokuraturze?

– Nie. I nie chcę wiedzieć.

– Niektórzy twierdzą, że każesz krzyczeć „ku chwale Królowej" podczas seksu.

Nie sądziła, by ktokolwiek rzeczywiście zniżył się do tego poziomu, choć tajemnicą poliszynela było, że od czasu do czasu jakieś arystokratyczne aluzje się pojawiały. Ale być może teraz przestaną. Sama dostrzegała zmiany, które w niej zachodziły.

Zaciągnęła się lekko i wypuściła cienką strużkę dymu. Nie było teraz czasu się nad tym zastanawiać. Liczyła się Wika Bielska.

– Musimy ją skrupulatnie prześwietlić – odezwała się.

– Królową?

– Ofiarę – odparła cicho Dominika. – Nie była przypadkowa.

– Nie?

Wadryś-Hansen pokiwała głową.

– To nie robota Bestii, Gerc – zauważyła. – Zabójca nie chodził po szlakach, szukając potencjalnych ofiar. Byłoby to niewykonalne o tej porze. Musiał zasadzić się na Bielską, a być może sam zaprowadził ją do tej jaskini.

– Przesłuchaliśmy pracowników TPN-u, dziewczyna wchodziła sama.

– Nie musiał przechodzić przez bramki na szlaku – odparła, nieco poirytowana.

Szybko zrzuciła to na karb nikotyny, która nigdy nie koiła jej nerwów, ale wręcz przeciwnie. Może dlatego, że z każdym sztachnięciem narastało w Dominice poczucie, że robi coś wyjątkowo głupiego. A mimo to zaciągała się kolejny raz. I kolejny.

Nie, w tym wypadku nie chodziło o palenie. Uwierała ją świadomość tego, że nie rozumie, dlaczego Forst uznał tę dziewczynę za tak istotną, by bezpośrednio wskazać ją Dominice.

– Odpowiedzi tkwią w jej przeszłości – odezwała się.

– Oby. Bo przyszłości już nie ma żadnej.

Wadryś-Hansen pokiwała głową. Potem oboje w milczeniu skierowali się do auta.

Pojechali na Kościeliską, do domu Bielskiej. Budynek był już obstawiony przez policję, taśmy zostały rozciągnięte, a wewnątrz kręcili się technicy. Przynajmniej część musiała przyjechać z Krakowa, bo mieli ze sobą sprzęt do tworzenia trójwymiarowych obrazów z miejsca zbrodni.

Jeden z nich zatrzymał prokuratorów tuż za progiem i podał im rękawiczki.

– Coś ciekawego? – rzucił Gerc.

Mężczyzna pokręcił głową.

– Trochę nieumytych garnków w zlewie, ślady świadczące o tym, że dziś rano ktoś jadł w tym domu śniadanie. Obecny zapach dymu papierosowego, mnóstwo niedopałków w popielniczce, kilka pustych butelek po piwie w koszu…

Rozłożył ręce, jakby nie wiedział, czy kończyć litanię, czy mówić dalej.

– Niczego znaczącego? – spytała Wadryś-Hansen.

Pokręcił głową.

– Ewidentnie mieszkały tu dwie osoby, być może było jakieś zwierzę, bo gdzieniegdzie...

– Dwie?

Technik kryminalistyki zmarszczył czoło. Najwyraźniej spodziewał się, że ktoś już kontaktował się z oskarżycielami w sprawie pierwszych wyników badania miejsca zdarzenia.

– Tak by wynikało z czystej logiki – powiedział. – Pito tu dwa rodzaje piw, palono dwa rodzaje papierosów. Cienkie elemy i westy.

Dominika i Gerc wymienili się spojrzeniami.

– Te westy... – podchwycił Aleks. – Lighty?

– Nie, czerwone.

15

Nie ulegało wątpliwości, że telewizja tworzyła mity. Jednym z nich było powszechne przekonanie, że pistolet z tłumikiem wydaje ciche pyknięcie, kiedy pociąga się za spust. Forst wiedział jednak, że dźwięk bardziej przypomina upadek czegoś twardego na kamienną posadzkę.

Siergiej również był tego świadomy. Szeroki uśmiech na jego twarzy zdawał się to potwierdzać.

– Co ty robisz, *jop twoju mać*? – rzucił niemal prześmiewczo Rosjanin.

– To, co powinienem zrobić już dawno.

Bałajew machnął ręką.

– Odłóż broń i skończ te bzdury.

Cisza, które zaległa, zdawała się Forstowi głośniejsza niż największy hałas. Siergiej jednak nadal sprawiał wrażenie, jakby był przekonany, że to żarty.

– W skrytce bankowej w Torrevieja czeka twoje pierwsze zlecenie. I zapewniam cię, że…

– Nie mam zamiaru niczego dla ciebie robić.

Bałajew na moment zamarł, a potem najwyraźniej w końcu zrozumiał, że Forst nie żartuje. Chciał się podnieść, ale sugestywny ruch broni kazał mu zostać za biurkiem. Popatrzył niepewnie w oczy Wiktora, a potem wprost w lufę.

– Widzę, że się co do ciebie pomyliłem – odezwał się. – Z policjantami jednak jest jak z dziwkami. Jak się skurwisz, kurwą pozostajesz. Raz założysz mundur, a…

– Zachowaj te mądrości dla siebie.

Siergiej skrzyżował ręce na brzuchu i odchylił się lekko.

– Co zamierzasz? – spytał.

Forst zerknął wymownie na pistolet.

– Naprawdę? – Bałajew prychnął. – Chcesz mnie zabić?

– Bóg wie, że na to zasłużyłeś.

– Bóg niczego nie wie – odparł z powagą Rosjanin, jakby usłyszał nie zwyczajną formułkę, ale przyczynek do filozoficznej dysputy. – Bo nie interesuje go, co dzieje się w takich miejscach jak to, rozumiesz?

Forst milczał, rozważając swoje możliwości. Podjął decyzję szybko, ale miał wrażenie, że przygotowywał się, by to zrobić, już od...

Być może od kiedy pamiętał.

W jednym Siergiej miał rację. Kto kiedyś był stróżem prawa, pozostawał nim na zawsze. Bez względu na to, czy dał się po drodze skorumpować, zmienił stronę, czy uchybił kardynalnym zasadom. Ostatecznie policjant był policjantem.

– A skoro Boga to nie interesuje, kim ty jesteś, żeby tu węszyć, co?

Wiktor nie miał zamiaru wdawać się w dyskusję. Potrzebował chwili do namysłu.

Nie, tak naprawdę nie potrzebował. Wiedział doskonale, co zamierza zrobić.

– Za kogo ty się masz?

– Za nikogo istotnego.

– Słusznie.

– Choć w tym momencie, z twojego punktu widzenia, jestem właściwie najważniejszą osobą na świecie – dodał.

– Doprawdy? – spytał z uśmiechem Siergiej. – Żeby tak uważać, musiałbym uwierzyć, że jesteś gotów pociągnąć za cyngiel. A wiem, że cokolwiek strzeliło ci do głowy, nie upośledziło cię na tyle, byś stał się samobójcą.

Na dobrą sprawę mógłby z tym polemizować.

– Ten tłumik na niewiele się zda – dodał Bałajew. – Natychmiast zaalarmujesz chłopaków na piętrze.

Miał oczywiście rację. P-09 pozbawiony tłumika spowodowałby hałas mniej więcej stu sześćdziesięciu decybeli. Z tym gadżetem poziom spadnie do stu dwudziestu. Wystrzał nadal będzie wyraźnie słyszalny.

– I pomyśleć, że widziałem dla ciebie przyszłość.

W pewnym sensie rzeczywiście świadczyło to o jego naiwności. Choć może nie w tym sensie, który sam miał na myśli.

Siergiej pokręcił głową i westchnął.

– Byłem przekonany, że po tych przejściach nad Salinas cię poznałem, Wiktor.

– A więc się pomyliłeś.

– Najwyraźniej – przyznał z bólem w głosie. – Bo nie założyłem, że jesteś nienormalny. A powinienem był.

Czas brać się do roboty, uznał Forst. Im dłużej będzie czekał, tym większe trudności będzie miał z opuszczeniem willi. Tuż po zmroku ochrona nie była tak czujna jak później.

Zbliżył się o pół kroku do biurka, a potem wycelował między oczy Bałajewa.

– Morda na blat.

– Co?

– Na biurko. Już.

Siergiej znów się uśmiechnął, zupełnie jakby nie dowierzał, że to dzieje się naprawdę. Położył głowę bokiem, a potem zerknął na Wiktora.

– Będziesz pluł sobie w brodę do końca życia – powiedział. – Czyli raczej niedługo.

– Przodem – rzucił Forst.

Rosjanin nie zareagował, więc Wiktor ułożył go twarzą do blatu. Potem przytknął lufę do karku i nabrał głęboko tchu. Kości zostały już rzucone, teraz pozostało jedynie je pozbierać i uciec jak najdalej stąd.

– Jeśli wydaje ci się, że...

Przycisnął pistolet mocniej, nie mając ochoty wysłuchiwać gróźb. Ani tłumaczeń. Wiedział, że jeśli tylko poruszy temat Noelii, usłyszy cały wywód o powodach, dla których Bałajew zdecydował się rozszerzyć swoją działalność o porwania. Szkoda mu było czasu na wysłuchiwanie tych bzdur.

Sięgnął po ciężką popielniczkę, a potem z impetem opuścił ją na tył głowy Rosjanina. Ten jęknął tylko cicho, a w tym samym momencie rozległ się niepokojący, chrzęszczący dźwięk. Krew z nosa rozlała się po blacie biurka.

Forst wsunął pistolet do kieszeni jeansów, po czym przytrzymał głowę Siergieja i ponownie uderzył w to samo miejsce. Potem jeszcze raz i kolejny. W ostatniej chwili powstrzymał się przed tym, by zakończyć to wszystko tu i teraz.

Odstawił popielniczkę i obrócił się w stronę drzwi. Wystrzał z pewnością byłby słyszalny, ale nie musiał obawiać się podobnego ryzyka w przypadku kilku uderzeń. Ściany były odpowiednio grube, by tłumić dość powszechne w rezydencji jęki i westchnienia.

Zanim Forst opuścił gabinet Siergieja, zabrał jego telefon, trochę pieniędzy i wszystkie klucze, jakie udało mu się znaleźć. Jednym z nich zamknął drzwi od zewnątrz. Potem skierował się do składziku, zabrał jeden z najcięższych kijów golfowych i poszedł do pokoju, w którym spodziewał się znaleźć Uljana Pierłowa.

Rosjanin nadal był w środku. Leżał na Myszy i był tak zajęty tym, co robił, że nie usłyszał kroków dochodzących zza jego pleców.

Po chwili było już zbyt późno. Forst potraktował go kijem golfowym, wkładając w to całą swoją siłę. Uljan został obezwładniony już po pierwszym ciosie. Dziewczyna natychmiast go z siebie zrzuciła.

Dopiero po chwili doszło do niej, co się stało.

– Krieger... co ty...

– Zwiąż go albo dobij – rzucił, kierując się z powrotem na korytarz. – Ja muszę się jeszcze czymś zająć.

W willi znajdowało się kilku goryli, cała reszta obchodziła teren na zewnątrz. Tą drugą grupą się nie przejmował. Zanim połapią się, co się wydarzyło, jego już tutaj nie będzie. Nie usłyszą żadnego ze strzałów, które miał zamiar oddać.

Skierował się do pierwszego z zajętych pokojów. Otworzył drzwi, zastając w środku jednego z ludzi Siergieja, zabawiającego się z którąś z dziewczyn. Wiktor nie pamiętał jej imienia.

Doskonale za to wiedział, że strzela do niejakiego Wasilija. Imiona wszystkich ochroniarzy, podobnie jak ich doświadczenie, wyposażenie i umiejętności, dobrze zapamiętał podczas pobytu w Villamartín. Od dawna przygotowywał się do tego, co teraz miał zrobić. Wprawdzie zamierzał poczekać jeszcze trochę, ale sytuacja nie pozostawiła mu żadnego wyjścia.

Strzelił w klatkę piersiową mężczyzny, nie chcąc ryzykować, że chybi. Dziewczyna krzyknęła, a z ciała Wasilija trysnęła krew. Czerwony rozbryzg pojawił się na ścianie za Rosjaninem, jeszcze zanim ten padł bezwładnie na podłogę.

Forst natychmiast wyszedł na korytarz i obrócił się w kierunku kolejnej sypialni. Wyciągnął broń i czekał. Kiedy tylko drzwi się otworzyły, oddał strzał.

Kolejny ochroniarz padł bez życia na ziemię.

Wiktor nasłuchiwał.

Dwóch? Nie, powinien być jeszcze jeden, Artiom. Chłopak, który powitał go w Torrevieja i załatwił wszystkie formalności.

Forst rozejrzał się, ale nigdzie go nie dostrzegł. Z kolejnych pokojów wychodziły same dziewczyny, z przerażeniem patrząc na Wiktora.

– Wszystko w porządku – rozległ się głos Myszy.

Były komisarz spojrzał na nią z wdzięcznością. Potrzebował jej pomocy, jeśli miał zapanować nad emocjami zdezorientowanych dziewczyn.

– Gdzie jest Artiom? – rzucił.

Jedna z nich wskazała zamknięte drzwi. Forst ruszył szybko w ich kierunku, obawiając się, że chłopak już dzwoni po posiłki. Załatwienie dwóch niczego nieświadomych goryli nie nastręczało problemów, ale gdyby zjawili się tutaj ci, którzy patrolowali okolicę, nie pożyłby długo.

Wiktor otworzył drzwi z wyciągniętym przed siebie pistoletem. Wpadł do środka w samą porę, Artiom bowiem już przewracał pościel, szukając komórki.

– Nie chcę zabrzmieć pompatycznie – odezwał się Forst. – Ale jeśli w tej chwili nie zastygniesz w bezruchu, znieruchomiejesz już na wieki.

Artiom wstrzymał oddech i zamarł.

– Słuszna decyzja – pochwalił go Wiktor. – A teraz wychodź na zewnątrz. Powoli.

Chłopak nie stwarzał żadnego zagrożenia. Był tak przerażony, że niemal go to sparaliżowało. Forst miał wrażenie, że za moment ugną się pod nim nogi. Przepędził go na dół, a potem polecił Myszy, by zebrała wszystkie dziewczyny w części wspólnej.

– Co z Pierłowem? – zapytał ją.

– Nikomu już nie zrobi krzywdy.

Tyle mu wystarczyło, nie zamierzał wnikać.

Poczekał, aż wszystkie lokatorki willi zgromadzą się na dole, a potem powiódł wzrokiem dokoła. Artiom stał obok, wbijał wzrok pod siebie i wyglądał, jakby zaraz miał dostać drgawek.

Wiktor wyjął telefon Bałajewa, a potem wybrał jeden z numerów. Włączył głośnik. Wszyscy wsłuchiwali się w przerywany dźwięk.

– Tak? – rozległ się niepewny, męski głos.

– Joaquín Calavera?

Rozmówca przez moment milczał.

– Doskonale pan wie, do kogo dzwoni...

A zatem Rosjanin kontaktował się z nim bezpośrednio. Świetnie, to tylko ułatwi sprawę.

– Niezupełnie – odparł Forst. – Ale zaraz wszystko wyjaśnię.

– Kim pan...

– Nazywam się Robert Krieger. Jestem w willi, w której przetrzymywana jest pana córka. I tak się składa, że zamierzam ją stąd zabrać.

– Ale...

Nie było żadnego „ale". Kiedy biznesmen sobie to uświadomił, zamilkł. Przełknął ślinę tak głośno, że słychać było to wyraźnie w słuchawce.

– Pańska córka nie jest tu sama – dodał Wiktor. – Innych dziewczyn jest... – Rozejrzał się. – Dość pokaźna grupa. A ja zamierzam zabrać ze sobą każdą, która będzie chciała się stąd wyrwać.

– O czym pan...

– Proszę mnie posłuchać.

331

– Mówi pan poważnie? Na Boga…

– Jeśli zaoferuje pan, że mi w tym pomoże, obaj wyjdziemy na tym całkiem nieźle. A najlepiej pańska córka.

– Ale…

– Więc jak będzie? Mogę liczyć na pomoc?

– O-oczywiście – wydusił z trudem rozmówca.

Forst uśmiechnął się lekko. Trudno było uznać, żeby w tej sytuacji ktokolwiek miał szczęście, ale Wiktor potrafił wyobrazić sobie znacznie gorszy scenariusz. Przełączył telefon na normalny tryb, a potem spojrzał pytająco na Myszę.

Nie musiał nic mówić. Sama zaczęła pytać dziewczyn, czy mają zamiar skorzystać ze złożonej przez Forsta propozycji.

On sam odszedł kawałek, by spokojnie porozmawiać z Calaverą. Musiał ustalić kilka istotnych szczegółów.

Wyłuszczył mu je, a potem powiedział znacznie więcej, niż mężczyzna musiał wiedzieć. Uznał jednak, że odbierze to jako gest dobrej woli.

Kiedy Wiktor skończył, Calavera przez jakiś czas milczał.

– To wszystko… to wszystko prawda?

– Tak.

– I naprawdę był pan komisarzem policji?

– Z perspektywą awansu. Przynajmniej do czasu, gdy pewien szaleniec powiesił nagiego mężczyznę na Giewoncie.

– Na…

– Jeden ze szczytów w Polsce, to w tej chwili nieistotne – zbył temat Forst. – To, co się liczy, to transport.

– Tak, tak, oczywiście…

– Załatwi to pan?

– Bez najmniejszego problemu – zapewnił stanowczo Joaquín, choć głos nadal mu się trząsł. – Ale nie wiem, czy nie lepiej byłoby zdecydować się na podróż lądem.

– Nie.

– Zajęłoby to znacznie mniej czasu i…

– Rosjanie znajdą trop, panie Calavera. Nie możemy sobie na to pozwolić. To musi się odbyć różnymi środkami transportu. Najpierw łódź, potem TIR. Takie są moje warunki.

– Jest pan pewien?

– Tak. Wiem, do czego zdolni są ci ludzie. Kiedy tylko zorientują się, co się stało, uruchomią wszystkie swoje kontakty. I nie będą mieli problemu z namierzeniem nas na lądzie.

Joaquín milczał.

– Pan również powinien mieć to na uwadze – dodał Wiktor. – Będą starali się odnaleźć Noelię.

– Wiem.

– Proponuję, by popłynęła z dziewczynami.

– Nie, to nie najlepszy pomysł…

– Zajmę się nią osobiście po powrocie do Polski.

Forst nie mógł pomyśleć o żadnym lepszym miejscu ani scenariuszu dla dziewczyny. Ojciec mógł wprawdzie wyprawić ją gdziekolwiek, podobnie jak Wiktor pozostałe dziewczyny. Najsensowniej jednak było mieć je samemu na oku. Przynajmniej przez pewien czas.

Ostatecznie Rosjanie odpuszczą, ale pierwsze dni i tygodnie będą kluczowe.

– Proszę załatwić to, o co prosiłem – odezwał się Forst. – Spotkamy się przy terminalu załadunkowym w Alicante.

Joaquín znów miał trudności z przepchnięciem śliny przez gardło. Odkaszlnął, po czym zapewnił, że wszystko będzie załatwione. Jeszcze tej nocy mieli dokonać wymiany. Hiszpan dostanie córkę, Wiktor otrzyma dostęp do jednego z kontenerowców firmy współpracującej z przedsiębiorstwem Calavery.

Rozłączywszy się, Forst odetchnął. Pierwszy etap był zakończony, teraz musiał tylko liczyć na to, że reszta pójdzie po jego myśli. A potem wywieźć dziewczyny z terenu rezydencji. I zażyć heroinę. Choć trochę, bo czuł już, że nadciąga potężny ból głowy.

Wrócił do części wspólnej, Mysza natychmiast ruszyła w jego stronę.

– I? – zapytał. – Jaki mamy wynik?

– Wynik?

– Ile z was jest gotowych się stąd zabierać?

– Szóstka.

– Co takiego? Tylko...

Westchnął, a potem przeniósł wzrok na grupę dziewczyn stojących obok.

– I to łącznie ze mną – dodała Mysza. – Spodziewałeś się lepszej frekwencji?

– Przynajmniej dwukrotnie.

– I jak byś nas wtedy wywiózł? Razem z tobą to siedem osób, już i tak całkiem sporo, jeśli mamy niepostrzeżenie opuścić teren.

– Coś bym wymyślił.

– I wszyscy byśmy zginęli.

Oderwał wzrok od dziewczyn, które nie zamierzały się stąd ruszać. Przemknęło mu przez myśl, że być może podjęły roztropną decyzję. Tutaj były bezpieczne. Z nim nie. Mogło zdarzyć się wszystko – łącznie z tym, że ktoś zorientuje się w porę i ruszy ich śladem.

– Chyba jesteś idealistą, Krieger – zauważyła Mysza, delikatnie się uśmiechając.

– Chyba tak.

– Większość z nich nie jest tu wbrew własnej woli – dodała, oglądając się przez ramię. – A gdyby wróciły, znalazłyby się w znacznie gorszej sytuacji. W Polsce nic dobrego na nie nie czeka.

– Może i nie – przyznał, wpatrując się w jedną z dziewczyn. Wysoką blondynkę.

Osobę, dla której tu przyjechał.

– A Łucja? – spytał. – Zdecydowała się?

Serce mu zamarło, kiedy Mysza zamilkła. Od odpowiedzi zależało właściwie wszystko. Negatywna mogła sprawić, że to, co do tej pory zrobił, nie miałoby żadnego sensu. Oczywiście miał w zanadrzu wyjście awaryjne, ale na dobrą sprawę tylko dla komfortu psychicznego. Tak naprawdę nie liczył, że plan B przyniósłby realne efekty.

– Łucja? Dlaczego pytasz akurat o nią?

Forst zbliżył się o krok, kątem oka obserwując blondynkę.

– Jedzie z nami czy nie? – syknął.

– Tak.

Odetchnął. Wszystko było w porządku.

16

Dominika siedziała w gabinecie Osicy, przeglądając na komputerze listę innych okazjonalnych monet wybitych przez mennicę Fábrica Nacional de Moneda y Timbre w Madrycie. Przypuszczała, że produkuje się je gdzie indziej, ale najwyraźniej Hiszpanie nie przejmowali się specjalnie względami bezpieczeństwa.

Wiele innych państw drukowało banknoty i biło monety za granicą, czasem w miejscach dość egzotycznych. A wszystko po to, by zminimalizować liczbę chętnych do ewentualnej kradzieży lub nieplanowej nadprodukcji. Przy coraz powszechniejszym obiegu euro traciło to sens, ale nawet gdyby było inaczej, Hiszpanie pewnie znaleźliby inny sposób, by wykazać się niefrasobliwością.

Zamknęła listę i głęboko nabrała tchu. Zanim zdążyła zebrać w umyśle wszystkie ustalenia, drzwi się otworzyły. W progu stanął zgarbiony Osica, patrząc na nią ostrożnie, jakby spodziewał się, że zaraz wygoni go z własnego gabinetu.

– Rozgościła się pani – zauważył, nie robiąc kroku naprzód.

– Sam pan mi to zaproponował.

Pokiwał lekko głową, a potem pokuśtykał do środka i zamknął za sobą drzwi. Formalnie nie wrócił jeszcze na służbę, ale uparł się, by po ostatnich odkryciach opuścić szpital i zjawić się na komendzie.

Bez munduru, w znoszonej koszuli i starej marynarce, wyglądał dla Dominiki jak nie on. Edmund mógł odnieść podobne wrażenie względem niej. Nadal nosiła duże, ciemne okulary, nie mogąc zamaskować pod makijażem odniesionych obrażeń.

– Wszystko z panem w porządku? – zapytała.

Usiadł na fotelu przy ścianie, głośno stękając.

– Czuję się tak, jak wyglądam.

Stwierdziła w duchu, że w takim razie nie jest najlepiej. Popatrzył na nią z wyrzutem, jakby milczenie go uraziło.

– No tak... – mruknął, po czym machnął ręką. Skrzywił się przy tym. – Dowiedziała się pani czegoś nowego? W sprawie tej monety?

– Niestety nie.

Kiedy zmrużył oczy, odniosła wrażenie, że marszczy mu się cała twarz.

– Ten moniak jest istotny – bąknął. – Nie bez powodu padło akurat na taki, a nie inny.

– Możliwe.

– Nie, nie. To pewne.

– Na tym etapie nic nie jest pewne, panie inspektorze.

– To akurat tak.

Nie miała zamiaru się z nim sprzeczać, należał bowiem do gatunku śledczych, którzy uważali, że doskonale rozumieją sprawcę. I może w tym wypadku byłaby to prawda, gdyby chodziło o Bestię z Giewontu. Monetę w ustach ofiary umieścił jednak naśladowca. Osoba zupełnie im nieznana.

– Uważam, że ten statek jest kluczem.

– Do czego?

Wzruszył ramionami.

– Co pani o nim wie?

– Wszystko, co powinnam – odparła ciężko. – A nawet jeszcze więcej.

– Chętnie posłucham. Może wspólnie wyłowimy coś znaczącego z morza wiedzy.

– Wątpię.

Wyciągnął z kieszeni paczkę papierosów, a potem się rozejrzał. Gdyby Dominika wiedziała, że może tutaj zapalić, dawno by to zrobiła. Osica wskazał wzrokiem jedną z szafek za nią. Otworzyła ją i wyciągnęła popielniczkę.

Usiadła na fotelu obok Edmunda, przy niewielkim stoliku. Podpalili w milczeniu.

– Hespérides – powiedziała. – Zbudowany w tysiąc dziewięćset dziewięćdziesiątym w stoczni Bazán w Kartagenie. Tam też zarejestrowany.

– Aha.

– Klasa lodowa 1C.

– Czyli?

– Czyli że może przez cały rok pływać po skutych lodem terytoriach.

Osica podrapał się po drugim podbródku, który uwydatniał się, ilekroć Edmund zaciągał się papierosem.

– Chce pan znać szczegóły techniczne jednostki?

– Nie. Tylko ogólne fakty. Zasłynął czymś szczególnym?

– Niemal dziesięć lat temu uczestniczył w misji ratunkowej w Antarktyce. Jednostka Ocean Nova odbywała rejs pasażerski na Oceanie Południowym, kiedy wysoka fala unieruchomiła statek. Ewakuowano sto sześć osób.

Edmund pokiwał głową w zadumie, jakby mogło to mieć jakieś znaczenie dla ich sprawy. Właściwie mogło mieć, uznała Wadryś-Hansen. Na tym etapie nie powinna wykluczać niczego.

– Co jeszcze?

– W tej chwili jednostka znajduje się gdzieś na Morzu Baffina.

– Gdzie?

Dominika spojrzała na niego ze zdziwieniem.

– Co panią frapuje? – burknął. – Chyba nie spodziewa się pani, że mogę wiedzieć, kim był Baffin, co robił albo dlaczego na jego cześć nazwano jakieś morze? A tym bardziej, gdzie to morze się znajduje?

Prokurator zaciągnęła się głęboko cienkim papierosem.

– Między Grenlandią a Kanadą – wyjaśniła.

Popatrzyła na trzymanego między palcami vouge'a, z którego unosiła się delikatna wstążka dymu. Wadryś-Hansen miała wrażenie, że slimy zawierają w sobie tak mało nikotyny, iż właściwie nie szkodzą zdrowiu. Zapewne na takie właśnie złudzenie pracowały całe zespoły naukowców w laboratoriach British American Tobacco.

Dwa razy tyle ludzi z jeszcze większym zapałem trudziło się nad odnalezieniem tropu w sprawach ostatnich zabójstw. Postępy nie były tak zadowalające jak w przypadku cienkich papierosów.

– Ściągnięto ślady czerwieni wargowej z tych niedopałków – odezwała się po chwili Dominika.

Uznała temat Hespéridesa za wyczerpany, zresztą Osica już nie oponował. Sam musiał dojść do wniosku, że to ślepa uliczka, do której kierował ich z premedytacją sam sprawca.

– I?

– Ślady cheiloskopijne potwierdzają, że te westy wypalił Forst.

Edmund pokręcił głową z zamkniętymi oczami.

– Chryste na niebiosach… – jęknął. – Co to wszystko znaczy? Znał tę dziewczynę?

– Najwyraźniej.

– To pewne? Badania czerwieni wargowej są...

Urwał, ewidentnie nie mając bladego pojęcia, jak przedstawia się ich wartość dowodowa. Wadryś-Hansen specjalnie się nie dziwiła, wciąż nie był to zbyt powszechny sposób tropienia przestępców. Na tle innych krajów Polska wprawdzie jawiła się jako jeden z pionierów, daleko jednak było tej metodzie do stania się podstawowym narzędziem w dziedzinie kryminalistyki.

– Na ustach znajduje się jakieś tysiąc dwieście cech szczególnych, panie inspektorze. Pozostają niezmienne przez mniej więcej dekadę, a te Forsta były pobierane nie tak dawno temu. Jak pan pamięta, był...

– Za kratkami, tak. Trudno byłoby o tym zapomnieć – uciął. – Ale na ile ta metoda jest pewna?

– Na tyle, na ile inne.

Osica uniósł brwi, a potem zgasił papierosa, zginając przy tym filtr niemal na pół.

– Jeśli ma pan zaufanie do dowodów z odcisków palców, powinien mieć pan zaufanie także do tych cheiloskopijnych.

– A powinienem mieć do tych pierwszych?

Wzruszyła ramionami.

– Robi pan w tym fachu dłużej ode mnie.

– Ale staram się nie śledzić, co dzieje się po tym, jak ujmiemy sprawcę – odbąknął. – Cała ta walka sądowa szarga moje nerwy.

Właściwie trudno było się dziwić. Nieraz zdarzało się, że nawet tak pewne dowody jak odciski palców były uznawane za niewystarczające. Nie chodziło nawet o wykazanie bezpośredniego związku z przestępstwem, ale samą wartość odcisków. Do dziś żadne badania naukowe nie potwierdziły, że są one naprawdę unikatowe. Nie ustalono dokładnie tego, jak zmieniają się w czasie ani jakie różnice wywołuje siła dotyku.

Statystyki były zadowalające, ale nie dowodziły stuprocentowej pewności. Wciąż jeszcze brakowało szeroko zakrojonych badań, które precyzyjnie określiłyby prawdopodobieństwo błędu. A w niektórych eksperymentach doświadczeni technicy potrafili z tego samego materiału wyciągnąć diametralnie inne wnioski.

Co dopiero mówić o odciskach czerwieni wargowej.

Tyle że Dominika nie potrzebowała ich, by mieć pewność. Wiktor sam skierował ją na trop dziewczyny. Znał ją, najwyraźniej bywał u niej i był z nią w jakiś sposób powiązany. Choć wbrew temu, co twierdził kryminalistyk na miejscu zdarzenia, Forst nie musiał tam pomieszkiwać. Kilka piw mógł wypić podczas krótkiej wizyty, wypalając przy tym paczkę papierosów.

– Pani prokurator?

Dominika uświadomiła sobie, że Osica coś do niej mówił.

– Tak?

– Pytałem, co w takim układzie państwo zamierzają?

– My?

Edmund uniósł wzrok.

– Gerc – sprostował. – Chciałbym wiedzieć, z jakimi zamiarami nosi się ta nędzna…

– Panie inspektorze.

– Pętaczyna – dokończył Osica, mitygując się.

– Przypuszczam, że dla niego sprawa jest jasna.

– Oczywiście. Był Forst, nie ma Forsta. To wystarczający powód, by traktować go jako głównego podejrzanego.

Biorąc pod uwagę, że znajdował się w mieszkaniu ofiary, rzeczywiście było to wystarczające do postawienia hipotezy o prawdopodobnym sprawstwie. Aleks z pewnością to zrobił, a zaraz potem skontaktował się z przełożonymi.

– Kierownictwo będzie ostrożne – zauważyła Dominika. – Gerc może kierować się emocjami, ale oni nie. Doskonale pamiętają, co działo się ostatnim razem, kiedy postawiliśmy Forstowi zarzuty.

– Od tamtej pory wiele się zmieniło.

– Ale nie uniwersalna zasada o dupokrytce.

Edmund zdawał się głęboko zdziwiony.

– Nie wiedziałem, że używa pani takich terminów.

– Ostatnio ktoś mnie natchnął.

– Mhm.

– W każdym razie nikt nie będzie się wychylał – ciągnęła. – Wszyscy będą czekać na coś, co wyraźniej wskaże na Forsta. Coś, co mogłoby w razie czego pełnić funkcję zderzaka. W tej chwili niczego takiego nie ma.

– Co nie znaczy, że Forst jest bezpieczny.

Przytaknęła lekkim ruchem głowy.

– I dlatego sukinsyn się ukrywa – dodał cicho Osica. – Gdyby nie to, co go spotkało, dawno wychynąłby na światło dzienne. Pomógłby w ujęciu sprawcy.

Dominika powtórzyła gest. Miała nadzieję, że ta rozmowa szybko się zakończy.

– Tymczasem zaszył się gdzieś jak szczur. I to w najlepszym wypadku.

– Najlepszym?

– Tak. W najgorszym prowadzi własne śledztwo, starając się dojść do tego, kto za tym wszystkim stoi.

Wadryś-Hansen nie mogła tego wykluczyć. Fakt, że Wiktor odwiedził Wikę Bielską, a potem podsunął Dominice jej trop, mógł świadczyć o tym, że samodzielnie badał sprawę.

Prokurator uznała, że najwyższy czas prześwietlić dziewczynę. Ale nie na komendzie. Tutaj było zbyt wiele wścibskich oczu, a ona mogła odkryć zbyt wiele rzeczy potencjalnie niekorzystnych dla Forsta.

Wypaliła papierosa do końca, a potem podniosła się i ruszyła w kierunku korytarza.

– A pani dokąd?

– Do pracy.

– Tutaj coś pani przeszkadza? – Osica również wstał. – Czy może ktoś?

– Lubię pracować w samotności.

Pokiwał głową, jakby to tłumaczyło jakieś istotne wnioski, które wyciągnął na jej temat.

– Być może dlatego jesteście później tak trudni w obejściu – zauważył. – Zamykacie się sam na sam ze swoimi myślami, wyciągacie najgorsze wnioski o innych ludziach, a potem...

– Po prostu potrzebuję spokoju.

– Zapewnię go pani na miejscu.

– Nie, dziękuję.

Ruszył za nią, jakby z jakiegoś powodu nie miał zamiaru odpuścić. Spojrzała na niego niepewnie, zastanawiając się, czy czegoś nie podejrzewa. Osica wprawdzie zaczynał w policji, początkowo był tylko typowym oportunistą, ale ostatecznie nabrał sporo doświadczenia.

Szczególnie jeśli chodziło o Forsta i jego metody.

Przypuszczał, że były komisarz wciąż się z nią kontaktuje?

Pozostawiła to pytanie bez odpowiedzi, dochodząc do wniosku, że szukanie jej do niczego dobrego nie doprowadzi. Pożegnała Edmunda lekkim skinieniem i ruszyła między stanowiskami policjantów.

Zawahała się, a potem powiodła wzrokiem wokół. W końcu utkwiła go w jednym z młodszych funkcjonariuszy, niedawno awansowanym. Podeszła do niego i powitała go delikatnym uśmiechem.

Stefan Dębski odpowiedział tym samym, choć w jego oczach dostrzegła pewną mieszankę zmęczenia i niepewności.

– Nie mam zamiaru wypytywać cię o byłego przełożonego – powiedziała.

– Dzięki Bogu. Wydaje mi się, że w ostatnim czasie odpowiedziałem na cały centylion takich samych pytań.

Nie mogło być inaczej. Pryszczaty, nieco pucułowaty policyjny spec od informatyki był jedynym policjantem, do którego Forst odezwał się, gdy ostatnim razem był ścigany. Z jakiegoś powodu Wiktor darzył go zaufaniem – a od zeszłorocznych wydarzeń z pewnością nic się w tej materii nie zmieniło.

Dominika spojrzała na przetłuszczone włosy Dębskiego, a potem na nową naszywkę na ramieniu. Bez wątpienia zasłużył na awans, choć gdyby to nie Osica kierował zakopiańską policją, być może by się go nie doczekał. Typowy służbista na miejscu Edmunda z pewnością nie doceniłby moralnie i prawnie wątpliwych działań Stefana.

Wadryś-Hansen nie miała zamiaru prosić go o cokolwiek, co mogłoby okazać się dla niego kłopotliwe. Ani tym bardziej wypytywać o Forsta. Miała inne plany.

Przysunęła sobie krzesło i usiadła obok chłopaka. Ten poruszył się nerwowo, jakby tak bliska obecność kobiety powodowała dyskomfort. Odsunął się nieco.

– Potrzebuję twojej pomocy – oświadczyła, wpatrując się w monitor.

– Naprawdę nie wiem, gdzie…

– Nie w kwestii szukania Forsta – ucięła. – Takie starania z góry spisuję na porażkę.

– Słusznie.

– Tak sądzisz?

Wzruszył ramionami.

– Życie komisarza jest jakby malowane zanikającą farbą – powiedział.

Był chyba jednym z nielicznych, którzy odnosili się do Wiktora, używając utraconego przez niego stopnia. Dominika popatrzyła na głębokie bruzdy potrądzikowe na twarzy Stefana, a potem przysunęła się trochę.

– Czego pani potrzebuje? – zapytał.

– Informacji.

Dębski pokiwał głową, unikając jej wzroku.

– Słyszałeś o monecie? I o tym, co się na niej znajduje?

– Tak.

– Chcę dowiedzieć się wszystkiego, co się da, na temat Hespéridesa.

Dopiero teraz na nią popatrzył. Z obawą, ale też pewnym ożywieniem, jakby złożyła mu propozycję zarazem niemoralną i kuszącą.

– Danych jest sporo – odparł. – Wszystkie są ogólnodostępne w internecie. Strony wprawdzie są po hiszpańsku, ale tłumacz Google radzi sobie całkiem nieźle.

– Jeszcze lepiej radzą sobie żywi tłumacze, których zaangażowaliśmy.

– No tak…

– Ale do niczego wielkiego nie dotarli – powiedziała i westchnęła. – Mnie zaś nie interesują specyfikacje techniczne, załoga, ładunek ani misje badawcze.

– W takim razie co?

– Chcę wiedzieć, gdzie dokładnie ten okręt przebywał w ostatnim czasie.

– Pewnie w rzeczywistym odpowiedniku Hoth.

Dominika zmarszczyła czoło.

– Lub Narnii.

Nadal nie odpowiadała.

– Gór Mglistych między Eriadorem a doliną Wielkiej Rzeki Anduiny? – próbował dalej Dębski.

– Masz na myśli skutą lodem krainę.

– Tak.

Przez moment oboje milczeli.

– Niespecjalnie się pani orientuje.

– W tym temacie nie – przyznała. – Podobnie jak w systemach monitorujących ruch na morzach i oceanach. Istnieje coś takiego?

– Oczywiście. Jest odpowiednik samolotowego FlightRadar24. I to niejeden.

Dębski szybko wprowadził witrynę w pasku adresu, a zaraz potem na ekranie pokazała się mapa z zaznaczonymi statkami.

– MarineTraffic jest najlepszy – oznajmił. – Miesięcznie rejestrują osiemset milionów statków, w tym czasie przez system przewija się kilka milionów użytkowników. To prawdziwa gratka dla marynistów.

– Niewątpliwie. Mają też dane historyczne?

– Aha – potwierdził Dębski. – Sięgają wstecz do dwa tysiące dziewiątego roku.

– I rejestrują wszystko?

– Jeśli okręt był w systemie, tak. Każdą najmniejszą bzdurę, każdą zmianę kursu.

– Przez GPS?

– Też, ale podstawowym narzędziem są brzegowe stacje namierzania. W MarineTraffic można też korzystać z AIS.

Nie miała pojęcia, co oznacza ten skrót, a Stefan najwyraźniej szybko to sobie uświadomił.

– System automatycznej wymiany informacji – oznajmił. – Pozwala na bieżąco kontrolować pozycję okrętu, nawet jeśli nie znajduje się w zasięgu stacji brzegowej. Jedynym warunkiem jest to, żeby statek miał na pokładzie nadajnik.

– Wszystkie mają?

– Pasażerskie tak, wymaga tego prawo międzynarodowe. W pozostałych jest określone minimum tonażowe, które...

– Tyle mi wystarczy – przerwała mu z uśmiechem Wadryś-Hansen. – Sprawdzisz dla mnie Hespéridesa?

– Pewnie.

Zalogował się do systemu, a potem szybko wprowadził niezbędne dane. Na monitorze pojawił się okręt o pomarańczowym kadłubie i białej nadbudówce. Obok widniała flaga hiszpańska i duży napis „SPS RV HESPÉRIDES".

Baza danych wydawała się przepastna już na pierwszy rzut oka, co z pewnością było zasługą licznych zdjęć i wykresów. Podawano aktualne położenie jednostki, informację o zasięgu AIS, prędkości, kursie i szacowanym czasie dotarcia do portu. Na mapie można było śledzić trasę na żywo.

– Kopalnia wiedzy – powiedziała cicho Dominika.

– Ze stanowczo zbyt głębokim szybem.

– Słucham?

Obrócił się do niej.

– Jeśli nie wic się, czego szukać, można pobłądzić. Albo zabrnąć tak daleko, że skończy się powietrze.

Właściwie miał rację. Danych było multum.

– Mógłbyś mi to zgrać na USB? – zapytała. – Albo wydrukować?

– T-to? – spytał, wskazując na monitor. – Nie.

– Chętnie poszperałabym w tym szybie, ale nie tutaj.

– Nie ma problemu. Podam pani login i hasło, zaloguje się pani z domu.

Chwilę później opuszczała komendę z kartką, na której Stefan zapisał niezbędne dane. Wróciła do apartamentu przy

Krupówkach, otworzyła laptopa i zaczęła szperać w historii okrętu. Po godzinie obraz przed oczami zaczął jej się zamazywać, po dwóch czy trzech miała już przekrwione spojówki, a po kilku kolejnych z trudem skupiała się na danych.

Wynotowała wszystko, co wydawało jej się istotne. Było tego stanowczo za dużo.

Hespérides pływał z północy na południe i w drugą stronę, przecinając całą kulę ziemską wzdłuż południków. Ostatnim razem najbliżej terytorium Hiszpanii znajdował się, przepływając między Fuerteventurą a Wyspami Kanaryjskimi. Oprócz tego jednak zawijał do wielu portów, badał jeszcze więcej miejsc. Dominika przypuszczała, że w którymś z nich znajdują się odpowiedzi na część pytań, jakie sobie zadawała.

Potrzebowała jednak choćby jeszcze jednej wskazówki. Czegoś, co zawęziłoby pole poszukiwań.

Dostała to, czego potrzebowała, kiedy doszło do kolejnego zabójstwa.

17

Fale pieniły się lekko, rozbijając o nabrzeże w terminalu towarowym w Alicante. Forst rozpiął nieco skórzaną kurtkę, bo mimo że wieczorem temperatura znacznie spadała, narastające nerwy skutecznie go rozgrzewały.

Powiódł wzrokiem po dziewczynach, które kuliły się z zimna, stojąc na końcu niewielkiego pirsu. To tutaj umówili się z Calaverą, ale po biznesmenie nadal nie było śladu.

Forst stał obok Noelii – a raczej to ona obok niego. Od kiedy opuścili rezydencję, nie odstępowała go ani na krok i nieustannie jakby starała się skryć w cieniu, który rzucał.

Była psychicznie zdemolowana. Wiktor z niedowierzaniem patrzył w jej oczy, na próżno szukając tam oznak świadczących o tym, że ma do czynienia z prawdziwą osobą. Noelia Calavera przywodziła na myśl ślad zostawiony przez samolot na niebie. Pozostałość samej siebie.

W jakiś sposób Forst czuł się odpowiedzialny za to, co się z nią stało. Wiedział, że mógł zareagować wcześniej, kiedy tylko dowiedział się o jej losie. Fakt, że czekał tak długo, mógł tłumaczyć tylko heroiną.

Heroiną lub Łucją.

To ona była powodem, dla którego w ogóle przyleciał do Hiszpanii. To za nią był tak naprawdę odpowiedzialny.

Powtórzył to sobie w głowie dwukrotnie, starając się utwierdzić w tym przekonaniu. Potem jednak spojrzał na pozostałe dziewczyny i musiał uznać, że odpowiada także za ich los. Zaklął cicho, wyciągając paczkę westów.

– Podobno zgwałciło ją kilkudziesięciu skurwieli – odezwała się jedna z dziewczyn. – A jeszcze więcej ją torturowało. Stojąca obok potwierdziła. Forst nie pamiętał, jak się nazywały. Skupiał się przede wszystkim na Łucji, która stała kawałek dalej, zapatrzona gdzieś w kierunku niewidocznego na nocnym niebie horyzontu.

– I po co to wszystko? – zapytała pierwsza. – Mieli ją przetrzymać tylko do czasu, aż dostaną okup, nie?

– Może w ogóle nie planowali jej wypuszczać – zauważyła Mysza.

– No chyba. Przecież dobrze zapamiętała ich twarze.

– Jej ojciec by zapłacił, a ją wrzuciliby gdzieś do morza. Mało tu takich miejsc?

Miejsc było aż nadto, pomyślał Forst, spoglądając w kierunku odległych wysokich klifów po prawej stronie. W samej Orihueli, tuż przy Cala las Estacas, można było bez żadnego trudu pozbyć się ciała. Wystarczyło umocować do niego coś ciężkiego, a potem zepchnąć je do morza.

Wiktor przypuszczał, że taki los rzeczywiście w końcu spotkałby Noelię. I byłby zapewne błogosławieństwem po tym, co się z nią działo w ostatnim czasie.

Teraz jednak miała szansę na coś więcej. Nie na normalne życie, na to było za późno. Dobrze wiedział, jak mocno w poprzednim potrafiły trzymać człowieka demony przeszłości.

Spojrzał na nią niepewnie, jakby przylgnęło do niego małe dziecko, nad którym nie potrafił sprawować opieki. Unikała jego spojrzenia, ale nie musiała patrzeć mu w oczy, by dostrzegł na jej twarzy wdzięczność.

Kiedy tylko odwiązał ją i wyprowadził, stał się dla niej jedyną kotwicą, która trzymała ją w miejscu podczas szalejącego sztormu. Podpalił westa i opuścił głowę, wypuszczając dym w dół.

– Gdzie on jest? – odezwała się Mysza.

Forst zerknął na zegarek.

– Powinien już tu być – dodała.

– Wiem.

– Coś jest nie w porządku?

Wiktor rozejrzał się, ale nigdzie nie dostrzegł żadnego ruchu. O tej porze terminal był już pusty. Brakowało nawet ochroniarzy, którzy zapewne w wielu innych europejskich portach kręciliby się w jedną i drugą stronę.

Ale nie w Alicante. Tutaj wszystko odbywało się po hiszpańsku. Optymistycznie, ze spokojem. Mówiło się sporo o kradzieżach, nawet rozbojach, mimo to chodząc ulicami, odnosiło się wrażenie, że to tylko dane statystyczne niemające nic wspólnego z rzeczywistością. Ludzie zostawiali na noc w ogródkach drogie telewizory, rowerów nie zapinano, a kilkakrotnie Wiktor mijał też pootwierane samochody.

Może po prostu trzeba było wiedzieć, gdzie można sobie pozwolić na nieco optymizmu, a gdzie nie. Tutaj najwyraźniej tak było. Jeśli Rosjanie przerzucali cokolwiek nielegalnie, musieli robić to w innych częściach portu.

– Spokojnie – odezwał się Forst. – Joaquín zrobi wszystko, żeby zapewnić córce bezpieczeństwo.

– Ale dawno już powinien się pojawić. Może są jakieś komplikacje?

– Może – przyznał Forst. – Ale nawet jeśli, Calavera sobie z nimi poradzi.

– Jesteś pewien?

Popatrzył na Noelię, a potem skinął głową. Nigdy nie był nawet blisko zostania ojcem, ale przypuszczał, że doskonale zna determinację, z jaką Joaquín będzie działać.

– Nie możesz do niego zadzwonić?

– Nie zabrałem komórki z willi.

– No tak…

Nie obawiał się, że teraz ich namierzą, ale prędzej czy później Siergiej mógł dotrzeć do danych ze stacji bazowych. Ostatnim, czego potrzebował Wiktor, było zostawianie jakichkolwiek śladów.

– Rosjanie łatwo nie odpuszczają – odezwał się cicho.

– Hm?

– Przekonałem się o tym o jeden raz za dużo.

Otaksował wzrokiem Noelię, nie chcąc nawet myśleć o tym, co zrobiliby, gdyby trafili na jej trop. Jego prawdopodobnie zabraliby nad Salinas, a potem wysłali prosto do Sol--Ilecka. Byłaby to gehenna, ale dziewczynę spotkałby jeszcze gorszy los.

Mijały kolejne minuty i stopniowo złożyły się na przeszło godzinę. Dotychczas to uciekinierki z willi Bałajewa rozglądały się nerwowo, teraz Forst również zaczął to robić. Coś było nie w porządku.

Ale co? Ludzie Siergieja byli martwi lub unieszkodliwieni. On sam nie mógł wydostać się ze swojego gabinetu. Jola Wajerska przebywała na jednym z promów, pilnując grupy dziewczyn – a nikt oprócz niej nie zjawiłby się niezapowiedziany w rezydencji o tej porze.

Wiktor palił papierosa za papierosem.

Półtorej godziny po umówionej porze uznał, że dalsze czekanie nie ma sensu. Cokolwiek się wydarzyło, musiało być kompletnym fiaskiem starań Joaquína. W każdym innym wypadku znalazłby sposób, by się zjawić lub kogoś przysłać.

Forst podszedł do Myszy siedzącej na końcu pirsu. Zwiesiła nogi nad wodą i lekko nimi poruszała, jakby w rytm cichej, spokojnej muzyki. Wpatrywała się w mrok nocy.

– Czas się stąd zbierać – powiedział.

Nie obróciła się do niego, wydawała się zatopiona we wszechogarniającej czerni. Dopiero po chwili Wiktor zrozumiał, że pozostałe dziewczyny sprawiają podobne wrażenie. Jakby uświadomiły sobie, że wszystko na nic, a nadzieja na ucieczkę była jedynie mrzonką.

– Mysza?

– To bez sensu...

Nabrał głęboko tchu i usiadł obok. Podał jej niemal pustą paczkę westów.

– Jesteście bezpieczne, to się liczy.

– Tak? – spytała, wciąż na niego nie patrząc. – Jesteśmy?

– Gdyby było inaczej...

– Siergiej dopadł ojca tej dziewczyny – weszła mu w słowo.

Forst milczał.

– Nie zaprzeczysz?

– Nie – odparł. – Najprawdopodobniej tak się stało. Ale Calavera niczego nie zdradził. W przeciwnym wypadku już by tu byli.

– Więc co teraz?

Obejrzał się przez ramię, jakby gdzieś za jego plecami znajdowało się miejsce, w którym mogliby szukać ratunku. Przez chwilę milczał, zastanawiając się.

– Wiesz, gdzie Joaquín ma biuro? – spytał w końcu.

– Nie.

Tak przypuszczał. Była jednak wśród nich jedna osoba, która doskonale wiedziała. Wiktor spojrzał na nią, uznając, że nie ma innego wyjścia. Musi jakoś się do niej przebić i wyciągnąć to z niej.

Po chwili zorientował się, że Mysza wlepia w niego wzrok.

– Chyba nie zamierzasz tam iść?

– Zamierzam.

– I zostawisz nas tutaj?

– Wrócę.

– Nie, nie wrócisz. Jeśli go dorwali, będą tam na ciebie czekać.

Wypuścił dym w stronę morza, a potem zabrał paczkę westów i schował ją do kieszeni. Poczuł pod palcami niewielki woreczek z heroiną. Wziął z willi kilka, zakładając, że spożytkuje je jeszcze przed granicą.

– Nie mam innego wyjścia – oznajmił.

Oponowała, ale nie zwracał na to uwagi. Podniósł się, starając się odpędzić od siebie myśli o narkotyku. Były jednak jak ustawiczny hałas, którego nie dało się stłumić. Uzależnienie domagało się jego uwagi.

Mysza również wstała, a potem złapała go za rękę.

– Nie zostawiaj nas tutaj, Krieger.

Spojrzał niepewnie na jej dłoń. Szybko ją cofnęła.

– Mówiłem, że wrócę.

– Naprawdę w to wierzysz? Naprawdę wydaje ci się, że znajdziesz tam coś poza śmiercią?

Ostatnie zdanie wybrzmiało w jego głowie nieprzyjemnym echem. Potarł nerwowo skronie, jakby ta uwaga dziewczyny wywabiła migrenę z klatki, w której zamknął ją z pomocą heroiny.

– Bez obaw – powiedział. – Wrócę tu, a potem popłyniemy do Polski. Będziecie bezpieczne.

– Nie, nie będziemy.

– Posłuchaj…

– To ty powinieneś – ucięła. – Wiesz, co te dziewczyny przeszły? Co my wszystkie przeszłyśmy?

Milczał, sądząc, że nie ma dobrej odpowiedzi na tak postawione pytanie.

– Myślisz, że urodziłyśmy się dzisiaj?

– Nie.

– Wiele z nas znalazło się u Siergieja, bo uciekałyśmy przed jeszcze gorszymi rzeczami – ciągnęła roztrzęsiona, zbliżając się do niego. – Spadłyśmy z deszczu pod rynnę, nigdy nie miałyśmy łatwego życia. To pierwszy moment, kiedy niektóre z nas mogą liczyć... mogły liczyć na to, że wszystko się zmieni. A ty tak po prostu chcesz to zaprzepaścić.

Mógł jej tłumaczyć, że nawet jeśli nie wróci, jakoś sobie poradzą, ale uznał, że nie ma to sensu. Po ostatnich wydarzeniach najwyraźniej stał się dla nich uosobieniem nadziei.

Zaśmiał się pod nosem.

– Co cię bawi? – żachnęła się Mysza.

– Tylko to, że pierwszy raz ktoś...

– Nam nie jest do śmiechu – nie dała mu skończyć.

Powiódł wzrokiem po dziewczynach. Wszystkie zainteresowały się jego rozmową z Myszą. I wszystkie patrzyły na niego z nerwowym, pełnym napięcia wyczekiwaniem.

Nic dziwił się – i wiedział doskonale, o czym mówi Mysza. Prześledził życiorysy tylu z nich, ilu tylko mógł. To nie były zwykłe dziewczyny, wiodące zwykłe życie, jak *Instagram models*. Te uciekały przed patologią rodzinną, ubóstwem, niekiedy nawet przed prześladowaniami.

Część z nich wychowała się przy rodzicach, którzy traktowali je gorzej niż bezpańskie psy. Inne zmagały się z seksualnymi dewiacjami nie tylko ojców, ale także matek. I wszystko to przekładało się później na to, co same były gotowe zrobić, byleby wyrwać się z tej egzystencji.

Tak jak Łucja.

Forst utkwił w niej wzrok, myśląc o tym, że jeśli nie wróci, ona poradzi sobie równie dobrze jak inne dziewczyny.

Kwestią otwartą pozostawało, w jaki sposób.

Oderwał od niej wzrok, nie chcąc dać po sobie poznać, że interesuje się nią bardziej niż innymi. Przez chwilę patrzył na Myszę w milczeniu, a potem oznajmił, że niebawem wróci.

– Krieger...

– Zaraz ustalimy, jak długo powinnyście na mnie czekać – dodał. – Dowiem się tylko, gdzie muszę pójść.

Wyciągnięcie tej informacji z Noelii okazało się łatwiejsze, niż przypuszczał. Wystarczyło, że wspomniał o jej ojcu, a błysk zrozumienia pojawił się w jej oczach. Po kilku krótkich pytaniach w końcu udzieliła mu odpowiedzi, na którą czekał.

Biuro Calavery znajdowało się przy Carrer de Dagniol w dzielnicy Campoamor. Miejsce nie było prestiżowe, ale z pewnością ruchliwe – po drugiej stronie ulicy mieściło się nowoczesne miejskie audytorium, w którym odbywały się wszystkie ważniejsze koncerty i przedstawienia.

Forst przypuszczał, że szybkim krokiem dotrze tam w nieco ponad kwadrans. Polecił dziewczynom czekać na jego powrót maksymalnie dwie godziny, a potem próbować szczęścia na własną rękę.

Nie były zadowolone, kilka nie chciało go puścić. Wśród nich nie było Łucji, co specjalnie go nie dziwiło. Przez ostatnie lata nauczyła się, że może liczyć wyłącznie na siebie. I tak powinien dziękować losowi, że zdecydowała się uciec wraz z nimi z willi.

Poszedł w kierunku audytorium, a po chwili zaczął truchtać. Noc była ciemna, chmury musiały zebrać się nad Alicante, bo nie dostrzegł nigdzie księżyca.

Do Carrer de Dagniol dotarł nawet szybciej, niż przypuszczał. Już z oddali dostrzegł, że w lokalu wskazanym przez Noelię pali się światło. Nie widział, co dzieje się wewnątrz, okno było zasłonięte firanką.

Stanął przed drzwiami wejściowymi, gotowy właściwie na wszystko. Ktokolwiek lub cokolwiek czekało na niego w środku, trzy rzeczy mogły zadziałać na jego korzyść. Po pierwsze broń, po drugie element zaskoczenia, a po trzecie brak skrupułów.

Chwycił za klamkę, ale się zawahał.

Żaden z tych atutów nie mógł pomóc, jeśli ludzie Siergieja czekali na niego wewnątrz. Forst cofnął się, a potem spróbował zajrzeć do biura. Bez skutku. Wyglądało to tak, jakby ktoś wyjątkowo starannie zadbał, by żaden przechodzień nie mógł dostrzec niczego z ulicy.

Wiktor przyłożył ucho do szyby i przez moment nasłuchiwał.

Początkowo nie wyłowił żadnego dźwięku z wnętrza. Potem usłyszał to, czego się obawiał. Rozmowa po rosyjsku odbywała się w jednym z dalszych pomieszczeń. Głosy były podniesione.

Forst miał ochotę przywalić pięścią w witrynę. Powściągnął emocje, a potem szybko się oddalił. Nie było sensu ryzykować, nawet jeśli wrodzona lekkomyślność sugerowała co innego.

Przeszedł przez Carrer de Dagniol, mijając zaciągnięte metalowymi zasłonami witryny sklepów, kiosków i restauracji. Stanął na końcu ulicy, słysząc jedynie ciche zawodzenie urządzenia klimatyzacyjnego wmontowanego w ścianę pod jednym z balkonów.

Spojrzał przed siebie, na tyły dużego audytorium. Za winklem ciągnął się szereg ławek, wszystkie były spowite całunem nocy. Forst obejrzał się przez ramię i przełknął ślinę. Czuł się coraz gorzej. Jeśli miał zamiar przyjąć heroinę, powinien zrobić to teraz.

Głos z tyłu głowy podpowiedział mu, że jeśli tego nie zrobi, jego zdolność radzenia sobie z problemami stanie się znacznie ograniczona. Nie będzie mowy o wyswobodzeniu Calavery z rąk Rosjan.

Przez chwilę bił się z myślami, ale zanim zdążył podjąć decyzję, usłyszał dźwięk otwieranych drzwi z głębi uliczki. Natychmiast schował się za rogiem najbliższego budynku, a potem zza niego wyjrzał.

Z biura Joaquína wyszła Jola Wajerska. Tuż za nią podążyło kilku umięśnionych goryli, jeden z nich wycierał prawą dłoń w papier toaletowy. Zmiął go i włożył do kieszeni, ale Wiktor zdążył dostrzec krew.

Grupa ruszyła w jego kierunku. Wymieniali się cichymi uwagami, rozglądając ostrożnie. Nie wyglądało to najlepiej.

Wiktor szybko zrozumiał, że Ila musiała wrócić wcześniej z wyjazdu. Zastała w rezydencji obraz nędzy i rozpaczy i natychmiast ruszyła jedynym tropem, o jakim mogła pomyśleć.

A teraz szła wraz ze swoimi ochroniarzami wprost na niego.

Forst szybko się wycofał, a potem skierował ku otwartemu dwadzieścia cztery godziny na dobę marketowi. Wszedł do środka, uśmiechnął się do kasjera i zaczął przeglądać asortyment. Odczekał kilka minut, kupił paczkę gum i papierosów, po czym chciał wrócić na ulicę, ale w ostatniej chwili się zawahał.

Wiedział, co jeszcze powinien nabyć. Podszedł do działu ze środkami czystości i przez moment szukał niezbędnej rzeczy.

Potem opuścił sklep i się rozejrzał. Po Rosjanach nie było śladu.

Wiktor wrócił pod biuro Calavery. Niechętnie wszedł do środka, spodziewając się najgorszego.

I nie pomylił się. Joaquín leżał w niewielkim pokoiku z tyłu, w kałuży krwi. Oczy miał szeroko otwarte, twarz zdawała się już napuchnięta. Liczne rany na jego głowie i rozbryzgi krwi wokół jednoznacznie dowodziły, że tłukli go jak worek treningowy.

Wiktor przykucnął przy ciele. Hiszpan miał kilka ran kłutych w klatce piersiowej, najpewniej zginął od którejś z nich. Forst miał nadzieję, że stało się to szybko.

Zamknął oczy i przez moment się nie ruszał. Potem założył lateksowe jednorazowe rękawiczki kupione w markecie i się podniósł. Sprawdził kieszenie Joaquína, następnie szuflady biurka, a w końcu wszystkie inne miejsca, w których Calavera mógł w ostatniej chwili schować rzeczy i dokumenty niezbędne do ucieczki z Alicante.

Niczego takiego Forst nie znalazł. Zaczął nerwowo przeżuwać gumę, rozglądając się. Hiszpan nie był w ciemię bity, musiał w ostatniej chwili zadbać o bezpieczeństwo córki. Nie było śladów włamania, widocznie zorientował się, że Rosjanie po niego przyszli.

Ale jeśli gdzieś coś zostawił, to zrobił to tak, by tego nie dostrzegli.

Forst przeszukiwał gabinet jeszcze przez moment, zanim zauważył, że mruga lampka na telefonie stacjonarnym na biurku. Automatyczna sekretarka? Był to już sprzęt prawie tak archaiczny jak gramofon. A jednak wyglądało na to, że Calavera go posiadał.

Wiktor właściwie powinien się tego spodziewać – tak jak Joaquín spodziewał się, że Forst lub Noelia zjawią się tu prędzej czy później. Nie było lepszego sposobu, by zostawić im wiadomość.

Wiktor odtworzył nagranie. Było krótkie, ale zawierało właściwie wszystko, czego potrzebował.

Przed opuszczeniem biura skasował je, choć przypuszczał, że policja ostatecznie i tak je odzyska. Wtedy jednak nie będzie miało to znaczenia. On i dziewczyny będą już daleko stąd. Joaquín o to zadbał.

Forst wrócił do portu i zobaczył pełne ulgi spojrzenia zebranych tam uciekinierek. Znów poczuł się dziwnie w roli kogoś, z kim inni wiążą nadzieję.

Popatrzył na Myszę i wymownie pokręcił głową.

– Zabili go? – zapytała, jakby rzeczywiście musiała się upewnić.

Nie odpowiedział.

– Co teraz? – dodała trzęsącym się głosem.

– Calavera zadbał o to, żebyśmy mieli transport.

– Jaki? – Mysza rozłożyła ręce, obracając się wokół własnej osi. – Nic tu nie podpłynęło, kiedy cię nie było.

– Bo statek, którym mieliśmy płynąć, miał jakąś awarię. Utknął w Port Said.

Rozmówczyni zwiesiła głowę, jakby usterka była potwierdzeniem towarzyszącego jej przez całe życie pecha.

– Co teraz?

Forst lekko się uśmiechnął.

– Mamy alternatywę – rzucił.

– Jaką?

– Do macierzystego portu w Kartagenie płynie pewna jednostka badawczo-naukowa. Hespérides.

Mysza objęła się i potarła ramiona.

– Co nam po niej?

– Zabiera stamtąd pewien ładunek, będzie rozładowywać go potem w Hamburgu. Możemy się zabrać.

– Ale…

– Joaquín o wszystko zadbał. Będą wiedzieli, żeby na nas czekać – uciął Forst, obracając się przez ramię. – Jak daleko mamy stąd do Kartageny?

– Niedaleko, jest dobre połączenie.

– Ile kilometrów?

– Może sto trzydzieści.

Wiktor przypuszczał, że jedzie się wzdłuż wybrzeża drogą szybkiego ruchu, względnie autostradą w głębi lądu. Tak czy inaczej szosy były podobne. Samochodem dotrą tam w niewiele ponad godzinę. Połączenie autobusowe z pewnością też funkcjonowało, Kartagena była jednym z najchętniej odwiedzanych ośrodków w Murcji.

– Znasz to miasto? – spytał.

– Tylko ze słyszenia. Wiem, że są tam znane kąpieliska, stocznia, port...

– Możemy dotrzeć tam komunikacją miejską?

– Rano tak, teraz...

– Więc poczekamy. Hespérides i tak dobije dopiero jutro wieczorem.

Mimo że nie spodziewał się, by Siergiej umieścił nadajnik w samochodzie, nie chciał poruszać się pojazdem, który Rosjanie mogliby zidentyfikować. Nie warto było kusić losu. Tym bardziej że znaleźli się o krok od bezpiecznej przystani.

Forst spojrzał na Myszę. Ta ściągnęła ramiona jeszcze bardziej.

– Zimno? – spytał.

– Trochę.

– Mam w samochodzie koszulę – odparł. – Pożyczę ci.

Rankiem wsiadła do autobusu w jego czerwono-czarnej flaneli. Zabrała też czapkę z daszkiem.

CZĘŚĆ TRZECIA

1

Nie powinnam tego robić. Byłam zabójczynią incydentalną, nie seryjną. Przynajmniej na początku. Nie planowałam tego, co wydarzyło się później.

Z jednej strony było to niedopuszczalne. Lekkomyślne. Z drugiej pożądane i wyczekiwane. I dlaczego miałabym się powstrzymywać?

Tym bardziej że w przeciwieństwie do innych, którzy zabijali bez moralnego prawa, ja je posiadałam. A moje umiejętności sprawiły, że umocowanie moralne stało się jeszcze stabilniejsze.

Miałam powód. Miałam umiejętności. Miałam cel.

I żądzę.

Zżerającą mnie od środka, narastającą we mnie. Początkowo sądziłam, że mogę ją kontrolować – że może wypali się sama po pierwszym zabójstwie. Tak się nie stało. Nigdy do tego nie dochodziło.

Byłam jak Wszechmogący. Pisał o tym Jostein Gaarder w swoim *Manifeście*, twierdząc, że Bóg jest nie tylko mistrzem w zostawianiu po sobie śladów, ale także arcymistrzem w ukrywaniu się.

Byłam taka sama. Identyczna.

Zostawiłam tyle wskazówek, że złożenie ich nie powinno nastręczyć żadnych trudności. Na początku nie wiedziałam, dokąd zmierzam. Teraz doskonale zdawałam sobie sprawę z tego, gdzie znajduje się mój cel. I kogo tam spotkam. Kto będzie tam na mnie czekał.

Musiałam tylko postarać się jeszcze trochę, by wywabić go z kryjówki.

Forst gdzieś tam był. Jak ledwie tląca się iskra po niegdyś wielkim pożarze.

2

Cienki papieros zadrżał jej między palcami na moment przed zaciągnięciem się. Dominika wciągnęła dym do płuc zupełnie nieświadomie. Cała jej uwaga skupiała się na ciele leżącym na niewielkim mostku na Krupówkach.

Miejsce znał każdy turysta, a większość z tych, którzy trafiali do Zakopanego, opuszczała stolicę polskich Tatr ze zdjęciem zrobionym właśnie tutaj, na tle Giewontu.

Morderca wybrał mostek nie bez powodu. Chciał rozgłosu.

I zyskał go, być może nawet więcej, niż się spodziewał. Mimo że była czwarta nad ranem, wokół zgromadził się tłum. Wadryś-Hansen przypuszczała, że za dwie–trzy godziny każe zabrać stąd ciało, ale grupa ludzi i tak będzie stawała się coraz liczniejsza.

– Jezu Chryste… – jęknął Osica.

Spojrzała na stojącego obok inspektora. Oboje przypatrywali się młodej dziewczynie, którą zabójca rozciągnął na mostku jak ropuchę podczas zajęć na początku studiów medycznych.

Szeroko otwarte oczy i usta. Moneta. Brak śladów walki.

Było to niczym hołd oddany Bestii z Giewontu przez jej najbardziej zagorzałego wielbiciela.

Dominika wzdrygnęła się na tę myśl.

– Prawdziwe bagno – dodał Edmund. – Wyobraża sobie pani, jak głęboko nas wciągnie?

Wyobrażała sobie co innego. Scenę, w której zabójca odbierał życie ofierze. Zaszedł ją od tyłu, z pewnością w środku nocy, złapał za włosy, a potem sprowadził do parteru lub unieruchomił w żelaznym uścisku, przygotowując się do skręcenia karku.

Nie, to byłoby trudne w realizacji. Nie tak łatwo spowodować śmierć w taki sposób, szczególnie kiedy krzyki i wołania o pomoc natychmiast przykułyby uwagę któregoś z przechodniów.

– Nie wynurzymy się z tego gówna – perorował dalej Osica.

Morderca kopiował *modus operandi* Bestii, a zatem prawdopodobne stawało się, że zabił ofiarę wcześniej. Gdzie indziej, z daleka od Krupówek, pod osłoną nocy. Ale jak przeniósłby niepostrzeżenie ciało aż tutaj?

– Słyszy pani?

– Aż za dobrze, panie inspektorze.

– Będzie panika. Kompletna.

Pokiwała głową, spodziewając się, że to określenie okaże się jedynie niedopowiedzeniem.

– Nie mam na myśli ludzi na ulicach – sprostował Edmund. – Panikować będą raczej urzędnicy.

Popatrzyła na niego z niewypowiedzianym pytaniem w oczach.

– Opadnie ich blady strach, kiedy tylko uświadomią sobie, że od samego rana Zakopane będzie postrzegane jako miejsce równie niebezpieczne jak tereny dżihadystów w Syrii.

Chciała powiedzieć, by nie przesadzał, ale po chwilowym namyśle musiała się z nim zgodzić. Ludzie ściągali jak ćmy do ognia, kiedy widzieli coś rozpalającego ich ciekawość. Ale gdzieś tutaj czaiło się realne niebezpieczeństwo.

Rozejrzała się.

Każdy z gapiów mógł być zabójcą. I każdy mógł stać się ofiarą.

Uświadomiła sobie, że od teraz nikt w Zakopanem nie może czuć się bezpieczny. I zapewne nie ona jedna dotrze dziś do takiego samego wniosku.

– Presja będzie gigantyczna – dodał Osica.

Zbliżyła się do ciała, komendant został metr dalej. Na miejscu zdarzenia pojawił się przed nią, zapewne miał już okazję przyjrzeć się ofierze. Wadryś-Hansen obejrzała monetę, czując, że robi jej się niedobrze.

Podniosła wzrok i przez moment obserwowała policjantów, którzy rozciągali wokół niebiesko-białe taśmy. Ludzie niechętnie się odsuwali, a potem stawali na palcach, jakby sam fakt pojawienia się prokurator sprawił, że jest coś więcej do zobaczenia.

Znów spojrzała na numizmat. Wyglądał na złoto, ale z pewnością był to falsyfikat.

Widać było jedynie rewers, moneta umieszczona była tak, że ofiara niemal obejmowała ją ustami.

– *Deutsches Reich* – przeczytała Dominika.

W jakiś sposób zabrzmiało to złowrogo.

– Taa… – potwierdził Edmund. – Rok tysiąc osiemset siedemdziesiąty dziewiąty, a więc Druga Rzesza. Nominał to dwadzieścia marek.

Oprócz tego na rewersie widniał orzeł w koronie, pośrodku herb, a po bokach dwie gwiazdy. Wadryś-Hansen nie kojarzyła tego symbolu, z pewnością nie było to godło niemieckiej Drugiej Rzeszy. Orzeł symbolizujący cesarstwo był dobrze znany.

– To tyle, jeśli chodzi o bilon – dodał Osica. – Sama ofiara jest w wieku mniej więcej takim, jak poprzednia w jaskini. Śladów walki nie widać, krwi też nigdzie nie ma. Wygląda, że zginęła w innym miejscu.

– I co potem?

– Przeniósł ją tutaj.

– Jak? – Dominika się rozejrzała. – Załóżmy, że stało się to stosunkowo niedawno i…

– Odkryto ją pół godziny temu – dorzucił Edmund. – A więc umieszczono tutaj może o trzeciej. Gdyby zrobiono to wcześniej, ktoś by nas zaalarmował. To uczęszczane miejsce.

Spojrzała na niego z niedowierzaniem.

– Tylko mówię – usprawiedliwił się. – Nie wiem, na ile się pani orientuje.

– Na tyle, na ile każdy odwiedzający Zakopane.

Mruknął coś pod nosem i popatrzył w kierunku skrytego w mroku Giewontu. Wadryś-Hansen przemknęło przez głowę, że naśladowca Bestii nie mógł wybrać bardziej wymownego miejsca w mieście.

– Może przywiózł ją na wózku? – podsunął inspektor.

– Może.

– Nikt nie zwróciłby na nich uwagi – ciągnął. – A gdyby się postarał, może nawet zdołałby sprawić, że ludzie specjalnie odwracaliby wzrok.

Uniosła brwi.

– Mam na myśli to, że kiedy widzi pani dwójkę zakochanych, zajętych sobą ludzi, a jedna z nich jest niepełnosprawna, nie przypatruje im się pani, żeby nie wyjść na…

– Rozumiem.

Pokiwał głową w coraz większej zadumie.

– To możliwe – dodał. – A nawet całkiem prawdopodobne.

– I niepoparte dowodami.

– Sprawdzimy monitoring, może coś znajdziemy.

W kuckach przesunęła się nieco, by spojrzeć na ciało z innej strony.

– Przypuszczam, że niewiele – powiedziała cicho, starając się zajrzeć pod spód i przekonać się, czy rzeczywiście nie ma krwi. – Zabójca jest zbyt ostrożny.

– Każda ostrożność ma granice.

– Tak – przyznała. – Ale nie znajdują się one w okolicy monitoringu miejskiego, panie inspektorze.

Niczego nie mogła zobaczyć. Wstała, a potem otrzepała dłonie.

– Przy takim założeniu równie dobrze możemy darować sobie ściąganie odcisków palców, pobieranie próbek do badania DNA, materiałów do analizy osmologicznej i...

– Niech pan da spokój.

– A pani niech wykaże trochę optymizmu.

Trudno było to zrobić, patrząc na leżącego przed nią trupa, ale zachowała tę uwagę dla siebie. Poczuła potrzebę, żeby zapalić jeszcze jednego slima, ostatecznie jednak zrezygnowała. Wzmianka o osmologii przypomniała jej, jak destrukcyjna dla śladów zapachowych potrafi być nikotyna.

Osica patrzył na nią wyczekująco, jakby spodziewał się, że jakoś odpowie na jego uwagę. Wadryś-Hansen jednak się nie odezwała.

– Poza tym moneta wygląda mi na unikat – kontynuował. – W przypadku poprzedniej w obiegu mogły być dziesiątki tysięcy kopii, ale tej na pewno tyle nie ma.

– Ta w ogóle nie znajduje się w obiegu, panie inspektorze.

Znów wydał z siebie cichy pomruk.

Najpierw hiszpański statek badawczy, teraz Druga Rzesza. Co łączyło te dwie rzeczy? Dominika zdawała sobie sprawę, że obydwa elementy pojawiły się nieprzypadkowo. Stanowiły wiadomość. Pytanie tylko, do kogo skierowaną.

Przez jakiś czas przypatrywali się dziewczynie. Z oddali słychać było coraz bardziej gorączkowe i głośne rozmowy. Tłum gęstniał, najwyraźniej tej nocy niewielu turystom zależało na wyspaniu się.

Najazd będzie trwał do południa, potem stopniowo gapiów będzie coraz mniej. A kiedy policja stąd zniknie, Krupówki się wyludnią. Niezdrową ciekawość zastąpi strach.

– Ma jakieś dokumenty? – odezwała się Wadryś-Hansen.

– Nie wiem, nie ruszaliśmy ciała. Technicy jadą z Krakowa, badali tam Wikę Bielską.

– Coś ustalono?

– Nic. Kompletnie, kurwa, nic – odparł sfrustrowanym głosem inspektor, a potem lekko uniósł dłoń w przepraszającym geście, doskonale zdając sobie sprawę, jak Dominika traktuje plugawienie języka.

Znów zamilkli. Nieruchome ciało zdawało się aż prosić o to, by... by zrobić cokolwiek. W jakiś sposób przełamać niemoc, zacząć działać. Choćby przeszukując kieszenie.

– Właściwie... – zaczął Osica. – Właściwie coś ustalono. Ale nie ma to żadnej realnej wartości.

– Co konkretnie?

– Że od dobrego pół roku dziewczyna nie opuszczała Zakopanego.

– Skąd to wiadomo?

– Z płuc – odparł ciężko i schował ręce do kieszeni. – A konkretnie ze smogu, który wisi nad Zakopanem. Wie pani, co my tu wdychamy?

– Nie.

– To jedno z najbardziej zanieczyszczonych miast na świecie. Nawet bardziej niż indyjskie Delhi, a orientuje się pani pewnie, jak to tam wygląda. Syf, kiła i mogiła. A i tak my mamy więcej pyłu zawieszonego.

Popatrzyła na niego i uniosła brwi.

– PM10 – dodał Osica. – To jego ślady znaleziono w naczyniach włoskowatych... czy gdzieś tam. Technicy mogą dzięki temu ustalić, jak długo ofiara przebywała w mieście, bo w miesiącach zimowych stężenie jest najwyższe.

Dobrze się orientował w tej materii, ale być może nie powinna się dziwić. Dla mieszkańców, władz miasta i sił porządkowych był to ważki temat. A może po prostu doczytał to i owo po rozmowie z technikami.

– Dopuszczalny poziom tego pyłu to pięćdziesiąt mikrogramów na centymetr sześcienny w ciągu doby – kontynuował. – Wie pani, ile tu tego wisi w zimie?

– Nie.

– Ponad czterysta mikrogramów.

– Sporo.

– Sporo to jest osiemdziesiąt – odburknął. – Przy takim poziomie we Francji ogłasza się alarm i trzeba informować obywateli, że robi się nieciekawie. U nas obowiązek informacji jest dopiero przy trzystu mikrogramach.

– Mhm.

– A wszystko przez czarne złoto.

– Węgiel?

Potwierdził skinieniem głowy.

– Ładują go do pieców, jakby wrzucali cukierki do gęby – syknął. – Zupełny bezsens… choć potem możemy wyciągnąć szalenie istotne wnioski z zasmolonych płuc, więc może nie taki zupełny.

Rzeczywiście nie było to specjalnie pomocne, choć w połączeniu z innymi poszlakami mogłoby okazać się znaczące. Gdyby tylko jakiekolwiek mieli.

Dominika liczyła na to, że moneta da nieco więcej odpowiedzi. Kiedy tylko zjawili się technicy i wykonali podstawowe czynności, by zabezpieczyć ślady na miejscu zdarzenia, poleciła im wyjąć przedmiot.

Przyjrzała mu się, nie odnajdując niczego, co pozwoliłoby powiązać go z poprzednią monetą. Numizmatyk, którego policja powinna zatrudnić już chyba na stałe, również nie miał dla nich żadnych konkretnych wieści.

Ustalił szereg szczegółów dotyczących repliki, łącznie z wagą, miejscem wybicia i próbą złota. Ostatecznie było jednak to tak pomocne, jak informacja, że Wika Bielska przez ostatnie sześć miesięcy przebywała w Zakopanem.

Od piątej rano Dominika zaczęła odbierać coraz więcej telefonów. Ranga rozmówcy zdawała się rosnąć z każdym kolejnym połączeniem, aż w końcu dotarła do samej góry. Zadzwonił prokurator generalny, by poinformować, że Wadryś- -Hansen otrzyma pełne wsparcie, jeśli tego potrzebuje.

Innymi słowy, dał jej do zrozumienia, że jej kariera jest na szali i prokurator powinna brać się do roboty.

Ona sama miała wrażenie, że więcej nie może już z siebie dać. Wciąż szukała Forsta, ale bezskutecznie. Liczyła na to, że sam się z nią skontaktuje, najwyraźniej jednak musiała uzbroić się w cierpliwość.

Przez wyczyny Gerca Wiktor zapadł się pod ziemię. Wiedząc, że jest na celowniku, wyłączył nawet telefon, o istnieniu którego z pewnością nie wiedziało zbyt wiele osób. Dominika co jakiś czas sprawdzała, czy otrzymała raport po wysłaniu ostatniej wiadomości, ale wciąż nie widziała świadczącej o tym niewielkiej ikonki.

Nie wybiła jeszcze siódma, a miała wszystkiego serdecznie dosyć. Coraz bardziej ciążyła jej świadomość tego, jak bardzo zaniedbała dzieci i jak wiele zależy od niej w śledztwie.

Śledztwie, które właściwie nie istniało. Minister zadzwonił do niej jeszcze raz około dziesiątej, by poinformować, że jego przełożony jest w drodze do Zakopanego. Premier nie zamierzał robić medialnej szopki, rzekomo po prostu chciał być na miejscu.

– To nieroztropne, panie ministrze – zauważyła Wadryś- -Hansen.

Kiedy odpowiedziała jej cisza, zrozumiała, że mogła zachować tę uwagę dla siebie.

– W tej chwili nie jest tu bezpiecznie.

– Spodziewa się pani, że zabójca mógłby zaatakować w biały dzień? Szefa polskiego rządu? Wątpię.

– Musimy być gotowi na wszystko. To szaleniec.

– Szaleniec potrafiący kalkulować – zauważył prokurator generalny. – A atak na prominentnych polityków sprawiłby, że rachunek stałby się nieopłacalny.

– Być może, ale...

– Premier chce uspokoić ludzi.

– W takim razie niech robi to z bezpiecznego miejsca. Tutaj skutek może być odwrotny do zamierzonego.

– Jest innego zadania.

– Nie może pan...

– Nie mogę go do niczego przekonać – uciął minister. – Zdaje sobie sprawę, jak newralgiczna jest ta sytuacja. Ludzie już wyjeżdżają masowo z miasta, widziała pani zakopiankę?

– Nie.

– Korek ciągnie się przez kilkadziesiąt kilometrów. W godzinę podróżujący pokonują raptem trzy, w porywach cztery kilometry. Jest gorzej niż podczas powrotów po świętach i Nowym Roku.

W to nie mogła wątpić.

– Zakopane za moment się wyludni.

– I słusznie.

– Co proszę? – żachnął się polityk. – Chyba nie zdaje sobie pani sprawy z tego, jak... – Urwał, być może uświadamiając sobie, że niemądrze ujawniać niskie pobudki podczas rozmowy telefonicznej. Nawet jeśli za jej nagranie i upublicznienie Dominika wyleciałaby z hukiem z prokuratury. – Nieważne – dodał. – Porozmawiamy, kiedy będę na miejscu.

– Nie wątpię.

Nie odpowiedział na tę uwagę. Pożegnał Dominikę ozięble, a potem się rozłączył.

Wiedziała doskonale, co usłyszy od polityków. Obrazki opustoszałych Krupówek natychmiast obiegną cały świat, pokazując nie tylko słabość polskich służb, ale także samego państwa. Władzy. I ludzi, którzy mieli się jawić jako ostoja bezpieczeństwa i porządku.

Z punktu widzenia Dominiki sytuacja była jednak korzystna. Im mniej ludzi w mieście, tym lepiej. Zabójca mógł oczywiście zbiec razem z przestraszonymi turystami, ale wątpiła, by tak się stało.

Miał tu jeszcze coś do zrobienia. A do niej należało temu zapobiec.

Wiedziała, że nie zatrzyma się na dwóch ofiarach. Cokolwiek sprawiło, że zabijał wcześniej, ewoluowało w nim. Rozpoczął nową krucjatę, zafascynowany Bestią z Giewontu i monetami.

Dominika czuła rosnący ciężar świadomości, że przeszłość, którą za sobą zostawiła, teraz wracała do niej w nowym kształcie. Być może jeszcze gorszym. Bardziej wynaturzonym, sprytniejszym.

Czuła obecność zła w czystej postaci, jakiej już nigdy nie spodziewała się zobaczyć.

Wszystko to sprawiło, że wróciwszy wieczorem do apartamentu, nie miała nawet siły napić się wina. Usiadła przy stole, przed zamkniętym laptopem, a potem wbiła pusty wzrok w ścianę przed sobą.

Trwała tak przez jakiś czas, zanim coś w jej umyśle nie przeskoczyło. Stało się to bez impulsu, bez powodu. W pewnym momencie potrząsnęła głową, czując, że jeśli jeszcze chwilę będzie tkwić w tym marazmie, eksploduje.

Wściekle otworzyła klapę macbooka i wbiła wzrok w standardową tapetę OS X. Koniec z biernością, uznała. Czas brać się do roboty.

Sięgnęła po butelkę wina, nalała sobie pełny kieliszek, a potem pociągnęła duży łyk.

Od czego zacząć?

Nie miała się gdzie zaczepić, jedynymi poszlakami były strzępki pozostawione przez mordercę. To także stanowiło skopiowanie *modus operandi* Bestii z Giewontu. Tyle że w tamtym przypadku planowanie zabrało lata, było poprzedzone...

Nie, nie chciała myśleć o przygotowaniach, bo właściwie dotyczyły jej samej.

Odsunęła ten wniosek i skupiła się na zabójcy, którego ścigała. Nie miał tak przemyślnego planu jak Bestia. Przeciwnie. Wyglądało na to, że przechodził okres wyciszenia, który właśnie dobiegł końca.

Moment ten był według wielu badaczy immanentną częścią seryjnych zabójstw. Ronald Holmes określał go po prostu jako interwał, FBI jako *cooling off period*. Mordercy mogło wydawać się, że zaspokoił swoje żądze, ale stanowiło to jedynie złudę. Skrzywiony umysł w końcu musiał wrócić na swoje nierówne tory.

Czasem trwało to kilka dni, tygodni lub miesięcy, ale niejednokrotnie okres rozciągał się na lata. I nie było w tym nic przypadkowego. Wielu autorów podkreślało, że wybór odpowiedniego momentu przez seryjnych zabójców stanowi element składowy większej koncepcji.

W nauce profilowania naukowcy sprzeczali się ze sobą równie często, jak w innych gałęziach. Co do jednego byli jednak zgodni – miejsce i czas mają znaczenie. Każdy seryjny próbował zabójstwami opowiedzieć jakąś historię. Jak makabryczna, choć wręcz modelowa rozprawka szkolna, miała ona swój początek, rozwinięcie i zakończenie. I wszystko to znajdowało się w umyśle sprawcy.

Dominika zmrużyła oczy, wpatrując się w laptopa. Wyświetliła dwa zdjęcia monet obok siebie.

– Jaką historię chcesz mi opowiedzieć? – szepnęła.

Przez chwilę trwała w bezruchu, a potem cicho parsknęła. Była bardziej zmęczona, niż przypuszczała. Chyba po raz pierwszy do siebie mówiła.

Napiła się wina, nie odrywając spojrzenia od numizmatów. Hiszpański statek nazwany na cześć Hesperyd, mitologicznych nimf, wieczornych cór Nocy i Mroku. Szczególną rolę odegrały w renesansowej poezji, choć wcześniej zasłynęły w literaturze, pojawiając się przy wykonywaniu dwunastu prac przez Heraklesa.

Wadryś-Hansen głęboko westchnęła. Sprawdziła wszystko, co było do sprawdzenia. Symbolika musiała mieć znaczenie, jeśli zabójca kopiował sposób działania Bestii. Ona także odnosiła się do przeszłości.

W przypadku drugiej monety skojarzenie z historią było jeszcze bardziej uzasadnione. Replikę wzorowano na numizmacie wybitym w mennicy w Hamburgu. Napis na awersie oplatał godło tego miasta i brzmiał „Freie und Hansestadt Hamburg".

Ale co w związku z tym? Stolica landu niewiele miała wspólnego z Hesperydami.

Dominika prześledziła niemal całą historię niegdysiejszego miasta-państwa. Pierwszy wspominał o nim jako o Trevie Ptolemeusz, ileś wieków później puścił je z dymem Mieszko II, a po upadku cesarstwa stało się niezależnym podmiotem. Przynajmniej do czasu aneksji przez Napoleona.

W jaki sposób którykolwiek z tych faktów miał wiązać się z mitologią grecką? Wadryś-Hansen przypuszczała, że gdyby miała do czynienia z Bestią, dawno znalazłaby odpowiedź. I to nie tylko dlatego, że tamtego człowieka dobrze znała. Bestia z Giewontu wodziła ich za nos, ale robiła to umiejętnie. Wskazówki były zawsze dobrze widoczne, o ile ktoś wiedział, gdzie spojrzeć. Prowadziły na manowce, ale przynajmniej było czego się złapać. Teraz sytuacja była inna.

Ten zabójca był profesjonalistą, gdy chodziło o odbieranie innym życia – nie ulegało to żadnej wątpliwości. Był jednak tylko amatorem w prowadzeniu gier z organami ścigania.

Jedynym związkiem między monetami zdawał się pewien obraz w hamburskiej galerii, pędzla dziewiętnastowiecznego brytyjskiego malarza. Przedstawiał ogród Hesperyd, wykonany był techniką gwaszu.

Nic więcej nie udało się Dominice ustalić.

Jaką historię próbował opowiedzieć jej zabójca? Do czego dążył?

Gdzie był symbolizm aktu, który cechował każdego seryjnego? W taki czy inny sposób ten aspekt zawsze się pojawiał. Czasem nie był nawet uświadomionym działaniem, wynikał z przymusu i żądzy, kołatających się gdzieś z tyłu głowy sprawcy.

Prokurator pochyliła się nad laptopem, po czym jeszcze raz przyjrzała się obrazowi. Stanowił połączenie monet jedynie w teraźniejszości, próżno było szukać jakichkolwiek punktów stycznych w historii mniej lub bardziej odległej.

Na moment się zamyśliła.

Może szukała w złym miejscu? Może rozwiązanie było znacznie prostsze? Najprostsze z możliwych?

Spróbowała zalogować się do marynistycznej bazy okrętów, ale nie pamiętała hasła. Pożałowała, że nie kliknęła na „TAK", kiedy system zapytał ją, czy nie wprowadzić danych do przeglądarki.

Wybrała numer Osicy i poprosiła o kontakt do Stefana Dębskiego. Chwilę później miała go na linii.

– Sprawdzisz coś dla mnie? – spytała.

– Coś u pani nie działa?

– Chcę jak najszybciej to załatwić. Tobie pójdzie sprawniej.

– W porządku.

– Chodzi o Hespéridesa. A konkretnie o to, czy okręt zawijał w ostatnim czasie do portu w Hamburgu.

Dębski milczał.

– Halo?

– Sprawdzam. Moment.

Wadryś-Hansen sięgnęła po kieliszek i przechyliła go, poniewczasie reflektując się, że już wcześniej go opróżniła. Dolała sobie wina, czekając niecierpliwie na odzew ze strony młodego policjanta.

Czy to naprawdę mogło być takie proste?

– Hespérides wpływał do Hamburga w tym roku. Wcześniej… kilka lat temu.

Odstawiła kieliszek.

– Kiedy zawinął ostatnim razem?

– Pół roku temu.

– W jakim celu?

– Zostawiał tam jakieś cargo w drodze na północ – wyjaśnił Stefan cichym głosem, świadczącym o zamyśleniu. – Od czasu do czasu zabierał na pokład ładunek, w ten sposób dofinansowywano tę czy inną misję badawczą. Trochę miejsca na pokładzie ma, zresztą na stałe w hangarze obecny jest helikopter, agusta-bell 212.

– On interesuje mnie najmniej. Co zostawiono w Hamburgu?

Dębski znów milczał przez chwilę, która zdawała się przeciągać w nieskończoność.

– Nie ma tu takiej informacji, trzeba by skontaktować się z portem.

Wadryś-Hansen miała zamiar zrobić to zaraz po tym, jak się rozłączą.

– Wiadomo coś jeszcze? Na przykład skąd płynął?

– Z Kartageny.

– Dziękuję – powiedziała, licząc na to, że informacje okażą się przydatne.

Już miała zakończyć połączenie, kiedy usłyszała odgłos pstryknięcia palcami. Jakby coś nagle zaskoczyło w głowie Stefana.

– Podziękować mi pani może dopiero teraz – odezwał się. – Nie wiem wprawdzie, jaki towar zostawiono, ale wiem, do kogo należał.

– Do kogo?

– Wygląda na to, że transport zleciła hiszpańska firma deweloperska z Alicante. Należała do niejakiego Joaquína Calavery. Kojarzy pani?

– Nie – odparła Dominika, otwierając aplikację z notatkami na laptopie. – Przeliteruj mi imię i nazwisko.

Dębski szybko to zrobił.

– Powiedziałeś, że należała – zauważyła. – Calavera nie jest już właścicielem?

– Nie, zmarł pół roku temu. Rozbój ze skutkiem śmiertelnym.

Dominika popatrzyła na butelkę wina. Chętnie wypiłaby więcej, ale wiedziała, że umysł jej się zamgli. Nie mogła sobie na to pozwolić. Nie teraz.

– Wiem też, dokąd pojechał transport z Hamburga – dodał z zadowoleniem Dębski.

Prokurator odstawiła butelkę na kuchenną szafkę. Zdecydowanie będzie potrzebowała trzeźwego umysłu.

3

Doniesienia medialne były dla Forsta jak kolejne ciosy. Miał wrażenie, że jest siłą przytrzymywany na ringu, mimo że słania się na nogach i znajduje się tylko o krok od bycia znokautowanym.

Zabójstw dokonywano w Zakopanem, w linii prostej mniej więcej sześćset kilometrów od miejsca, w którym obecnie się znajdował. A mimo to miał wrażenie, jakby wszystko rozgrywało się tuż przed nim.

Reporterzy mówili o naśladowcy Bestii z Giewontu.

Wiktor wyłączył dźwięk w starym telewizorze i przygotował swój stały zestaw. Zacisnął gumową opaskę na ramieniu, kilkakrotnie zamknął pięść, a potem przyłożył igłę do żyły.

Kompot przygotował zawczasu. Polska heroina nie umywała się do tego, co wstrzykiwał sobie u Siergieja, ale na tym etapie nie miało to już wielkiego znaczenia. Po sześciu miesiącach ledwo pamiętał jakość hiszpańskiego narkotyku, zresztą najbardziej liczyło się dla niego to, żeby odciąć się od świata. I stłumić ból.

Czasem robił to za pomocą alkoholu, czasem heroiny. Wydawało mu się, że nie przesadza. Zależało mu na tym, by nie doprowadzić się do stanu kompletnego wyniszczenia. Głównie ze względu na Dominikę.

Choć nie widywali się zbyt często, wiedział, że od czasu do czasu musi się jej pokazać. Stąd ostatnia rozmowa na Skypie.

Gdyby jej nie przeprowadził, prędzej czy później Wadryś-
-Hansen mogłaby zacząć powątpiewać, że ma do czynienia
z prawdziwym Forstem.

Westchnął, a potem dosunął tłok do końca. Miał coraz
większe trudności z odnajdywaniem żył, a w dodatku skóra w zgięciu łokcia zaczynała przypominać powierzchnię
księżyca. Znał to doskonale i wiedział, w jakim kierunku to
wszystko pójdzie.

Nie znał za to tego, który obierze zabójca.

Szaleniec pragnący naśladować Bestię musiał pojawić się
prędzej czy później. Wiktor nigdy jednak nie spodziewał się, że
będzie to właśnie ta osoba.

Jeszcze przed momentem był to wyjątkowo dojmujący
wniosek, przywodzący na myśl ciemne, ciężkie chmury nad-
ciągające gdzieś znad złowrogich grani. Teraz wydawał się
jedynie latawcem powiewającym spokojnie na wietrze. Forst
osunął się na fotelu z lekkim uśmiechem.

Policja szybko ujmie osobę odpowiedzialną za masakrę
w Zakopanem. Nie była prawdziwą Bestią, brakowało jej doświadczenia, kunsztu i finezji. Zabójstwa były tylko marnymi
kopiami.

Sprawcą był zwyczajny, przeciętny człowiek. Nie żadna
wynaturzona kreatura, jak Kompozytor z Opola, który jakiś
czas temu sterroryzował cały kraj.

– Tak… – mruknął do siebie Wiktor i zamknął oczy.

Nie myślał już ani o ofiarach, ani o tym, jak wielką rolę ode-
grał w tym, co się dzieje. Kiedy nie brał, przytłaczała go ta
świadomość. Bywały momenty, gdy wypił za dużo i rozważał,
czy ze sobą nie skończyć.

Brakowało mu chęci do życia, powodu i… usprawied-
liwienia. Doszedł do wniosku, że go potrzebuje. Być może
bardziej niż czegokolwiek innego. Musiał mieć wymówkę

dla swojego istnienia i dla rzeczy, które przez niego miały miejsce.

Kiedy narkotyk przestał działać, Forst pochylił się i trwał w bezruchu przez jakiś czas. Nie miał pojęcia, ile go upłynęło. Podniósł głowę, po czym włączył dźwięk w telewizorze. Nadal rozprawiano o tym samym. Znany polityk rozmawiał z Zygfrydem Flesińskim w programie *Zygzakiem do celu*. Prowadzący sprawiał wrażenie bardziej kompetentnego, co właściwie nie było niczym nowym. Forst lubił tego gościa.

– Nie sądzi pan, panie ministrze, że Zakopane powinno zostać zamknięte?

– W żadnym wypadku – zastrzegł prokurator generalny. – Byłby to największy sukces tego szaleńca.

– A może raczej przyznanie się władz od porażki?

– Jedno i drugie to…

– To nie to samo.

– A jednak wydaje mi się, że to samo – uparł się polityk. – Tym bardziej że Rzeźnik z Zakopanego…

– Doprawdy… – jęknął Zygzak. – Dlaczego odczuwają państwo potrzebę, by każde zło nazywać i oswajać?

– Odpowiedź chyba zawiera się w pytaniu.

– Nie sądzę – odparł dziennikarz. – W każdym z nas jest nienazwane zło. I nikt przesadnie się go nie obawia, chodzimy z nim co dzień do pracy, odbieramy dzieci z przedszkola czy szkoły, nie pielęgnujemy tego mroku.

Polityk był wyraźnie skołowany i nie wiedział, co odpowiedzieć. Wiktor podniósł się i na chwiejnych nogach skierował się do lodówki. Otworzył drzwiczki, od których odchodziła farba, a potem wyjął piwo.

Wrócił na fotel z puszką w ręce. Rozległ się przyjemny, wręcz przyjazny syk, który sprawił, że Forstowi uniosły się kąciki ust.

Wlepił wzrok w Zygfryda. Zgadzał się z nim w pełni. Dopiero gdy skonkretyzujemy nasze własne zło, robi się ono niebezpieczne. Wiedział o tym zbyt dobrze.

– Ponadto nie rozumiem, dlaczego akurat Rzeźnik – dodał Flesiński.

Minister wzruszył niewinnie ramionami, co było gestem zupełnie nieadekwatnym do kalibru rozmowy. Forst nie wróżył politykowi świetlanej przyszłości w rządzie.

– Zabójstwa są raczej... cóż, schludne. Słowo „Rzeźnik" przywodzi na myśl osobę skąpaną we krwi.

– Nie mnie oceniać, w jaki sposób media nadają te pseudonimy.

– Media?

– A sądzi pan, że...

– Sądzę, że to wy potrzebujecie takiego konkretyzowania, by wiedzieć, z kim kruszyć kopie. A raczej by móc oznajmiać to wszem i wobec – wypalił na jednym oddechu Flesiński. – A tymczasem równie dobrze może być to Rzeźniczka.

Znów wracał ten temat. Pojawiał się co jakiś czas w mediach, a Forst miał dosyć słuchania podobnych wywodów.

Polityk parsknął cicho.

– Wie pan, ile seryjnych zabójczyń odnotowano od tysiąc osiemsetnego roku?

– Nie – odparł Zygzak. – I przypuszczam, że pan również nie wiedział, zanim pańskie zaplecze przed programem tego nie sprawdziło, polegając ślepo na statystyce.

– To niewielki odsetek – odparł niepewnie minister. – Raptem szesnaście procent.

– I?

– Cóż...

– Wiele rzeczy wskazuje na to, że może to być kobieta – dodał Flesiński. – Choćby fakt elegancji. Wspomnianego braku krwi.

– To zbyt mało.

– W takim razie niech pan sięgnie po statystykę, którą tak pan ceni. Dowie się pan, że ogromny odsetek seryjnych zabójczyń jest zawodowo związany z ochroną zdrowia. A więc ma wiedzę, która pozwalałaby na przeprowadzenie morderstw tak, jak się to stało. Amator raczej nie byłby tak skrupulatny, nie sądzi pan?

– Zostawiam to śledczym do oceny.

– Co więcej, sprawca wyraźnie potrafił zaskoczyć ofiary. Znajdował się w pozycji zaufania, a to łatwiej osiągnąć kobietom. Zazwyczaj o niecne zamiary podejrzewamy mężczyzn.

– Tyle że ofiary to same kobiety. A te, jak wiadomo, nie ufają sobie wzajemnie.

Forst pomyślał, że prokurator generalny mógł właśnie stracić ułamek elektoratu. Rozważał, czyby nie wyłączyć telewizora, rezygnując ze słuchania dalszych płonnych rozważań. Ostatecznie jednak zainteresowało go pytanie, które postawił Zygzak. Było najprostsze z możliwych. A przez to także najtrudniejsze dla polityka.

– Co jest ważniejsze, panie ministrze: bezpieczeństwo obywateli czy przyznanie przed nimi, że sprawca wygrał? – spytał.

Minister otworzył usta, ale nie zdążył udzielić odpowiedzi.

– Czy nie lepiej zamknąć miasto, nawet jeśli miałby to być sukces zabójcy? – ciągnął Zygfryd. – Niech ma swoją satysfakcję, niech daje upust swojej euforii. Ważne, że nikogo więcej nie zabije.

– Tylko przez jakiś czas.

– Aż przez jakiś czas – poprawił go Zygzak.

– Niestety nie ma możliwości, by...

– Jest ich wiele, panie ministrze – wpadł mu w słowo dziennikarz. – Można zaapelować do turystów, by opuścili Zakopane. Można poprosić mieszkańców, by zostali w domach.

– To mijałoby się z celem.

– Doprawdy?

– Pozbawilibyśmy służby dodatkowych oczu.

– A zabójcę dodatkowych kandydatów na nowe ofiary. Wracam do pytania: co jest ważniejsze?

Polityk miotał się jeszcze przez moment, po czym zamilkł i spojrzał na rozmówcę tak, jakby żałował, że ten nie jest jednym z podlegających mu prokuratorów. Zapewne szybko przygasiłby jego temperament.

Przez moment w studiu panowała cisza.

– Będziemy oferować nagrodę pieniężną w zamian za jakiekolwiek informacje – odezwał się w końcu minister. – Uznajemy, że lepiej pójść tą drogą.

– Drogą ryzyka?

– Nie. Partycypacji obywateli w ujęciu tego człowieka. Tak bywa najczęściej podczas ścigania osób odpowiedzialnych za...

– Zamachy terrorystyczne i inne tego typu akty barbarzyństwa – dopowiedział Zygzak. – A to jest coś zupełnie innego.

Miał rację. Nieuchwytny zabójca pozostawał na wolności nie bez powodu. Potrafił zabijać, nie zwracając na siebie uwagi.

Forst zgadzał się z Flesińskim także co do tego, że powinno się zamknąć miasto. Kolejne morderstwa nie będą miały miejsca gdziekolwiek indziej. Chodziło przecież o skopiowanie *modus operandi* Bestii, a nie danie upustu ogólnym żądzom.

Po chwili rozmówcy przeszli do analizowania, czym kieruje się Rzeźnik z Zakopanego. Obaj podawali książkowe, modelowe pobudki. Zygzak wciąż skłaniał się ku koncepcji kobiety, więc podkreślał znajomość z ofiarami lub względy finansowe. Według badań to te drugie najczęściej napędzały kobiety.

Było w tym coś znamiennego. Seryjne zabójczynie odbierały życie w określonym, praktycznym celu – by zdobyć środki finansowe. Mężczyźni zaś najczęściej zabijali, by zabijać. Nie przyświecał im żaden konkretny cel.

Zygfryd i minister nie mogli dojść do żadnych konstruktywnych wniosków. Nie mieli pojęcia, co tak naprawdę się działo. Nikt nie miał, z wyjątkiem Forsta.

Może nawet on sam nie mógł być pewien, jakie są powody zabójstw. Do któregoś momentu zdawał sobie z tego sprawę, ale teraz?

Wszystko zmieniło się wraz z zabiciem Wiki Bielskiej.

O co chodziło w jej przypadku? I w sprawie tej drugiej dziewczyny, która zginęła na Krupówkach?

O wywabienie go z kryjówki?

Jeśli tak, to miał na sumieniu więcej, niż przypuszczał.

Przez moment trwał w zupełnym bezruchu. Potem złapał za pilota i wyłączył telewizor. Śledzenie newsów nie doprowadzi do niczego dobrego.

Zaśmiał się.

W sytuacji właściwie nie było rzeczy, która mogłaby do czegoś takiego prowadzić. Znalazł się między młotem a kowadłem. Musiał sprawić, by już nikt więcej nie zginął, ale jednocześnie nie dopuścić do ujęcia sprawcy.

Ale czy aby na pewno?

Miał mętlik w głowie. Heroina i piwo nie pozwalały mu logicznie myśleć. Co wieczór – kiedy jeszcze mógł ułożyć zborne myśli – powtarzał sobie, że kolejny poranek będzie inny, przełomowy. Przestanie brać, może ograniczy picie. Zrobi jeden dzień przerwy, w trakcie którego postanowi, co dalej. Nie udało mu się zrealizować tego planu ani raz. Przeciwnie, brał i pił coraz więcej. Odurzanie się przybierało na sile wprost proporcjonalnie do zwiększającego się ciężaru, który nosił na barkach.

Forst cisnął pilota na stary, przesiąknięty zgnilizną tapczan. Urządzenie odbiło się od niego i spadło na podłogę.

Były komisarz wyciągnął paczkę westów, po czym trzęsącą się ręką zapalił jednego. Zaciągnął się głęboko, ale miał wrażenie, że żaden dym nie przeniknął mu do płuc. Kaszlnął, a potem z impetem zgasił papierosa w przepełnionej popielniczce.

Postanowił działać.

4

Po ostatnich wydarzeniach Osica spodziewał się na dobrą sprawę wszystkiego, tylko nie tego. Obudziło go głośne stukanie do drzwi i przez moment odnosił wrażenie, że cała jego chałupa, która miała już swoje lata, rozleci się jak domek z kart.

Kiedy stanął w progu, zobaczył ducha.

– Forst? – jęknął. – Na litość boską…

– Dzień dobry, panie inspektorze.

– Do kurwy nędzy…

– Gratuluję awansu.

– To… Chryste na niebiosach…

– Przestanie pan i wpuści mnie do środka?

Osica potrząsnął głową, a w gardle poczuł zgęstniałą ślinę. Odchrząknął, ale bez skutku. Miał wrażenie, że przynajmniej część głosu niknie mu gdzieś, zanim dotrze do ust.

– Nie, na Boga! – powiedział. – Nie wpuszczę cię, choćby…

– Rozmowa tutaj może być kłopotliwa.

Dopiero teraz Edmund zauważył, że Forst rozgląda się nerwowo. Oraz że przyniósł ze sobą niewielki stary plecak, wypchany po brzegi.

– Jasna cholera…

– Coś nie tak? – spytał Wiktor.

– Zamierzasz nie tylko wejść, ale także tu zostać.

Były podkomendny wzruszył lekko ramionami.

– Jeśli nie będzie miał pan nic…

– Kpisz sobie, Forst? Mam wszystko przeciwko!

Wiktor popatrzył w kierunku zarośli przy płocie.

– W takim razie będę koczować u pana w ogródku.

– Posłuchaj…

– Choć odniosłem wrażenie, że ostatnim razem mieszkało nam się całkiem przyjemnie.

Osica z niedowierzaniem słuchał słów Wiktora. Właściwie w ten sam sposób przyjmował jego obecność tutaj. Może jeszcze się do końca nie wybudził? Może był to tylko koszmar?

Nie, to działo się naprawdę. Główny podejrzany stał na jego ganku, licząc nie tylko na to, że Osica go wpuści, ale także na to, że komendant udzieli mu schronienia przed prokuraturą.

Edmund zakaszlał nerwowo.

– Matko Boska… – wyjęczał. – Co ty tu robisz?

– Już mówiłem, że…

– Co robisz u mnie, do cholery!

– Potrzebuję pomocy.

– Od psychiatry, nie od oficera policji!

– Panie inspektorze…

Osica cofnął się i machnął ręką. Wpuściwszy Forsta do środka, wychynął zza progu i się rozejrzał. Ogród był zapuszczony, co miało swoje minusy, ale także jeden duży atut. Z ulicy nie było widać, co dzieje się za gęstą roślinnością. W zwykłe dni Edmund nie musiał martwić się wścibskimi spojrzeniami turystów, którzy, jak się zdawało, za punkt honoru stawiali sobie zaglądanie na posesje górali. W dni takie jak ten, kiedy niebiosa się nad nim otwierały, a Bóg zsyłał na niego czterech jeźdźców Apokalipsy, było to jeszcze istotniejsze.

Osica trzasnął drzwiami, kiedy Wiktor zrzucił plecak. Postawił go pod ścianą, a potem uśmiechnął się lekko do byłego przełożonego.

– Śmierdzisz alkoholem – oznajmił Edmund.

– Właściwie to jedna z najmilszych rzeczy, jakie usłyszałem od wielu miesięcy, panie inspektorze.

– Panie komendancie – poprawił go Osica. – Tak powinieneś się zwracać.

– Pewnie. I jeszcze raz gratuluję.

Stanęli naprzeciwko siebie jak dwaj wrogowie, a nie przyjaciele, którymi w pewnym sensie byli. Przynajmniej tak się Edmundowi wydawało.

– Gdzieś ty był?

– To dość długa historia.

– Jak każda, w której występujesz.

– Być może… – odparł Wiktor i powiódł wzrokiem w stronę kuchni. – Ma pan piwo?

Edmund uznał pytanie za retoryczne. Ruszył przed siebie, a potem wyciągnął z lodówki dwa harnasie. Postawił je na stole z takim impetem, że obaj musieli odczekać chwilę, nim je otworzyli.

Osica spojrzał na zegarek. Piąta rano nie była najlepszą porą, by pić pierwsze piwo, ale w takiej sytuacji właściwie nie było się nad czym zastanawiać.

– Zacznij od tego, gdzie pojechałeś po opuszczeniu Zakopanego – syknął Edmund.

– Nie wie pan?

– W dupie mam to, co wiem.

Forst odwrócił głowę i popatrzył na niego z ukosa.

– Chcę to usłyszeć od ciebie. Po kolei.

Wiktor napił się i zapalił papierosa. Głęboko zaczerpnął tchu, a Osica dopiero teraz dostrzegł, jak bardzo zniszczoną cerę ma były komisarz. Uwidoczniły się też cienie pod oczami i bladość skóry. Zupełnie jakby Forst przez ostatnie miesiące nie wychodził z domu. Być może tak było. A być może znów dawał sobie w żyłę. Edmund mimo woli otaksował go wzrokiem. Tradycyjne miejsca wkłucia miał zasłonięte, nie sprawiał też wrażenia nerwowego, nie był nadpobudliwy. Ale mógł niedawno wziąć. Lekko rozszerzone źrenice mogły o tym świadczyć.

Ostatecznie Osica uznał, że poczeka, co sam dawny podkomendny mu powie.

– No – ponaglił go. – Gdzie pojechałeś po tym, jak pożegnałem cię na dworcu, Forst?

– Do Słupska.

– Po jaką cholerę?

– Szukałem nowego życia.

– Znalazłeś je?

– Niestety – przyznał. – I nie było lepsze od poprzedniego.

– To znaczy?

– Zatrzymałem się u starego przyjaciela.

– Roberta Kriegera?

Jeśli Wiktor był zaskoczony, nie dał tego po sobie poznać. Upił nieco piwa i odstawił puszkę z głośnym westchnieniem.

– Co pan o nim wie? – spytał.

– Niewiele.

Zaciągnął się głęboko westem, mrużąc przy tym oczy. Sprawiał wrażenie, jakby jeszcze zastanawiał się, ile zdradzić. Osica już otwierał usta, by przedstawić mu ultimatum, ale Wiktor najwyraźniej sam doszedł do wniosku, że albo opowie o wszystkim, albo może zabierać stąd swój wyliniały plecak.

– To fikcyjne imię i nazwisko – powiedział. – Stworzyliśmy je do naszych… wspólnych celów.

– Jak się naprawdę nazywa?

– Nie mogę tego zdradzić.

– Posłuchaj, Forst…

– Są pewne rzeczy, które muszę zachować dla siebie.

– Nie ma mowy.

– To istotne, panie inspektorze.

– Komendancie.

– Jak zwał, tak zwał, liczy się to, że…

– Że zaraz się pożegnamy, a potem więcej nie zobaczymy. Chyba że podczas procesu, kiedy będę zeznawać. Tym razem na twoją niekorzyść, Forst.

Wiktor wypuścił dym przez nos.

– Wiesz, jak wiele ryzykuję, w ogóle wpuszczając cię do domu?

– Wiem.

Przez chwilę milczeli, nie patrząc na siebie. W końcu ich wzrok się skrzyżował. Jedynie na moment, jakby obaj czuli się niekomfortowo, spoglądając sobie w oczy.

– Wiem też, że mi pan ufa.

– Ufałem – sprostował Edmund. – Dopóki nie zniknąłeś bez słowa.

– Ubodło to pana?

– Daruj sobie ten prześmiewczy ton, Forst.

– Pytam poważnie. Uraziłem pańskie uczucia?

Osica pokręcił bezradnie głową. Przypomniały mu się czasy, kiedy musiał codziennie zmagać się z krnąbrnym komisarzem. Bywały dni, że odnosił wrażenie, jakby cała zawodowa egzystencja Forsta sprowadzała się do prób poirytowania go.

– Jeśli ktokolwiek odkryje, że siedziałem tu z tobą i prowadziłem rozmowę jakby nigdy nic, stanę przed sądem zaraz po tobie. Rozumiesz?

– Aż za dobrze. Poza tym jest jeszcze coś.

– Jeszcze coś?

– Szukają mnie Rosjanie.

– Co proszę?

– Pół roku temu podpadłem niejakiemu Siergiejowi Bałajewowi, wyjątkowej gnidzie. Znam wielu Rosjan, ale ten...

– O czym ty mówisz, Forst?

– Wszystko wyjaśnię – zapewnił Wiktor. – Na razie musi pan wiedzieć tyle, że nie poluje na mnie jedynie polska prokuratura, ale także ruska mafia.

Osica zastygł w bezruchu, wbijając wzrok w oczy rozmówcy. Tym razem nie czuł żadnego dyskomfortu. Miał za to nadzieję, że Wiktor odczuwa go przemożnie.

– Coś ty narobił?

– Popełniłem błąd – przyznał Forst. – Zostawiłem Bałajewa przy życiu, kiedy mogłem go usunąć.

Edmund przeczesywał gorączkowo pamięć w poszukiwaniu tego nazwiska. Z nikim jednak nie potrafił go skojarzyć. Najwyraźniej Siergiej Bałajew nie działał w Polsce. Albo robił to na tyle sprawnie, że policja nic o nim nie wiedziała.

– W takim razie mnożą się powody, dla których powinieneś mi wszystko wyjawić.

– To prawda. I zrobię to.

– Mów więc. Kim jest ten Krieger?

– Przyjacielem.

Zamilkł, nie zamierzając dodawać nic więcej. Osica westchnął.

– Powiem panu o wszystkim innym, ale...

– W porządku, zaczynaj – uciął Osica, chcąc jak najprędzej przejść do rzeczy. Potem przyjdzie czas, że wyciągnie z Forsta więcej.

Przynajmniej z takiego założenia wyszedł, by odczuwać pewien komfort. Ostatecznie najpewniej usłyszy tylko tyle, ile Wiktor sam postanowi mu przekazać.

– Więc po opuszczeniu Zakopanego zadekowałeś się w Słupsku.

– Tak. U dawnego przyjaciela ze szkoły oficerskiej.

– Kriegera.

Forst ani drgnął, co właściwie samo w sobie stanowiło potwierdzenie.

– Co potem?

– Spędziłem tam trochę czasu.

– Staczając się?

– Wręcz przeciwnie. Było ze mną coraz lepiej, demony stawały się coraz mniej wyraźne.

– Demony... – mruknął niewyraźnie Edmund. – Masz na myśli to, co normalni ludzie rozumieją jako własną przeszłość.

– Zna mnie pan lepiej niż moja matka.

– Ale darzę cię dokładnie odwrotnym uczuciem – odparł pod nosem Edmund, a potem wykonał ponaglający ruch ręką. – Kontynuuj.

– Los chciał, że musiałem opuścić kraj.

– Los?

– Poproszono mnie o pomoc.

– Na Boga, Forst, jeśli zaraz nie zaczniesz mówić wprost, będę musiał...

– Się ze mną pożegnać – dopowiedział Wiktor. – Tak, wiem. Tyle że niczego więcej się pan wtedy nie dowie.

Osica bąknął coś pod nosem i skinął głową. Forst mimowolnie podrapał się po zgięciu łokcia. Dopiero po chwili się zreflektował i wsunął ręce do kieszeni.

– Przeszło pół roku temu poleciałem do Alicante, to niewielkie miasto w południowo-wschodniej Hiszpanii... niewielkie jak na tamtejsze standardy. Ma może trzysta tysięcy mieszkańców. W tym wielu Rosjan. Zbyt wielu.

– Mniejsza z demografią.

– To niezupełnie kwestia demograficzna – powiedział Wiktor. – Dążę raczej do tego, czym parają się ci konkretni Rosjanie.

Osica milczał.

– Słyszał pan o ekskluzywnych hostessach dla arabskich szejków?

– *Instagram models.*

Forst uniósł brwi ze zdziwienia.

– Jestem komendantem policji, na litość boską. Muszę wiedzieć o takich rzeczach.

– Oczywiście.

– I nie wślepiaj się we mnie tak podejrzliwie.

– Nie wślepiam się, panie inspektorze.

Edmund bezradnie rozłożył ręce i rozejrzał się na boki, jakby w pomieszczeniu mógł znajdować się ktoś, kto go wesprze. Miał wrażenie, że rozmawia z niesforną latoroślą, a nie oficerem policji, który niegdyś musiał wykonywać każdy jego rozkaz. Przynajmniej w teorii.

– Nigdy nie podejrzewałbym pana o korzystanie z tego typu usług, panie inspektorze. Przy pana magnetyzmie i charyzmie kobiety same muszą sięgać do portfela, ilekroć…

– Zamknij się.

– Tak jest – odparł szybko Forst i wyjął ręce z kieszeni. Zaplótł je na karku, a potem przechylił głowę na boki. Pęcherzyki powietrza zgromadzone w mazi stawowej pękły cicho. – Przed wylądowaniem w Alicante wykonałem szeroki research w sprawie Rosjan.

– Z pomocą Wadryś-Hansen?

To pytanie wyraźnie zbiło go z tropu. Otworzył usta, ale się nie odezwał, zupełnie jakby dopiero teraz uświadomił sobie, że musi uważać na każde słowo. Osica miał ochotę upomnieć go, że nie są na sali sądowej i że nic, co powie, nie może zostać użyte przeciwko niemu. Ostatecznie uznał jednak, że niepewność Forsta to jego niewielki triumf.

Zaskoczył go. Były komisarz nie zdawał sobie sprawy, że Osica wie o kontaktach z Dominiką.

– Powiedziała panu o… o naszych relacjach?

– Nie.

– Więc…

– Wydajesz się skołowany, Forst.

– A pan wyjątkowo zadowolony. Powiedziałbym nawet, że wniebowzięty.

– Bo widzę, że jest coś, czego się nie spodziewałeś.

Pokiwał głową zamyślony.

– Rzeczywiście – przyznał. – Byłem pewien, że Dominika zachowa wszystko dla siebie.

Osica długo mu się przypatrywał. Znał ten głos, znał też sposób, w jaki Wiktor wypowiadał niektóre kobiece imiona. Już po samej intonacji mógł stwierdzić, jakie miejsce w jego życiu – czy namiastce życia – zajmowała prokurator.

Odchrząknął niepewnie. Nie był gotowy wchodzić na ten grząski grunt.

– Nie zdradziła mi zbyt wiele – zastrzegł. – Właściwie tylko tyle, że utrzymywaliście kontakt.

– Przez pewien czas codzienny.

Forst zawieszał wzrok gdzieś w oddali, zupełnie jakby nagle zniknął z domu Osicy. Przynajmniej myślami.

– Współpracowała z tobą? Pomagała ci w sprawie Rosjan?

Wiktor potrząsnął głową i potarł kark.

– Nie – zastrzegł. – Nie wiedziała nic o tym, co naprawdę robię. Była przekonana, że cały czas przebywam w Polsce, tylko…

– Tylko nie chcesz się spotkać.

– Raczej nie mogę. Przez bagaż życiowy, rozumie pan.

– Ja? Poniekąd – odburknął Edmund. – Ale ona z pewnością rozumiała to bez trudu.

Zamilkli na tak długo, by cisza stała się wymownym zakończeniem tematu.

– I co z tymi kacapami? – podjął w końcu Osica.

Forst wyglądał na wdzięcznego. Gdzieś po jego twarzy przemknął uśmiech, choć kąciki ust ledwo drgnęły.

– Ustaliłem, jak się zbliżyć do ich organizacji. A potem użyłem tej wiedzy, by to zrobić.

Wzdrygnął się lekko, jakby wiązało się to z niezbyt przyjemnymi przeżyciami. Osica przypuszczał, że w istocie tak było. Nie zamierzał jednak wnikać. Zarówno tematy damsko-męskie, jak i te związane z innego rodzaju traumami wolał omijać szerokim łukiem.

– Stopniowo zacząłem uzyskiwać zaufanie człowieka, na którego sympatii mi zależało. Siergieja Bałajewa.

– Po co?

– Musiałem wyciągnąć pewną osobę z jego szeregów.

– Jaką?

– Łucję Janowicz.

– Kim ona jest?

– Niewinną dziewczyną, która znalazła się w...

– Złym miejscu i złym czasie, tak, tak. Co konkretnie masz na myśli?

– Coś innego.

– Hę?

– Znalazła się w złym towarzystwie, w złym stanie psychicznym. Omamiono ją, a potem zmuszono, by...

Nagle Forst urwał i rozejrzał się nerwowo jak spłoszone zwierzę. Edmund wbił w niego wyczekujący, pełen irytacji wzrok. Dopiero po chwili zorientował się, że Wiktor nie urwał bez powodu.

Dźwięk jednostajnie pracującego silnika dochodził niewątpliwie spod domu. O samochodzie stojącym w korku o tej porze nie mogło być mowy.

– Ktoś zatrzymał się na podjeździe – odezwał się Forst.

– Słyszę.

Były komisarz podniósł się powoli.

– Spodziewa się pan kogoś? – spytał.

– Nie.

Kiedy Wiktor sięgnął za pasek spodni, Osica poczuł, jak opada go fala gorąca. Doskonale znał ten ruch, widywał go stanowczo zbyt wiele razy. Równie dobrze znany był mu pistolet, który zobaczył.

– Co to jest, do cholery?

– P-83.

– Widzę, ale...

– Ma starte numery, to bezpieczna broń.

Edmund właściwie mógł odpowiedzieć na to niekończącą się litanią przekleństw i uwag mających podkreślić niefrasobliwość dawnego podkomendnego. Ostatecznie uznał jednak, że identyczny efekt osiągnie, milcząc.

– Odłóż to.

– Nie da rady, panie inspektorze.

– Forst, nie będę powtarzał.

Wiktor wskazał pistoletem drzwi wejściowe.

– Mówiłem panu, że Rosjanie mnie tropią – oznajmił. – Dopóki byłem w ukryciu, nic mi nie groziło, ale teraz sytuacja się zmieniła.

– Tu nie ma żadnych Rosjan.

– To samo powiedział Śmigły-Rydz we wrześniu trzydziestego dziewiątego. A potem połowę kraju zalała Armia Czerwona.

– Posłuchaj...

– Niech pan sprawdzi, kto to.

– Nie zobaczę niczego zza krzaków.

– Jakoś pan sobie poradzi. Byle ostrożnie.

Osica podniósł się i zbliżył do niego. Spojrzał mu w oczy, niczym psychiatra szukający u ciężko chorego na umyśle pacjenta cienia rozsądku.

– Uspokój się – powiedział. – I zastanów, czy ktoś mógł cię śledzić.

Edmund zdawał sobie sprawę, że dawny podkomendny zachował najwyższą ostrożność. Jeśli dotarł tu ze Słupska, zapewne część trasy pokonał pociągiem, część na piechotę, a pozostałą autobusami. Można było oskarżać Forsta o różne rzeczy, ale z pewnością nie o brak zapobiegliwości.

– Niech pan po prostu sprawdzi.

Osica wywrócił oczami, jeszcze przez moment łudząc się, że Wiktor odpuści. Ostatecznie jednak musiał zrobić to, czego wymagał niespodziewany gość.

– W porządku – rzekł. – Miejmy to już za sobą.

– Otóż to.

– Najpewniej to listonosz, kurier albo zbłąkany turysta ustawiający nawigację. Wiesz, że w tej okolicy łatwo się...

Głośny dzwonek rozbił tę koncepcję w drobny mak. Obaj drgnęli nerwowo, a Wiktor natychmiast chwycił broń oburącz i wycelował ją w drzwi. Osica kątem oka dostrzegł, jak Forst kładzie palec wskazujący na kabłąku.

– Drzwi czy bramka przed wejściem? – zapytał.

– Bramka.

Edmund spojrzał na domofon i z trudem przełknął ślinę.

– Mogę nie odbierać.

– Niech pan sprawdzi.

Osica namyślał się przez krótką chwilę. Nie, nie było powodu do paniki. Ani tym bardziej paranoi, którą najwyraźniej przejawiał Forst. Komendant podszedł do słuchawki, chwycił ją pewnie i przyłożył do ucha.

– Tak? – spytał.

– Dzień dobry, panie inspektorze.

Edmund uniósł brwi tak wysoko, że na jego czole pojawiły się głębokie bruzdy.

– Co też… co pani tu robi?

– Musimy porozmawiać – odparła Wadryś-Hansen.

5

Zlokalizowanie ładunku w Hamburgu było momentem przełomowym. Dominika wiedziała o tym, już kiedy uzyskała pierwsze informacje z portu. Miała wrażenie, jakby do rozwiązania sprawy zbliżyła się na wyciągnięcie ręki – a jednak wciąż z tyłu głowy głos rozsądku podpowiadał jej, że idzie drogą wyznaczoną przez zabójcę.

To on podsunął jej trop Hespéridesa. To on skierował jej uwagę na Hamburg.

Chciał, żeby połączyła jedno z drugim i poszła dalej. Tylko dokąd ją prowadził? I dlaczego?

Wadryś-Hansen ustaliła, że w hamburskim porcie doszło do wyładunku dwóch kontenerów. Jeden został na miejscu, drugi ruszył w dalszą podróż, załadowany na TIR-a należącego do jednej z polskich firm spedycyjnych.

Dominika rozważała, czy nie skontaktować się z jej przedstawicielami, ale ostatecznie uznała, że najpierw rozezna się w temacie dzięki Niemcom. Jeśli miało miejsce cokolwiek sprzecznego z prawem, lepiej było zacząć od tej strony.

Kilka telefonów kosztowało ją ustalenie, z kim w Bundesamt für Güterverkehr powinna porozmawiać. Był to urząd odpowiedzialny za drogowy transport towarowy, a pracownicy zdawali się mówić po angielsku lepiej od lektorów, z którymi miała styczność w szkołach językowych.

Ostatecznie na linii miała Sandrina Denneberga, który miał udzielić jej wszelkich niezbędnych informacji. Niemcy na każdym kroku podkreślali otwartość i gotowość do pomocy, zupełnie jakby miała ich nagrać, a potem zaprezentować materiał przed Komisją Europejską.

Sandrino mówił po angielsku równie dobrze jak jego koledzy, w dodatku był równie uczynny. Wadryś-Hansen przypuszczała jednak, że to wszystko jedynie pozory. Kiedy przyjdzie co do czego, każdy kraj będzie bronił swoich informacji operacyjnych jak lwica młode.

– Interesuje mnie pewien kontener, który…

– Tak, wszystko już wiem – uciął Denneberg. – Dostałem informację o CSC.

Przez ostatnią godzinę lub dwie Dominika wzbogaciła się o niebagatelną ilość wiedzy związaną z oznakowaniem kontenerów. Tabliczka CSC była kluczowa. Znajdowała się na ścianie bocznej i zawierała wszelkie informacje, na których Wadryś-Hansen zależało. Kraj i numer świadectwa uznania, ciąg cyfr pozwalających na identyfikację, daty przeglądów i tak dalej.

Im więcej kolejni pracownicy BfG mówili jej na ten temat, tym bardziej była pewna, że dzięki poszczególnym danym dowie się więcej, niż początkowo przypuszczała.

– Co może mi pan powiedzieć o ładunku?

W tle usłyszała ciche brzęczenie komputera.

– Właściwie był dość standardowy – powiedział Niemiec. – W kontenerze znajdowały się samochody.

– Samochody? – spytała z niedowierzaniem.

Co przewóz aut miałby mieć wspólnego z firmą deweloperską z Alicante? Dominika potrząsnęła głową, uznając, że najlepiej będzie, jeśli pozwoli przedstawić wszystko pracownikowi BfG, a dopiero potem zacznie budować pierwsze hipotezy.

Była blisko. Wystarczyło tylko wykazać cierpliwość.

– Jest tam pan?

– Tak, tak…

– Jest pan przekonany, że taki był ładunek?

– Bez wątpienia – powiedział Sandrino, ale w jego głosie brakowało pewności. – I to rzecz raczej normalna. W ostatnim czasie hiszpański eksport do innych krajów europejskich rośnie przede wszystkim dzięki branży motoryzacyjnej. W dodatku dość szybko, wzrost jest na poziomie kilkunastu procent.

– Mhm.

– Hiszpania staje się jednym z liderów w tej sferze.

– A jednak brzmi pan, jakby potrzebował przekonać samego siebie.

– Słucham?

– W pana głosie jest jakaś niepewność.

– Tak… – odparł w zamyśleniu. – Bo jest tu rzecz ciekawa. Wyobraziła sobie, jak mężczyzna siedzi pochylony przed monitorem, wlepiając wzrok w ekran i marszcząc brwi.

– Co konkretnie?

– Dane CSC mówią o maksymalnej masie eksploatacyjnej, która… Nie, to musi być jakiś błąd.

– Co jest błędem?

Denneberg przez moment milczał.

– Próba piętrzenia wykazała większą wagę od dopuszczalnej.

– To znaczy?

– Przekroczono deklarowany tonaż o jakieś trzysta kilogramów.

– To chyba niedużo, biorąc pod uwagę, ile w sumie ważył ładunek.

– Tak, dlatego chyba niespecjalnie się tym przejęto.

– Chyba?

– Cóż… może przymknięto oko z innego powodu. Niekoniecznie błędu.

– Może – przyznała Dominika.

Nie spodziewała się, by Hiszpanie przesadnie skrupulatnie kontrolowali ciężar kontenerów. Gdyby to robili, z pewnością wraz z bananami trafiałoby do Europy znacznie mniej narkotyków.

Nie to jednak interesowało ją najbardziej.

– Może mi pan wytłumaczyć, dlaczego deweloper na rynku nieruchomości zlecił transport samochodów?

Sandrino przez chwilę milczał.

– Panie Denneberg?

– Proszę mi mówić po imieniu.

– W porządku – odparła. – Ale tylko, jeśli odpowiesz na moje pytanie.

– Niestety nie mogę – powiedział, a potem nabrał głośno tchu. – Mam tu tylko tyle informacji, ile jest niezbędne, żebyśmy zapewnili bezpieczeństwo w transporcie. Po całą resztę musisz się zgłosić do którejś z firm.

– Ta, która nadała kontener, niestety już nie istnieje.

A jej właściciel został znaleziony martwy w swoim biurze, dodała w duchu.

– Więc może odbiorca będzie wiedział więcej – zauważył Sandrino.

– Przypuszczam, że tak.

Mruknął z zadowoleniem, być może nawet niejaką dumą spowodowaną tym, że może pomóc w toczącym się śledztwie.

– Po tym, jak ładunek trafił do Hamburga, przejęła go firma świadcząca usługi transportowe z siedzibą w Polsce. Oczywiście monitorowaliśmy kontener tak długo, jak było to możliwe.

– Jaka to firma?

Pracownik podał nazwę. Nic jej nie mówiła. Dominika zapisała ją na kartce, a potem na moment zamknęła oczy. Następne pytanie, jakie postawi, będzie kluczowe. Albo zaprowadzi ją do konkretnego miejsca, albo wywiedzie w pole. Nabrała głęboko tchu.

– Dokąd pojechał ten kontener? – zapytała.

– Do Polski.

– Tego się domyśliłam.

– A konkretnie… moment.

Wstrzymała oddech, myśląc o tym, że powinna zapalić. Czekając na odpowiedź, odniosła wrażenie, że każda kolejna sekunda trwa coraz dłużej.

Miała w głowie ułożone różne scenariusze, odpowiedź Niemca mogła potwierdzić jeden z nich i obalić wszystkie inne. Mogła doprowadzić do przełomu.

– Nowy Targ – odezwał się Sandrino.

Tego nie przewidywał żaden scenariusz. Zakopane, Słupsk, któreś z większych miast… to wszystko wydawało się realnymi możliwościami. Ale Nowy Targ w toku śledztwa dotychczas nigdzie się nie pojawił.

– Jest pan pewien? – spytała.

– Tak. Transport pojechał do miasta Nowy Targ.

– Ale…

– Chodzi chyba o Neumarkt, tak?

– Tak.

Właściwie było to jedno z niewielu miejsc w okolicy, do którego niepostrzeżenie mógł zmierzać transport z samochodami lub częściami do nich. Przy krajowej czterdziestce siódemce w Nowym Targu było mnóstwo salonów i dilerów aut. Dominika pamiętała wszystkie te reklamy, które mijało się, jadąc zakopianką z Krakowa. Swoje placówki miały tam

Skoda, Renault, Dacia, Opel, Ford, Hyundai i pewnie kilka innych firm.

Dominika poczuła, że serce jej przyspiesza. Była blisko.

– Mogę podać konkretny adres – odezwał się Sandrino.

– Będę wdzięczna.

Zapisała go obok nazwy firmy spedycyjnej, a potem podziękowała pracownikowi niemieckiego urzędu i wbiła wzrok w swoje skąpe notatki. Na dobrą sprawę z nich samych niewiele wynikało. Stanowiły jednak obietnicę czegoś więcej.

Uśmiechnęła się na tę myśl.

Jeszcze tego samego dnia pojechała do Nowego Targu. Podróż nie zabrała jej wiele czasu, miasto oddalone było od Zakopanego o niewiele ponad dwadzieścia kilometrów. Miała dokładny adres, dokładny trop. Miejsce, w którym miano zostawić kontener.

Zatrzymawszy się przed jednym z salonów, rozejrzała się. Właściciel prowadził tradycyjny biznes, handlując samochodami kilku marek. Wyglądało na to, że sprzedaż idzie całkiem nieźle, bo teren był rozległy, a oprócz nowych modeli na parkingu stało kilkadziesiąt używanych aut.

Weszła do głównego budynku i skierowała się do recepcji.

– Prokurator Wadryś-Hansen – oznajmiła.

Spojrzenie, którym reagowali na to oświadczenie przypadkowi ludzie, zawsze było na wagę złota. Najczęściej zdawało się sugerować, że nikt nie ma siebie za tak niewinnego, jakim w istocie jest.

– Muszę zobaczyć się z właścicielem – dodała. – Jest na miejscu?

Nie zastała go, ale był niedaleko. Po krótkiej rozmowie telefonicznej otrzymała zapewnienie, że niebawem się zjawi, a ona może usiąść w kafejce na piętrze. Zdążyła wypić kawę, przyglądając się klientom czekającym na naprawę lub przegląd, zanim zjawiła się kobieta, na którą czekała.

Wadryś-Hansen uważnie zmierzyła ją wzrokiem. Z jakiegoś powodu spodziewała się mężczyzny.

Załatwiły formalności szybciej, niż pozwalały na to zasady savoir-vivre'u. Najwyraźniej właścicielka nie zwykła trwonić czasu na zbyteczne uprzejmości.

Rozmówczyni Dominiki nie była modelową kobietą sukcesu, przynajmniej na pierwszy rzut oka. Miała przerzedzone włosy, bladą skórę i niespecjalnie zadbaną cerę. Wadryś-Hansen przeszło przez myśl, że wyciągnęła ją prosto z fitness clubu czy innego miejsca, gdzie nakładanie makijażu mija się z celem.

Właściwie pasowała bardziej na właścicielkę zakładu mechaniki pojazdów niż salonu samochodowego. Być może od tego właśnie zaczynała.

– Jak mogę pani pomóc? – zapytała.

– Szukam pewnego kontenera.

Kobieta ściągnęła brwi, gniewnie, jakby samo w sobie stanowiło to zarzut.

– Zapewniam, że wszystko dokładnie sprawdzamy – powiedziała.

– Co proszę?

Wydawała się skołowana. Dopiero teraz zrozumiała, że opacznie potraktowała słowa prokurator.

– Sądziłam, że…

– Że zarzucam pani przemyt? Nie, nic z tych rzeczy.

Rozmówczyni poruszyła się nerwowo na krześle, a potem uciekła wzrokiem. Wstała, zaparzyła sobie kawy w dużym, drogim ekspresie stojącym pod ścianą i wróciła do stolika.

– Mam nadzieję, że pani rozumie, jak to wyglądało z mojej perspektywy – odezwała się, pociągnąwszy łyk. – Ktoś z prokuratury zjawia się u nas, prosi o spotkanie ze mną, a potem pyta o kontener. To dość sugestywne.

Jeśli ma się coś do ukrycia, być może tak, przyznała w duchu Dominika.

– Ostatnio sporo się czyta o podwójnych transportach – usprawiedliwiała się dalej kobieta. – Jeden legalny, a w nim... właściwie wszystko, czego przestępcza dusza zapragnie.

– Rzeczywiście, proceder jest coraz powszechniejszy.

– Dlatego przykładamy największą wagę do tego, by sprawdzić wszystko kilkakrotnie.

– Nie wątpię.

– Szczególnie od kiedy media zaczęły nagłaśniać coraz więcej takich spraw. Przemytnicy potrafią władować towar właściwie do wszystkiego. Niedawno czytałam o pięćdziesięciu kilogramach kokainy i dziesięciu tysiącach tabletek ecstasy ukrytych w wieprzowinie. Właściciel był niczego nieświadomy.

Dominika pokiwała głową.

– Może to i lepiej dla niego – dodała rozmówczyni. – Inaczej miałby dylemat, co zrobić. Z jednej strony lepiej siedzieć cicho, z drugiej najbezpieczniej powiadomić organy ścigania. W końcu każdy przestępca wpada, prawda? I może pociągnąć za sobą...

– Zapewne tak – ucięła Wadryś-Hansen i odchrząknęła. Nadal czuła się niepewnie, wpadając ludziom w słowo. W tej sytuacji uznała to jednak za uzasadnione. – O nic panią nie podejrzewamy.

– No, ja myślę.

– Chcę po prostu zlokalizować jeden z transportów.

Właścicielka salonu ochoczo skinęła, a potem zabrała kawę i wskazała kierunek do swojego biura.

– Nie ma problemu – zapewniła. – Załatwimy to od razu, mam wszystko w systemie.

Rzeczywiście nie trwało to długo. Dominika podała dane z CSC, a na ekranie szybko pojawiła się firma odpowiedzialna za przewóz. Zaraz potem program wyświetlił całą historię tego konkretnego towaru.

– Kilkanaście używanych samochodów – powiedziała kobieta. – Do tego nieco części. Wszystko sprawdzone, opłacone, zaksięgowane, ujawnione w deklaracji i… jeszcze raz sprawdzone, na wszelki wypadek.

Wadryś-Hansen stała za nią, pochylając się nad monitorem. Na tyle blisko, by wysłać kobiecie sygnał, że nie powinna czuć się swobodnie.

– Od kogo pani kupiła te auta?

– Od człowieka poleconego mi przez znajomego.

– Jak się nazywa?

– Znajomy czy…

– Jeden i drugi.

Właścicielka spojrzała na monitor, drapiąc się po głowie. Dopiero teraz Dominika poczuła kwaśny zapach. Chyba rzeczywiście przerwała jej jakiegoś rodzaju ćwiczenia.

– Sprzedawcą był Joaquín Calavera – powiedziała. – A polecił mi go Tomasz Kątny.

– Polak?

– Jak samo nazwisko sugeruje.

Wadryś-Hansen wyprostowała się i spojrzała z góry na rozmówczynię. Nie miała zamiaru upominać jej, żeby odpowiadała na pytania wprost, a nie wykrętami. Zresztą nie miała ku temu podstaw, nie były w sądzie. Przypuszczała jednak, że znaczące spojrzenie w zupełności wystarczy.

– Naraił mi tego Calaverę tylko raz, nie miałam z nim wcześniej ani później żadnego kontaktu.

– Nie zajmował się zawodowo sprzedażą samochodów używanych?

– Nie wiem.

Dominika znów zawiesiła na niej wzrok.

– Ze mną w każdym razie nie handlował – dodała właścicielka. – Ale Tomek od czasu do czasu dawał mi namiar na innych sprzedawców. Często bardziej opłaca mi się ściągnąć auta z Hiszpanii czy Portugalii. Szczególnie kiedy jest okazja przerzutowa.

– Okazja przerzutowa?

– Ach… to tylko wewnętrzna nomenklatura. Chodzi o okazję, kiedy jakiś kontenerowiec akurat ma wolny przebieg.

– Tyle że tym razem był to statek badawczy.

– I tak się zdarza.

Przez moment milczały.

– W porządku – powiedziała Wadryś-Hansen, jakby do tej chwili nie była pewna, czy dać temu wiarę. – Co później stało się z ładunkiem?

– Wyładowaliśmy samochody, wystawiliśmy je, sprzedaliśmy.

– Kiedy to było?

– Pół roku temu.

Podała jej konkretną datę, a Dominika dołączyła ją do swoich notatek. Zaczynał wyłaniać się z nich obraz, ale daleko mu było do czegokolwiek, co przypominałoby solidną hipotezę śledczą.

– Będę musiała przesłuchać wszystkich, którzy brali udział w transporcie i rozładowaniu kontenera.

– To konieczne?

– Obawiam się, że tak.

Kobieta obróciła się na niewielkim starym krześle. Rozległo się nieprzyjemne skrzypienie, a Dominika pomyślała, że jeśli właścicielka zaczynała od mechaniki pojazdowej, to krzesło zapewne było tu od samego początku.

– Wszczęto jakieś dochodzenie?

– Tak.

– Przeciwko mnie?

– W żadnym wypadku – zastrzegła Wadryś-Hansen. – Postępowanie toczy się w sprawie.

– W takim razie…

– Najlepiej będzie, jeśli po prostu pozwoli mi pani porozmawiać z kilkoma osobami.

Kobieta nie sprawiała wrażenia, jakby miała cokolwiek do ukrycia. Wprawdzie namyślała się chwilę, ale ostatecznie skinęła głową, a potem od razu sięgnęła po telefon.

Dominika pomyliła się co do jednego. Ostatecznie musiała rozmówić się nie z kilkoma, ale kilkunastoma osobami. W dodatku większość nie pamiętała zupełnie transportu, który ją interesował.

Dopiero pod koniec wywiadów trafiła na coś konkretnego.

Jej rozmówca był pierwszym z pracowników salonu, który miał kontakt z ładunkiem. Przyjął go o drugiej, może trzeciej w nocy, nie pamiętał dokładnie. Zarejestrował jednak sam fakt, bo kiedy otworzył kontener, nie poczuł znajomego zapachu.

Twierdził, że wewnątrz pachniało, jakby kontener nie spędził iluś dni na morzu. W powietrzu nie czuć było wilgoci ani innych woni, które normalnie uderzały w nozdrza od razu po otwarciu drzwi.

– Czułem za to spaliny – dodał. – Zupełnie jakby któryś z tych samochodów dopiero przed momentem znalazł się w środku.

Dominika zadała mu wszystkie pytania, które powinna była zadać. Potwierdziła, że rzeczywiście przyjął towar o godzinie, która figurowała w rejestrze. Właściwie wszystko, co mówili pracownicy, składało się w wiarygodną całość.

Oni sami także sprawiali wrażenie, jakby nie mieli niczego do ukrycia. Wadryś-Hansen przesłuchała jeszcze dwóch, zanim uznała, że to nie tutaj powinna szukać. Jeśli ktoś uruchomił jeden z tych samochodów lub dokonał jakiejś podmiany, stało się to po drodze do Nowego Targu, nie na miejscu.

Musiała znaleźć kierowcę, który tamtego dnia przewoził kontener.

Nie wydawało się to skomplikowanym zadaniem, jego dane widniały w rejestrze BfG i wielu innych miejscach. Zanim jednak się z nim skontaktowała, skorzystała z komputera w gabinecie właścicielki salonu.

Musiała mieć pewność, że dobrze trafiła.

Wprowadziła do Google Maps punkt startowy i końcowy, a potem nerwowo czekała, aż algorytm przeliczy średni czas dojazdu do Nowego Targu. Tak jak się spodziewała, ciężarówka jechała tu o dobrą godzinę za długo.

Oczywiście kierowca mógł akurat być zmuszony zrobić przerwę. Ale równie dobrze mógł zatrzymać się gdzieś w okolicy, by otworzyć to, co miał na naczepie.

Tak przypuszczała. I potwierdziła to stosunkowo szybko.

Nie spodziewała się jednak tego, że wraz z tym odkryciem przyjdzie kolejne, które rzuci na sprawę zupełnie nowe światło.

6

– Co pani tu robi? – powtórzył Osica, stojąc w progu.

Forst wszedł do sypialni, licząc na to, że to jedynie kurtuazyjna wizyta, a nie zapowiedź rewizji. Jeśli Dominika rzeczywiście chciała tylko rozmówić się z inspektorem, nie miała powodu, by chodzić po domu.

Edmund zaprowadzi ją do kuchni, a Forst będzie mógł bez trudu usłyszeć rozmowę. Przy tym pozostanie niezauważony.

Oparł się o framugę, nie mogąc opędzić się od myśli, że ostatnim razem znajdowali się w takiej odległości od siebie dobry rok temu. Od tamtej pory ich relacja nabrała zupełnie innego charakteru, ale ani razu się nie spotkali.

– Powie mi pani, w czym rzecz? – burknął Osica. – Czy mam tak pytać w nieskończoność?

– Może najpierw mnie pan wpuści?

– A, tak… oczywiście.

Wiktor usłyszał, jak dawny przełożony ciężko stawia kroki do tyłu.

– Proszę – rzucił.

Po chwili przeszli do kuchni, a Forst wychylił się nieco zza progu. Nie musiał wychodzić na korytarz, by wszystko słyszeć. Właściwie nawet gdyby zamknął drzwi sypialni, nie miałby z tym problemu. Ściany w domu Osicy były wyjątkowo cienkie.

Na tyle, że po chwili usłyszał dźwięk zapalniczki. Potem poczuł lekki zapach nikotyny – wystarczająco delikatny, by nie mieć wątpliwości, kto i jakiego papierosa zapalił.

Zamknął oczy, myśląc o tym, że raptem kilka kroków dzieli go od tego, by po tym całym czasie, po wszystkich wymienionych wiadomościach i przeprowadzonych rozmowach w końcu zobaczyć się z Dominiką.

Cofnął się o pół kroku, jakby to mogło wystarczyć, by głos z tyłu głowy dłużej go nie podjudzał.

– Dotarłam do pewnych niepokojących faktów, panie inspektorze.

– Tak?

Jej nie rugał za nieodnoszenie się do niego per komendancie. Typowy Osica.

– Podążyłam tropem kontenera z Kartageny.

– Aha.

– Nie wydaje się pan zdziwiony.

– Trzymam rękę na pulsie. Przynajmniej w tych najważniejszych sprawach, a ta z pewnością do nich należy. Zresztą spodziewałem się, że łatwo pani nie odpuści.

Pozory mogły sugerować coś innego, ale Edmund w istocie był dobrym aktorem. Pokazał to dobitnie po tym, jak ujęto Forsta w słowackiej części Tatr. A teraz zdawał się to potwierdzać. Mówił z wyraźnym uznaniem w głosie, jakby skrupulatność śledcza Dominiki rzeczywiście go cieszyła.

Na tym etapie musiał już jednak zrozumieć, że im mniej prokuratura będzie wiedziała, tym lepiej.

Wadryś-Hansen krótko nakreśliła mu sytuację i wyjaśniła, w jaki sposób docierała do poszczególnych informacji. Forst słuchał tego z niedowierzaniem. O zabójstwach wiedział tyle, ile podały media.

Nie miał pojęcia, że na miejscu służby odnalazły tak znaczące poszlaki.

Wszystko to przypominało zarówno zabójstwo, jak i samobójstwo. Śladów było zbyt wiele, dochodzeniowcy w końcu musieli trafić na właściwy trop.

– Kiedy dotarłam do kierowcy, musiałam zastosować moralnie wątpliwe techniki śledcze – oznajmiła Dominika.

– Znaczy przycisnęła go pani?

– Na tyle, na ile pozwalało mi prawo. Może nawet lekko przekroczyłam granicę.

Forst przypuszczał, że Osica skwitował to albo obojętnym spojrzeniem, albo machnięciem ręki. Dla niej balansowanie na tej granicy mogło stanowić odstępstwo od normy, ale on wychował się w PRL-u. Swego czasu jego zawodowa egzystencja sprowadzała się do takiej ekwilibrystyki.

– Niechże pani mówi, co udało się wydusić z tego człowieka?

– Sporo – odparła zamyślona. – Znacznie więcej, niż się spodziewałam.

– To znaczy?

– Kiedy w końcu przekonałam go, że najlepiej dla niego, jeśli będzie szczery, zdradził mi, że zatrzymał się po drodze do Nowego Targu na pewnym parkingu pod lasem.

– Przypuszczam, że nie miał planowanej pauzy.

– Nie, nie miał. Przeciwnie, manipulował tachografem, by sfałszować czas pracy i zataić fakt, że się zatrzymał.

– Mhm.

Forst przypuszczał, że pomimo usilnych starań Inspekcji Transportu Drogowego i innych rządowych agencji kierowcy wciąż mieli coraz więcej sposobów na przechytrzanie tachografów. Kiedyś, gdy urządzenia te pobierały dane jedynie z impulsatorów przy skrzyni biegów, wystarczał magnes. Po wprowadzeniu cyfrowych tachografów należało wykazać nieco więcej inwencji, ale kierowcy TIR-ów udowodnili na przestrzeni lat, że mają jej w nadmiarze.

– Pogroziłam mu oczywiście konsekwencjami – dodała Wadryś-Hansen. – Odniosłam nawet wrażenie, że na ITD reaguje jak diabeł na święconą wodę, natomiast na policję czy prokuraturę z większym dystansem.

– Mniejsza z niuansami świata kierowców – odbąknął Edmund. – Czego się pani dowiedziała?

– Tego, że TIR-owiec od czasu do czasu brał drugi ładunek.

– Nic nowego. Dostawał za jego przewóz pewnie dwa razy tyle, co za normalny.

– Zapewne tak – przyznała. – W każdym razie czasem chował go pod podwoziem, czasem w innych miejscach na lorze lub w samej budzie. Tym razem też otrzymał zlecenie, ale bez dodatkowego towaru.

– Hę?

– Miał po prostu zatrzymać się na pewnym parkingu między Krakowem a Nowym Targiem, otworzyć naczepę, a potem siedzieć w kabinie i czekać.

– Wygodna wersja.

– Ale odniosłam wrażenie, że także prawdziwa.

Przez chwilę milczeli, a Forst zastanawiał się nad tym, co usłyszał. Jak wiele naprawdę udało się dowiedzieć Dominice? Wyglądało na to, że dotarła niemal do sedna. A jeśli tak, być może nie było konieczności, by dłużej się ukrywał.

A może wręcz przeciwnie. Powstała jeszcze większa konieczność.

Zbliżył się nieco do progu.

– Długo tam stał? – spytał Osica.

– Godzinę.

– Widział, co rozładowali?

– Wyjechali którymś z samochodów, tego był pewien. Nie widział jednak, co się dzieje, a wcześniej też nie zaglądał na lorę.

– Wiadomo, jaki to był samochód?

– Owszem.

Satysfakcja w głosie Wadryś-Hansen kazała Wiktorowi sądzić, że prokurator się uśmiecha. I że wie o wiele więcej, niż do tej pory zdradziła.

– Choć miał tego nie robić, kierowca w końcu zerknął w lusterko – powiedziała. – Zapamiętał model.

– Tylko model? To niespecjalnie pomocne.

– Spodziewał się pan, że od razu wyrył sobie w pamięci tablice rejestracyjne?

– Cóż...

– I tak niemal cudem jest, że w ogóle spojrzał w tamtą stronę – dodała.

Wiktor wiedział doskonale, jak cały ten proces miał przebiegać. Kierowca podobno był zaufany, wielokrotnie sprawdzany. Miał niczym się nie interesować. Najwyraźniej jednak nawet sowita zapłata nie potrafiła przytłumić ludzkiej ciekawości.

– Widział też, w którym kierunku odjechał samochód – ciągnęła Wadryś-Hansen. – Był to niewielki dostawczy ford, którego zarejestrowały niedługo potem kamery na zakopiance. I na jednej ze stacji benzynowych w Pcimiu.

Rozległ się nieprzyjemny dźwięk przesuwanego krzesła. Osica zapewne niemal podrywał się na równe nogi, by ruszyć tym tropem.

– I? – spytał gorączkowo.

– Zdjęcia nie są wysokiej jakości, ale widać, że za kierownicą siedział mężczyzna z gęstą brodą, obcięty niemal na łyso.

Biorąc pod uwagę, że Edmund przed momentem patrzył na taki wizerunek, jego skojarzenie mogło być tylko jedno.

– Aha – odparł jednak spokojnie. – Zidentyfikowano go?

– Nie.

Znów zaległa cisza. Forst zastanawiał się, na ile jest wymowna, i pożałował, że nie widzi, w jaki sposób patrzą na siebie rozmówcy. Urwanie w tym momencie właściwie mogło stanowić dla niego zarówno dobrą, jak i tragiczną wiadomość. Nabrał głęboko tchu i przytrzymał go w piersi.

Kiedy milczenie przeciągnęło się jeszcze trochę, wszelkie wątpliwości znikły. Zrozumiał, że zaraz usłyszy to, czego się spodziewał od samego początku.

– Za to znaleźliśmy samochód – odezwała się w końcu Dominika.

– Gdzie?

– Niedaleko.

– Chce pani powiedzieć, że…

– Że mamy środek transportu, którym przewieziono ładunek.

– Matko Boska, to wprost idealnie. Badają go już technicy?

– Tak.

Wiktor wypuścił powietrze z płuc. Opadły go czarne myśli. Uznał, że na tym etapie właściwie mógłby wejść do kuchni, skrzyżować ręce za plecami, a potem dać się zakuć w kajdanki.

Wszystko poszło nie tak, jak powinno.

– Znaleźliśmy auto przy jednej z posesji na terenie Zakopanego – dodała Dominika. – Technicy pobierają ślady, a mundurowi otoczyli cały teren.

– Co takiego?

– Rozkaz wydał pański zastępca.

– I ja nic o tym nie wiem?

Dominika nie odpowiedziała. Przynajmniej nie od razu.

– Wydawało mi się sensowne, by pana nie informować – odezwała się po chwili. – Głównie ze względu na to, że ten samochód stoi na pana podjeździe.

7

Wiedziałam, że czas wybrać nową ofiarę. Jeśli miałam pozostać przy zdrowych zmysłach, powinnam już zacząć planować. Od momentu wytypowania kandydata do momentu zabójstwa minie sporo czasu, stanowczo zbyt dużo.

Szczególnie że służby wydawały się coraz bardziej ostrożne, a turyści zaczęli masowo opuszczać Zakopane. Szłam dziś Krupówkami, przywodziły na myśl niemalże opuszczone ulice Prypeci nieopodal Czarnobyla.

Sklepy z akcesoriami górskimi były pozamykane, handel wyrobami zbliżonymi do oscypków zamarł, bryczki zniknęły, a wszystkie budki z pamiątkami świeciły pustkami. Otwarte były tylko niektóre restauracje, ale i w nich nie siedziało zbyt wielu klientów.

Nie miałam z czego wybierać.

I sama do tego doprowadziłam. To utrudniało mi zadanie, bo musiałam wziąć na celownik kogoś miejscowego. Tymczasem to ofiary będące turystami robiły największe wrażenie. Chciałam wywabić Forsta, początkowo planując uderzenie bezpośrednie, ale teraz nie było powodu, by się na nie decydować.

Miałam znacznie większe możliwości. A on był już na miejscu.

Byłam co do tego przekonana. Idąc Krupówkami, dostrzegłam całą kawalkadę policyjnych wozów zmierzających w kierunku wylotówki. Ruszyłam w tamtą stronę i po pół godzinie zobaczyłam je wszystkie w okolicy domu Edmunda Osicy.

Już to wystarczyłoby mi, żeby stwierdzić, co się wydarzyło. A potem zobaczyłam dostawczaka. Samochód, od którego wszystko się zaczęło.

Przypuszczałam, że Wiktor jest w budynku. To stanowiło pewien problem, biorąc pod uwagę, że całą posesję otoczono. Ostatnim, czego bym chciała, było wpędzenie Forsta do więzienia.

Nie, miał być na wolności. Miał podążać moim tropem.

A ja miałam czuć jego oddech na plecach, miałam robić dalej to, co robiłam, świadoma jego nieustannej pogoni za mną. Tak to miało wyglądać.

Tymczasem trafił w sidła zastawione przez prokurator. Być może powinnam się nią zająć, zareagować wcześniej. Nie zrobiłam tego. Mój błąd. Wiedziałam jednak, że wciąż mogę go naprawić.

Wbrew temu, co sądził, Wiktor nie był osamotniony.

8

Reakcja komendanta sugerowała, że nie miał bladego pojęcia o aucie stojącym na podjeździe. Wadryś-Hansen z góry jednak założyła, że właśnie taki wyraz zobaczy na twarzy inspektora. Miał dostatecznie dużo doświadczenia, by oszukać nawet najbardziej wytrawnych śledczych.

– O czym pani mówi, do jasnej cholery?

Wzruszyła ramionami.

– Chce pani powiedzieć, że... że ten samochód...

– Przypuszczam, że sam go pan tu nie postawił.

– Ale...

Czekała, aż dokończy, ale najwyraźniej nie miał takiego zamiaru.

– Zdążyliśmy zapytać sąsiadów, panic inspektorze – oznajmiła. – Nigdy wcześniej nie widzieli tutaj tego auta. Zresztą tablice rejestracyjne GSL świadczą, że ktoś przyjechał do pana z powiatu słupskiego.

Edmund przełknął głośno ślinę. Jego jabłko Adama sprawiało wrażenie, jakby miało utknąć w połowie drogi między brodą a przełykiem. Dominika nie odrywała wzroku od oczu komendanta.

– Na Boga... – jęknął.

– Wytłumaczy mi to pan?

Potrząsnął głową, jakby dopiero teraz dotarła do niego waga słów, które usłyszał. Nagle zerwał się z krzesła, a potem trzasnął dłońmi o blat stołu. Wsparł się na nim i pochylił, łypiąc na Wadryś-Hansen spode łba.

– Co pani sobie wyobraża?

– Słucham?

– Nasyła pani na mnie moich ludzi tylko dlatego, że ktoś zaparkował jakiś cholerny samochód na moim podjeździe? Zwariowała pani?

– Biorąc pod uwagę...

– Co? Fakt, że niemal zginąłem podczas tego śledztwa? Że wypruwam sobie żyły, żeby posunąć je naprzód? To ma pani na uwadze?

Dominika powoli się podniosła, by ich oczy znalazły się na tej samej wysokości. Nie chciała dawać mu poczucia kontroli. Tym bardziej że było złudne. Za moment wejdą tutaj jego ludzie i przetrząsną cały budynek, a on musiał jak najszybciej oswoić się z tą myślą.

– Nie ja decyduję – zastrzegła Wadryś-Hansen. – Ale gdyby nawet, optowałabym za tym samym.

– Niech pani zaoptuje za opuszczeniem mojego domu – poradził. – I to szybko, zanim się uniosę.

– Panie inspektorze...

– Nie macie prawa formułować wobec mnie żadnych zarzutów.

– Musimy tylko sprawdzić samochód, a potem...

– A potem spieprzać mi stąd, bo poszczuję psami!

Dominika przez moment się nie ruszała. Potem pozwoliła sobie na lekki uśmiech i wyciągnęła rękę w kierunku Osicy. Położyła ją na jego dłoni, a on udał, że tego nie zarejestrował.

– Nie ma pan psów, panie inspektorze.

– Nie szkodzi.

– I doskonale zdaje pan sobie sprawę z tego, że musimy sprawdzić teren.

Westchnął ciężko, a potem opadł na krzesło. Nie odpowiedział na jej uśmiech nawet zdawkowym grymasem, ale uwaga o psach dowodziła, że nie traktuje sytuacji tak krytycznie, jak początkowo kazał jej sądzić.

Usiadła naprzeciw niego.

– Możemy najpierw skończyć z autem – powiedziała. – Będzie miał pan czas, żeby ewentualnie, pod moim nadzorem, pewne rzeczy...

Urwała, mając nadzieję, że nie będzie musiała dopowiadać. Osica jednak nie podał jej pomocnej dłoni.

– Co? – zapytał.

– Gdyby było coś, czego nie chciałby pan pokazywać podkomendnym, oczywiście zrozumiem.

Wyglądał na zdziwionego.

– Co konkretnie miałoby to być? – zapytał.

– Nie wiem. Przypuszczam, że dlatego oponuje pan przed rewizją.

– Na litość boską, spodziewa się pani, że trzymam tu gdzieś kolekcję ozdobnych wibratorów?

Akurat o tym nie pomyślałam.

Pokręcił głową i potarł nerwowo skronie.

– Oponuję, bo podważy to szacunek, którym moi ludzie mnie darzą... lub powinni darzyć, cholera ich wie.

– Rozumiem.

Zmarszczył nos, jakby poczuł coś nieświeżego.

– Rozumie pani, ale nie zamierza iść mi na rękę.

– Niestety nie mogę.

– Pozostaje mi więc tylko schować te wibratory.

Uśmiechnęła się lekko i skinęła głową. Edmund przypatrywał się jej, spodziewając się być może, że jednak w ostatniej chwili ustąpi. Byłaby gotowa to zrobić, gdyby nie świadomość, że przełożeni patrzyli jej na ręce. Sprawa była zbyt głośna, by mogła pozwolić sobie na jakiekolwiek odstępstwa od zasad.

Przypuszczała, że przeszukanie domu Osicy nie doprowadzi do żadnego przełomu, ale nie mogła pójść na żadne ustępstwa.

– Mówiąc jednak poważnie… – podjął Edmund. – Dobrze byłoby choćby schować bieliznę, jeśli nie ma pani nic przeciwko.

– Oczywiście, że nie.

– Ale nie chciałbym tego robić pod pani czujnym spojrzeniem.

– Panie inspektorze…

– Mieszkam sam – uciął, jakby to miało wszystko tłumaczyć. – Mam już swoje lata, w dodatku jestem typowym mężczyzną, z typowymi przywarami domowymi, jeśli rozumie pani, co mam na myśli…

Rozumiała aż za dobrze.

– Proszę mi pozwolić choćby uprzątnąć trochę sypialnię.

Zastanawiała się przez moment. Z jednej strony nic nie stało na przeszkodzie, z drugiej wciąż miała świadomość, że nawet najmniejsze uchybienie może okazać się kluczowe.

– Nie zatrę żadnych śladów. Oczywiście oprócz tych świadczących na moją niekorzyść.

– W to nie wątpię – odparła łagodnie. – Ale obawiam się, że nie mogę pana spuścić z oczu.

Westchnął głęboko, ale najwyraźniej nie miał zamiaru jej przekonywać. Może wiedział, że ostatecznie poniesie fiasko, a może uznał, że nie warto się wysilać. W końcu kilka brudnych par skarpetek czy majtek nie pogrzebie respektu, jaki wobec niego żywili podkomendni.

– W takim razie napiję się kawy – rzekł. – Pęcherz szybko się odezwie, a pani będzie miała niejaki problem z przestrzeganiem swojej deklaracji.

– Nie ułatwi mi pan zadania, prawda?

– Oczywiście, że nie.

Uśmiechnęli się do siebie, ale oboje wiedzieli, że przynajmniej przez najbliższych kilka godzin będą znajdować się po przeciwnych stronach barykady. Dominika przypuszczała, że w tym czasie technicy uwiną się ze wszystkim, co musieli zrobić.

Nie spodziewała się jednak, że pierwsze efekty pojawią się tak szybko.

Po wypiciu drugiej lub trzeciej kawy w kuchni Osicy rozległ się dźwięk ciężkich, zdecydowanych kroków na korytarzu. Zupełnie jakby nacierała na nich wroga armia. Wadryś-Hansen nie miała wątpliwości, kto się zbliża.

Aleks miał nadzorować badanie samochodu, a potem jeszcze raz przesłuchać te osoby, z którymi rozmawiała Dominika. Najwyraźniej jednak coś sprawiło, że zmienił plany.

Gerc wszedł do kuchni i rozejrzał się nerwowo. Potem włożył ręce do kieszeni, odgarniając poły marynarki.

– Niech mnie chuj – oznajmił. – W tym aucie jest cała masa odcisków.

Dominika spojrzała na niego pytająco.

– Mamy na miejscu techników, którzy porównują je z materiałem.

– Jakim materiałem? – odezwał się Osica.

Aleksander spojrzał najpierw na komendanta, a potem na nią.

– Nie mówiłaś mu, jaka jest hipoteza śledcza?

– To twoja hipoteza, nie moja.

Zaśmiał się cicho.

– Od teraz będzie także twoja – powiedział. – Bo w tym aucie są ślady zbieżne z odciskami pięciu kobiet spod Giewontu.

Wadryś-Hansen podniosła się.

– Jesteście pewni?

– Absolutnie – zapewnił. – Jechały tym samochodem. Lub były nim przewożone wbrew swojej woli.

Dwójka prokuratorów skierowała wzrok na zdezorientowanego Osicę.

9

Forst kalkulował szybko, ale miał wrażenie, że jakkolwiek sprawnie by to robił, nie uda mu się w porę niczego wymyślić. Zabrnął w ślepą uliczkę i nie miał się gdzie wycofać.

Był pewien, że jest bezpieczny i nikt nie zwróci uwagi na samochód, którym przyjechał do Zakopanego. Pojazd był czysty, przynajmniej w tym sensie, że nikt nigdy go nie widział, co dopiero mówić o skojarzeniu go z całą tą sytuacją. Przynajmniej tak miało być. Nie wiedział, że kierowca TIR-a poczuł najpierw zwykłą ludzką ciekawość, a potem obywatelski obowiązek, by powiedzieć Dominice o dostawczaku.

Jak zwykle czynnik ludzki okazał się tym, który zawiódł. Jeden człowiek wystarczył, by wszystko się zawaliło.

Forst rozejrzał się po sypialni. O ile go pamięć nie myliła, Osica nie trzymał tu żadnej broni. Zresztą nawet gdyby gdzieś ją miał, dwa pistolety zamiast jednego nie zrobiłyby wielkiej różnicy.

Potrzebowałby przynajmniej kilkunastu. I mniej więcej takiej samej liczby ludzi, którzy mogliby zrobić z nich użytek.

Westchnął, a potem usiadł na łóżku i zwiesił głowę. Podrapał się w zgięciu łokcia, myśląc o tym, że następna okazja, by dostarczyć sobie heroiny, będzie już za murami któregoś więzienia.

Gdzie tym razem trafi? Z powrotem na Podgórze?

Pokręcił głową, po czym sięgnął za pasek spodni. Położył P-83 na łóżku, nie patrząc na broń.

Śledczy szybko ułożą scenariusz tego, co się wydarzyło. Odegra w nim kluczową rolę – nie miał co do tego wątpliwości. Nawet gdyby jedynymi obciążającymi go dowodami okazały się koszula i czapka, które dał Myszy w Hiszpanii, sytuacja by się nie zmieniła. Ale tak nie będzie. Teraz Gerc i reszta zyskali aż nadto powodów, by to jego oskarżyć.

Spojrzał z ukosa na pistolet.

Nie chciał myśleć o jedynym rozwiązaniu, jakie wchodziło w grę.

Jeszcze nie teraz.

Oderwał wzrok od broni i popatrzył przed siebie. Słyszał głos Gerca i wiedział, że nie minie wiele czasu, a prokuratorzy wpuszczą do domu całe zastępy policjantów. Przetrząsną każdy kąt budynku.

P-83 wciąż zdawał się ściągać jego spojrzenie. Sięgnął po niego, a potem położył go na udzie. Nabrał głęboko tchu, zbierając myśli i przygotowując się do wyjścia z pokoju. Wtedy poczuł wibracje w kieszeni. Krótkie, świadczące o nadejściu SMS-a.

Wyjął telefon i spojrzał na wyświetlacz.

„Jestem na zewnątrz".

Forst zaśmiał się cicho, pokręcił głową, a potem wybrał numer.

– Co ty tu robisz? – zapytał.

– Pomyślałam, że przyda ci się moja pomoc.

– Nie przyda się. I nie dlatego tu jesteś.

– Nie?

– Chcesz się upewnić, że nie zająknę się na twój temat słowem.

– Nie, tego jestem pewna bez trzymania ręki na pulsie.

Wiktor zamilkł na moment, nasłuchując dźwięków z kuchni. Podniósł pistolet i przyjrzał się mu. Sam nie wiedział, po co zabrał do Polski wanada, którym grożono mu nad Salinas. Ale jeśli kiedykolwiek miał zginąć od kuli z jakiejś broni, to musiała pochodzić z P-83. Życiowy pech nie opuści go nawet w momencie śmierci.

Nie fatygował się, by mówić cicho, zapewne zgromadzeni w kuchni już go usłyszeli, w najlepszym wypadku zaraz usłyszą.

– Jesteś, Forst?

– Jestem.

– Pomogę ci się stąd wydostać.

– Jak?

– Przycisnę jednego z policjantów.

Był to szlachetny pomysł, ale zarazem beznadziejny. Nawet jeśli udałoby się zmusić któregoś funkcjonariusza do współpracy, jeden mundurowy niewiele by zmienił. Mimo to Wiktor gotów był wysłuchać planu. Na tym etapie nic już nie ryzykował.

Usłyszał odsuwane w kuchni krzesło.

– W jaki sposób chcesz to zrobić? – zapytał.

– Rozeznałam się trochę, zanim tu przyjechałam.

– Z pewnością.

– Znasz niejakiego Gomołę?

– Niestety.

– Miał kilka przelotnych znajomości z samotnymi turystkami w kwiecie wieku. Przy czym ten kwiat był już mocno zwiędnięty.

– Gomoła ci nie pomoże – odparł ciężko Forst, a potem zacisnął palce na pistolecie, aż pobielały mu knykcie. – Zresztą już po mnie idą.

– Nie mogę tak po prostu cię tam zostawić.

Wiktor usłyszał kroki na korytarzu. Spojrzał na telefon i szybko zastanowił się nad tym, jakie pożegnanie będzie najbardziej adekwatne. W końcu rozłączył się bez słowa. Sprawdzą bilingi, ustalą, jaki numer ostatnio się z nim łączył, ale ten będzie już dawno nieaktywny. Na tym polu nie miał się czym przejmować.

Odłożył komórkę, po czym zważył wanada w dłoni. Z pełnym magazynkiem nie miał chyba nawet kilograma. Leżał w dłoni dobrze, o ile nie miało się łap takich jak Forst. Pistolet pasował raczej do kobiecej ręki, zresztą właśnie z tego powodu Larsson w swej powieści wyposażył w niego Lisbeth Salander.

Wiktor uniósł kąciki ust. Ostatecznie jednak pistolet miał jakiś atut, kojarzył się z dobrymi kryminałami.

Wycelował go w swoją skroń.

Lufę przytknął do skóry, by nie było najmniejszej szansy, że chybi.

Kroki stawały się coraz głośniejsze. I coraz ostrożniejsze. Prokuratorzy musieli już doskonale zdawać sobie sprawę z tego, kogo zastaną w sypialni. Osica ukrywałby tylko jedną osobę, tyle było dla wszystkich jasne.

Wiktor dotknął języka spustowego. Na skórze czuł zimno metalu. Przymknął oczy, a potem zrobił głęboki wdech. Wyprostował się w momencie, kiedy drzwi się otworzyły.

Pierwsza w progu stanęła Wadryś-Hansen. Otworzyła usta i zamarła.

Gerc był tuż za nią. W oczach coś natychmiast mu błysnęło. Odsunął Dominikę, jakby pistolet wycelowany był w nią, a nie w głowę Wiktora.

– Spokojnie – rzucił Forst. – Stanowię zagrożenie tylko dla siebie.

Właściwie nie mógł chyba powiedzieć niczego bardziej prawdziwego.

I zrobił to tak wyważonym, spokojnym tonem, że dwoje oskarżycieli wyraźnie poczuło powagę sytuacji. Zamarli, jakby jeden nieznaczny ruch mógł sprawić, że Wiktorowi omsknie się palec.

Wadryś-Hansen patrzyła na niego jak na ducha. Nie, nie jak na ducha. Raczej jak na osobę, której nie widziała tak długo, że przestała ją poznawać.

Gerc sprawiał wrażenie dziecka, które na wystawie w zamkniętym sklepie dostrzegło wymarzony prezent, niemożliwy do zdobycia bez zbicia witryny.

– Wiktor... – odezwała się Dominika.

Jej głos był jak cios wymierzony prosto w oczy. Dotychczas kojarzył mu się z innym światem, inną konwencją, w której starał się jakoś odnaleźć. Był jak kotwica, która stanowiła jedyny ratunek przed szalejącym wokół sztormem.

Gdyby nie liczne wiadomości, które z nią wymieniał, w Hiszpanii odszedłby od zmysłów. To ona sprawiała, że jakoś się trzymał, nawet po tym, jak zaczął znów brać heroinę. I to dzięki niej udało mu się zupełnie nie zatracić w odżywającym w nim uzależnieniu.

Sama z pewnością nie miała o tym pojęcia. Była zresztą przekonana, że przez ten cały czas Forst był w Polsce.

Teraz patrzyła na niego jednak bez cienia wyrzutu. Nic dziwnego, uznał w duchu. I ona, i Gerc zdawali sobie sprawę, że w każdej chwili może pociągnąć za spust.

Wiktor zastanawiał się nad tym, czy w ogóle powinien dodawać coś więcej. W końcu uznał, że szkody mu to żadnej nie przyniesie.

– Gdzie komendant? – spytał.

– W kuchni – odparł Aleksander. – I nie licz na to, że...

– Co to ma być, do jasnej cholery? – rozległ się głos Osicy, który stanął między dwójką prokuratorów. Wbił wściekłe spojrzenie w Forsta, jakby miał zamiar się na niego rzucić. – Co ty robisz, kretynie?

– Spokojnie, panie inspektorze.

– Spokojnie? Jeśli rozwalisz sobie łeb w mojej sypialni, zapewniam cię, że trafisz do anonimowego grobu i...

Gerc uniósł dłoń, a komendant urwał.

Przez moment trwało niemal nabożne milczenie. Zupełnie jakby jedno słowo lub głośniejszy oddech mogły sprawić, że *status quo* nagle się zmieni.

Wiktor przypuszczał, że próby zaradzenia sytuacji podejmie Dominika lub Edmund, ale oboje wyglądali na znacznie bardziej zdezorientowanych od Gerca. I to właśnie on jako pierwszy zbliżył się o kilka centymetrów do byłego komisarza.

– Wystarczy – mruknął Wiktor.

Aleks uniósł obydwie dłonie.

– Sporo przeszedłeś, Forst – odezwał się. – Rozumiem, że...

– Gówno rozumiesz.

– Nie. Zdaję sobie sprawę, że przeżyłeś sprawę Szrebskiej, przeżyłeś Czarnego Delfina, a potem...

– Widzisz, Gerc? – przerwał mu. – Zdecydowanie gówno rozumiesz.

Forst powoli się podniósł, nie odrywając lufy od skroni.

– Nie przeżyłem tego – powiedział.

Nie musiał mówić nic więcej. Cisza zdawała się dopowiadać całą resztę.

Osica machinalnie się cofnął, Wadryś-Hansen zaczęła nierówno oddychać. Aleks wciąż sprawiał wrażenie jedynego, który jest gotów podjąć ryzyko.

– Więc tam zginąłeś, Forst? W Delfinie?

Wiktor się nie odzywał.

– Chyba rzeczywiście tak było – przyznał Aleksander. – A zatem jednak coś rozumiem. I wiem też, że ocenianie cię mija się z celem.

Zaczynał typowo, tak jak go szkolono podczas kursów radzenia sobie z osobami próbującymi popełnić samobójstwo. Czy może raczej znajdującymi się na granicy podjęcia decyzji.

– Tak samo jak nie mógłbym oceniać tych wszystkich, którzy podczas ataku na World Trade Center rzucali się z okna, zamiast spłonąć żywcem.

Podchodził do tego właściwie podręcznikowo. Ten przykład był najwymowniejszy, jeśli chodziło o zrozumienie samobójcy. Instruktorzy na kursach częstokroć podkreślali, że z punktu widzenia takiej osoby na dobrą sprawę już płonie. Nie widzi żadnego ratunku, jeśli nie liczyć tego jedynego, dzięki któremu zaoszczędzi sobie cierpienia.

Analogia z World Trade Center była trafiona.

– Daruj sobie, Gerc.

– Co takiego?

– Nie przekonasz mnie, że wiesz, jakie emocje mną targają. Nie wmówisz mi, że mam inne wyjście. I w końcu nie…

– No tak – uciął Aleks i uśmiechnął się lekko, z wyższością. – Kończyliśmy te same szkolenia.

Forst nie czuł już chłodu metalu. Zarówno lufa, jak i spust zrobiły się ciepłe. Przytknął pistolet nieco mocniej do skroni, jakby istniała szansa, że ktokolwiek zdołałby zareagować w porę.

Prokurator zbliżył się do niego o kolejne centymetry.

– Co zamierzasz? – spytał.

– Nie widać?

Aleksander lekko i spokojnie zaprzeczył ruchem głowy.

– Nie strzelisz – oznajmił. – Jeśli naprawdę chciałbyś to zrobić, już dawno pociągnąłbyś za spust.

Forst się nie odzywał.

– Więc czego oczekujesz? – kontynuował Aleks. – Że wyjdziesz stąd, biorąc samego siebie na zakładnika? Że skorzystasz z obecności kogoś z nas? Masz już doświadczenie, w końcu ta blizna na dłoni komendanta nie powstała sama.

Osica ani drgnął, jakby nie pamiętał, skąd się wzięła.

– Nie mam zamiaru nikomu wyrządzać szkody – odparł Forst. – Chcę po prostu, żebyś mnie wysłuchał, skurwysynu.

– Ja?

– Przede wszystkim ty.

Gerc zmarszczył czoło. Uśmiech powoli bladł na jego twarzy.

– Siadaj więc na dupie i słuchaj – polecił Wiktor, wskazując na stary, wyleniały fotel stojący w rogu sypialni. – Bo wiem, że tych dwoje od razu mi uwierzy. Ty będziesz oczywiście robił problemy.

Aleksander spojrzał kontrolnie na swoich towarzyszy. Żadne z nich nie odezwało się słowem. Prychnął, jakby nie zamierzał robić niczego, co polecił mu Wiktor. Ostatecznie jednak zajął miejsce.

– Proszę bardzo – rzucił, krzyżując ręce na kolanie. – Mów.

10

Wciąż trudno było jej uwierzyć, że Forst rzeczywiście jest tuż obok. Dominika przypuszczała, że sytuacja byłaby nierealna, nawet gdyby nie przystawił sobie pistoletu do skroni. Mieli za sobą rok rozwijających się relacji. Rok zbliżania się i wzajemnego poznawania do tego stopnia, że kolejny mógł sprowadzać się wyłącznie do nauki siebie nawzajem. Tak postrzegała ten okres, choć na dobrą sprawę dopiero teraz sobie to uświadomiła.

Zastanawiała się, czy Wiktor ma rację, twierdząc, że wraz z Osicą uwierzą we wszystko, co powie. W pewnym sensie być może tak. Oboje sami podświadomie zaczęli go rozgrzeszać, tworzyć scenariusze mające dowodzić jego niewinności.

Tak przynajmniej było jej w przypadku.

– Wszystko zaczęło się od popijawy – odezwał się Wiktor.

Lekki ton nie spotkał się z przychylnością żadnego ze zgromadzonych. Wszyscy popatrzyli na byłego komisarza ponaglająco.

– Wypiliśmy z Robertem Kriegerem o wiele za dużo – dodał. – Przez co zaczął mi się zwierzać.

– Postać Kriegera to fałszywa tożsamość – mruknął Gerc. – Z której obydwaj korzystaliście.

– Na użytek tej rozmowy załóżmy, że mój przyjaciel rzeczywiście tak się nazywa.

Nikt nie miał zamiaru oponować. Wadryś-Hansen przypuszczała, że wszyscy są gotowi zgodzić się na znacznie dalej idące ustępstwa, byleby dowiedzieć się, o co w tym wszystkim chodzi.

– Robert rzadko się przed kimkolwiek otwierał, był raczej skrytym człowiekiem. Cichym, może nawet nieśmiałym. A przynajmniej takie sprawiał wrażenie na ludziach, którzy go nie znali. Wystarczyło jednak spędzić z nim trochę czasu, a zaczynało się dostrzegać zupełnie inną osobę. Wychodziła między innymi podczas picia.

– Chlania – wtrącił Osica. – Nazywaj rzeczy po imieniu.

Wiktor uśmiechnął się lekko. Grymas wyraźnie kontrastował z widokiem pistoletu przystawionego do skroni, tworząc surrealistyczny obraz. Dominika raz po raz musiała się upominać, by nie ruszyć w kierunku Forsta i nie spróbować przemówić mu do rozsądku.

Spojrzała na P-83. Czy Wiktor naprawdę byłby gotów pociągnąć za spust?

Znała go lepiej niż większość ludzi. I być może właśnie dlatego nie potrafiła znaleźć odpowiedzi na to pytanie.

– Więc schlaliście się – dodał Edmund. – Co było dalej?

– Męskie wynurzenia. I wynaturzenia.

– To znaczy?

– Krieger zaczął opowiadać mi o swojej przeszłości. O żonie, która zostawiła go, bo miała dosyć awantur. Córce, nad którą się znęcał – powiedział Forst, zawieszając wzrok na Dominice.

Poczuła się nieswojo.

– Poza domem był porządnym człowiekiem – kontynuował Wiktor. – Kiedy jednak drzwi się zamykały, przechodził metamorfozę. Miał dwie twarze.

Teraz Wadryś-Hansen zrozumiała, dlaczego na nią spojrzał.

– Córka mieszkała z nim do czasu. W końcu jednak uznała, że nie może dłużej znosić jego... zachowań.

– O czym konkretnie mowa? – spytał Gerc. – Gwałty? Przemoc?

– Nie, nigdy jej nie zgwałcił ani nie uderzył. Ale dochodziło do pewnych incydentów... na tle seksualnym.

– To znaczy?

– Nie chcę zagłębiać się w szczegóły. Nie są istotne dla sprawy.

– W końcu będziesz musiał to zrobić, jeśli chcesz, żebym ci uwierzył – zastrzegł Aleksander. – Półprawdy mnie nie interesują.

– Zainteresuje cię to, co usłyszysz – odparł stanowczo Forst. – Więc zamknij gębę i cierpliwie czekaj.

Aleks otworzył usta, chcąc odparować, ale zrezygnował, czując na sobie ciężkie spojrzenie Wadryś-Hansen. Niewiele było trzeba, by wyprowadzić jej towarzysza z równowagi. A od tego do mogącej mieć tragiczny skutek, emocjonalnej wymiany zdań było stanowczo za blisko.

Aleksander nie odpowiedział, więc Forst powoli skinął głową i nabrał tchu. Odsunął nieco lufę od skroni, ale nie na tyle, by Dominika mogła łudzić się, że w razie czego zareaguje w porę.

– Córka w końcu uciekła – podjął. – Była niepełnoletnia, więc Krieger zgłosił zaginięcie, a potem zrobił wszystko, by służby jak najszybciej zaczęły działać. Nie dotarły jednak do żadnego tropu, a po kilku miesiącach Robert uznał, że albo weźmie sprawy w swoje ręce, albo niczego o losie córki się nie dowie.

Wadryś-Hansen oparła się o ścianę. Znów na siebie spojrzeli, choć nie mogła odczytać znaczenia wzroku Forsta. Odniosła za to wrażenie, jakby mówił automatycznie, wygłaszając wcześniej przygotowane przemówienie, a myślami gdzieś się zagubił. Gdzieś w jej oczach.

Ledwo ta konkluzja nadeszła, prokurator upomniała się w duchu. To nie było rzewne spotkanie po długiej rozłące. Powinna skupić się na służbowym wymiarze sprawy.

A on sprowadzał się do tego, by uśpić uwagę Wiktora, obezwładnić go, a potem przesłuchać zgodnie z zasadami sztuki. Nie zaś na jego warunkach.

– Krieger w końcu dotarł do osób o szemranej reputacji. Uznał, że tylko bratając się z przemytnikami ludzi, handlarzami żywym towarem i innymi tego typu gnidami, zdoła się czegokolwiek dowiedzieć.

– Zakładał porwanie, mimo że dziewczyna po prostu uciekła? – spytał Aleks.

– Zakładał wszystko.

Słusznie, uznała Dominika. Dobry rodzic powinien liczyć na najlepsze, ale zakładać najgorsze. Choć Krieger właściwie nie mógł za takiego uchodzić.

– W końcu trafił na ślad po dziewczynie – ciągnął dalej Wiktor. – I stało się to na dzień, może dwa przed tym, jak obaj za dużo wypiliśmy. Na dobrą sprawę to był chyba impuls, który sprawił, że Krieger tamtej nocy stracił kontrolę.

– Co się wtedy stało? – zapytał Aleks.

– Po tym, jak mi o wszystkim opowiedział, wyszedł z domu. Poszedłem za nim z oczywistych względów, był pijany jak bela. Próbowałem przemówić mu do rozsądku, ale chciał tylko krążyć po mieście, szukając zaczepki.

Forst na moment zamilkł, podczas gdy Dominika zaczynała składać pierwsze elementy w logiczną całość. Przypuszczała, że wie, co zaraz usłyszy. Były komisarz jednak milczał.

– Doszło między wami do bójki – odezwała się.

– Jak to zwykle w takich sytuacjach bywa.

– Pod cypryśnikiem błotnym.

Wiktor uniósł brwi.

– Pod czym?

– Pod pewnym drzewem w Słupsku – wyjaśniła. – Znaleźliśmy tam ślady krwi. Twojej i Kriegera.

– I jakiejś kobiety.

To ostatnie ustalenie było najłatwiejsze w takich przypadkach. Wystarczyło sprawdzić, czy w próbce krwi znajduje się chromosom Y, czy nie. Nie udało im się jednak przyporządkować materiału do żadnej konkretnej osoby.

Forst przez moment wpatrywał się w Wadryś-Hansen.

– Przypadkowa osoba – oznajmił.

– Ale nieprzypadkowo jedna z ofiar spod Giewontu miała w nozdrzach pyłek z tego samego drzewa – odparła Dominika.

– Nie. Nieprzypadkowo.

– Jak się tam znalazł?

– Ofiara tam mieszkała.

– W Słupsku?

– W domu Kriegera. Jedną z ofiar jest jego córka. Łucja.

– Posłuchaj, Forst…

– Nie, to wy posłuchajcie.

Zanim ktokolwiek zdążył coś odpowiedzieć, Wiktor wstał. Podszedł tyłem do okna, jakby liczył na to, że jakiś policyjny snajper ma go na muszce. Prawda była jednak, że oddziału antyterrorystycznego nie było jeszcze na miejscu. Zjawi się prędzej czy później, ale w tej chwili budynek otaczali zwykli funkcjonariusze. I część z nich z pewnością będzie bardziej skora do pociągnięcia za spust niż strzelec wyborowy, który powinien teraz mieć Forsta na celowniku.

– Krieger odkrył, że jego córka namotała się z Rosjanami. Ostatecznie trafiła do organizacji prowadzonej przez Siergieja Bałajewa.

Gerc sprawiał wrażenie, jakby notował gorączkowo w pamięci.

– Była jedną z dziewczyn, które zapewniały... obsługę w jego hiszpańskiej rezydencji. Wyjechała dobrowolnie, ale trudno byłoby powiedzieć, że została tam równie ochoczo.

– Więc nie porwano jej.

– W pewnym sensie porwano – odparł ciężko Wiktor. – Może nie na początku, ale później z pewnością tak. Mogła uciec, podobnie jak inne dziewczyny w jej położeniu, ale z dwóch powodów tego nie zrobiła. Po pierwsze, wiązało się to z dużym ryzykiem. Po drugie, nie miała do czego wracać.

Dominika zbliżyła się o krok, ale Forst szybko powstrzymał ją znaczącym spojrzeniem. Cofnął się jeszcze trochę i dotknął plecami szyby.

– Dowiedzieliśmy się wszystkiego, czego mogliśmy, o Bałajewie – kontynuował. – Pomogły szemrane kontakty, które Krieger nawiązał w początkowej fazie poszukiwań córki. Dzięki temu wiedzieliśmy, gdzie szukać Siergieja i czego się po nim spodziewać.

Wszyscy milczeli.

– Przekonałem Kriegera, że nie może sam zinfiltrować tej organizacji – dodał były komisarz. – Córka natychmiast by go poznała i zdradziła. Świadomie lub nie.

– Więc poleciałeś do Hiszpanii? – odezwała się Wadryś-Hansen.

– Tak, do Alicante. W Torrevieja otrzymałem instrukcje i zacząłem pracować dla Siergieja.

W głosie Wiktora wyczuwała wyraźny ból, jakby wspominanie o tym wiązało się z wyjątkowo dojmującymi przeżyciami. Nie miała zamiaru wnikać. Nie tutaj i nie teraz. Jeśli wszystko skończy się tak, że przed Forstem w istocie będzie jakaś przyszłość, wróci do tego.

Przez chwilę opowiadał, jak stopniowo udawało mu się zyskiwać zaufanie Bałajewa. Nie wchodził w szczegóły, ale Dominika i tak musiała skupiać się na każdym słowie, by zrozumieć, o czym mówił. Jej myśli uciekały w innym kierunku. Dekoncentrowały ją.

Był w Hiszpanii przez większość czasu, kiedy się ze sobą kontaktowali. I to było powodem, dla którego nie chciał się spotkać. Nie wynikało to z jego dystansu wobec niej ani rezerwy wobec szeroko pojętych relacji międzyludzkich.

Odsunęła od siebie te myśli i na powrót skupiła się na opowieści, którą snuł.

Dotarł do momentu, gdy udało mu się wywieźć dziewczyny z willi, a potem załatwić transport.

– Na pokładzie Hespéridesa – powiedziała Wadryś--Hansen.

– Tak.

Wszyscy milczeli, czekając na dalszy ciąg.

– Sześć dziewczyn zdecydowało się na ucieczkę – dodał. – Jedna z nich, Mysza, dostała ode mnie koszulę. Znaleźliście jej ciało pod Giewontem.

– Było tam pięć dziewczyn – zauważyła Dominika.

– Wiem.

– Jak zginęły? – zapytała Wadryś-Hansen. – Jak się tam znalazły?

Wiktor spuścił wzrok. Przez moment w pomieszczeniu panowała ciężka cisza, a Dominika odniosła wrażenie, że zrozumiała znacznie więcej, niżby to wynikało z czystej logiki. Wydawało jej się, że wie, dlaczego pistolet znajdował się teraz przy skroni Forsta.

– Uważasz, że to twoja wina? – zapytała.

Podniósł na nią oczy.

– Że to ty odpowiadasz za ich śmierć?

Skinął powoli głową. Gerc zrobił krok bliżej okna, ale Wadryś-Hansen natychmiast go powstrzymała. Była o włos od polecenia mu, żeby wyszedł z budynku. Zbliżyła się do prawdy na taką odległość, że nie mogła pozwolić sobie na żadne komplikacje.

– Co się z nimi stało, Wiktor?

– Były w jednym z samochodów przewożonych w kontenerze – odparł nieobecnym głosem, zawieszając wzrok gdzieś pod sufitem. – W dostawczaku, który stoi na podjeździe.

Dominika przełknęła ślinę. Stąd różnica w ciężarze ładunku, która odpowiada mniej więcej pięciu, sześciu raczej szczupłym dziewczynom.

Chciała usłyszeć resztę relacji Forsta, ale wiedziała, że nie będzie to nic miłego. Ani dla nich, ani tym bardziej dla niego.

– Jest pięć ciał, bo było pięć ofiar – powiedział Wiktor. – Szósta z dziewczyn była sprawczynią.

Starał się używać służbowego, oficjalnego tonu, ale wyraźnie wyczuwalny był w nim emocjonalny ładunek.

– Powinienem się domyślić – dodał. – Powinienem wiedzieć, że którejś z nich odbije… niektóre były z Siergiejem od lat. Któraś musiała się wyłamać, stwierdzić, że nigdy od niego nie ucieknie.

– I jedna to zrobiła?

Potwierdził ruchem głowy.

– Doszła do wniosku, że wystarczy uruchomić auto i zamknąć się w środku, gdy reszta spała na podłodze kontenera. Spaliny szybko go wypełniły, wszystkie dziewczyny się udusiły. Niewiele brakowało, by morderczyni podzieliła ich los, ale ona jako jedyna była przytomna. W porę się uratowała, reszta zmarła we śnie.

Forst oderwał wzrok od sufitu i spojrzał na Dominikę w sposób, który utwierdził ją w przekonaniu, że postrzega samego siebie jako głównego winowajcę.

Wadryś-Hansen robiła wszystko, by skierować myśli na tok zawodowy, nie osobisty. Skupiała się na tym, że w płucach dziewczyn nie wykryto większego stężenia spalin. W pierwszej chwili uznała to za dziwne, ale zaraz potem uświadomiła sobie, że ciała leżały pod śniegiem dość długo.

– W tamtym kontenerze zginęło pięć dziewczyn – dodał w zamyśleniu Wiktor. – W tym Mysza i Noelia.

Mówił do siebie, jakby zapomniał, że nie jest sam w pokoju.

– Ta, która za to odpowiadała, zbiegła w porcie... a my... Urwał. I właściwie nie musiał kończyć.

On i Krieger zostali z samochodem, w którym znajdowały się ciała pięciu niewinnych ofiar.

Dominika szybko skalkulowała w głowie, że musiało mieć to miejsce wtedy, gdy kontakt z Forstem zaczął jej się urywać. Miewali różne okresy, ale był jeden, w którym momentami wątpiła, by kiedykolwiek się jeszcze odezwał.

– Przewieźliście dziewczyny tutaj? – odezwał się Osica.

– Nie – odparł stanowczo Wiktor. – Nie miałem z tym nic wspólnego.

Przez moment wszyscy milczeli.

– Stoczyłeś się? – burknął Edmund. – Nie wytrzymałeś presji, tak? Zrobiłeś to, co potrafisz robić najlepiej? Zacząłeś więcej dawać w żyłę, więcej chlać i więcej...

– Panie inspektorze... – przerwała mu cicho Dominika.

– I bardziej się zadręczać – dokończył. – Doprowadziłeś się na skraj, tak?

Rzucał oskarżenia jak zaniepokojony ojciec, którego dziecko po raz kolejny przerwało odwyk i wróciło do domu, by dalej zabijać się swoją ulubioną trucizną.

Forst nawet na niego nie spojrzał. Nadal zdawał się nikogo nie dostrzegać.

– Krieger przywiózł je tutaj. Zapłacił pracownikowi TPN-u, by mógł wjechać na teren parku, a potem umieścił ciała u stóp góry.

– Po co? – zapytał Gerc.

– Wiedział, że odkryjecie je, dopiero gdy śniegi stopnieją. A on do tego czasu miał zamiar rozprawić się z tymi, którzy odpowiadali za śmierć Łucji. Wziął sprawy w swoje ręce, tym razem bez mojego udziału.

Forst oparł głowę o szybę. Znów zaległo milczenie.

– Szukałem go, kiedy doszedłem do siebie. Znalazłem jednak tylko samochód.

Ton głosu świadczył o tym, że to koniec, a jednak Dominika odniosła przemożne wrażenie, że nie powiedział im wszystkiego. Albo że w pewnym momencie rozminął się z prawdą.

Coś było nie w porządku w jego relacji. Nie mogła jednak stwierdzić co.

Właściwie była logiczna. I przede wszystkim wskazywała, kto odpowiadał za pojawienie się kolejnych ofiar.

– To Krieger zabił następne dziewczyny? – spytała.

– Nie.

Krótkie, stanowcze i pozbawione tłumaczenia zaprzeczenie było wymowne. Wadryś-Hansen ściągnęła brwi, starając się stwierdzić, czy nie nazbyt wymowne.

– Więc kto? – spytał Aleksander.

– Nie wiem.

– Gówno prawda.

Forst w końcu oderwał wzrok od punktu, w który się wpatrywał. Nie popatrzył jednak na Gerca, ale na Dominikę.

– Dlaczego go chronisz? – zapytała. – Bo czujesz się odpowiedzialny też za to, co go spotkało? Bo wydaje ci się, że go zawiodłeś, nie sprowadzając jego córki do domu?

– Nie chronię go. To nie on zabija.

Lekko opuścił lufę, teraz celując gdzieś na wysokości oczu.

– Łączy was długa przyjaźń – zauważył Aleks. – To zrozumiałe, że...

– Nie on jest sprawcą.

– Cóż... z twojej relacji wynika, że przynajmniej może być.

Wiktor nadal patrzył na Dominikę, jakby oczekiwał, że stanie po jego stronie. Chciała to zrobić, ale po prawdzie nie była pewna, czy może mu ufać. Nadal odnosiła wrażenie, że w całej jego opowieści jest jakiś zgrzyt.

– Dlaczego miałby zabijać Bogu ducha winne dziewczyny? – spytał. – Zależało mu na dorwaniu tej, która włączyła silnik. Jej, Siergieja, Rosjan... innych zamieszanych osób. Nie jakichś przypadkowych ofiar.

– A jednak...

– Zapewniam was, że to nie on za to odpowiada.

– A więc kto?

– Nie wiem – odparł, a potem w końcu opuścił broń. – Ale mogę pomóc wam się tego dowiedzieć.

11

Zgodnie z tym, co przypuszczał, Osica i Wadryś-Hansen dali wiarę jego słowom. Przynajmniej na tyle, by od razu nie odrzucić możliwości współpracy. Zrobił to oczywiście Gerc, który chwilę później wezwał do budynku wszystkich zgromadzonych nieopodal funkcjonariuszy.

Forsta przewieziono na komendę, przesłuchano jeszcze raz, a potem trzymano pod kluczem przez kilka godzin. Były komisarz przypuszczał, że czas ten spędza podobnie jak Gerc i pozostali śledczy – czekając nerwowo na decyzję z Warszawy. Ostatecznie nie było powodu, by od razu stawiać mu zarzuty. Poza czapką i koszulą nie było żadnych tropów wskazujących choćby pośrednio na niego, nie mówiąc już o konkretnych dowodach. W Zakopanem tymczasem grasował zabójca. Czy zabójczyni, jakkolwiek nie wiedział o tym nikt z wyjątkiem samego Forsta. Przypuszczał, że słyszała wszystko, o czym opowiedział w domu Osicy. Stanął przy oknie nie bez powodu.

Wiktor co jakiś czas słyszał kroki na korytarzu. Podnosił wtedy wzrok i czekał, aż drzwi się otworzą. Podejrzewał, że jeśli w progu zobaczy Gerca, będzie to oznaczało, że góra nie chce ryzykować i zapadła decyzja, by byłego komisarza trzymać z dala od sprawy. Jeśli do pomieszczenia wejdzie Dominika, prawdopodobnie będzie to znaczyło, że przyjęto odwrotną koncepcję.

Ostatecznie zjawił się jednak Osica.

– Wytrzymujesz, Forst? – zapytał, wchodząc do środka.

Nie zamknął za sobą drzwi.

– Piję do tego, że dawno nie miałeś strzykawki w dłoni.

– Wiem, do czego pan pije, panie inspektorze.

– Więc? Dajesz radę?

– Bez najmniejszego problemu.

Była to wierutna bzdura. Od godziny, może dwóch czuł się coraz gorzej. Najpierw zrobiło mu się gorąco, teraz dostrzegł, że ręce zaczynają mu się trząść. Niebawem będzie musiał temu zaradzić.

Osica skinął na niego, a potem wskazał wzrokiem otwarte drzwi. Wyszli na korytarz i ruszyli w kierunku wyjścia z budynku.

– Gerc próbował postawić zarzuty? – spytał Forst.

– Zrobił wszystko, co w jego mocy.

– I nie udało mu się przekonać żadnego z przełożonych?

– Nie – odparł Edmund, czekając, aż dawny podkomendny otworzy mu drzwi.

Forst wyszedł jednak na ulicę, nawet ich nie przytrzymując.

– Najwyraźniej pamiętają, co się działo, kiedy ostatnio oskarżyli cię o zabójstwo – bąknął Osica, ruszając za Wiktorem. – A może ktoś tam rzeczywiście wierzy, że możesz pomóc.

– To nie byłoby do końca absurdalne założenie.

– Byłoby.

Poszli w kierunku mondeo, jakby porozumiewali się bez słów.

– Ale nie widzą, w jakim jesteś stanie – dodał komendant. – Być może z tego wynika ich naiwność.

– Mój stan nie jest najgorszy.

Osica mruknął niezrozumiale pod nosem. Podeszli do samochodu, a potem w tym samym momencie otworzyli drzwiczki i wsiedli do środka. Edmund włożył kluczyk do stacyjki, ale nie zapuścił silnika.

– Właściwie masz rację – odezwał się. – Widywałem cię w gorszej formie.

– To miłe, że pan tak mówi.

– Miłe czy nie, na moich oczach niemal sam się zniszczyłeś, więc jakkolwiek źle byś wyglądał, i tak jest lepiej niż wtedy.

– Mhm.

– A teraz mów, co tu się dzieje, do kurwy nędzy?

– Powiedziałem już wszystko, co...

– Dajże spokój, Forst – uciął Osica i mlasnął z dezaprobatą. – Takie bzdury możesz wciskać prokuraturze, nie mnie.

Edmund wyłączył radio, a potem obrócił się w kierunku pasażera.

– No? – ponaglił go. – Mów.

– Co konkretnie chce pan wiedzieć?

– Na początek... powiedzmy, że interesuje mnie, ile z tego, co powiedziałeś Wadryś-Hansen i Gercowi, to zupełne banialuki.

– Niewiele.

– W porządku – odparł i wbił wzrok gdzieś przed siebie. Westchnął głęboko. – Teraz powiedz mi, po jaką cholerę w ogóle do mnie przyjechałeś?

– Uznałem, że najwyższa pora działać.

– Brawo.

– Chciałem dać panu namiar na zabójcę. Czy też zabójczynię.

– Chryste Panie... ty...

– Wiem, kim jest, owszem – przyznał Wiktor. – I długo zastanawiałem się nad tym, co zrobić. Zbyt długo, panie inspektorze.

Forst dostrzegł w oczach dawnego przełożonego niepokój, ale także pewną troskę. Czuł się nieswojo, ilekroć Edmund okazywał jedno i drugie. Czy raczej starał się je ukryć, bo do tego sprowadzała się jego reakcja.

Inspektor odchrząknął nerwowo i położył ręce na kierownicy, jakby już miał zamiar ruszać.

– Zamierzałem podsunąć panu trop, to wszystko. To było moje wyjście pośrednie.

– Ale najwyraźniej zmieniłeś zdanie.

– Tak?

– Oczywiście. Po to siedzisz w moim samochodzie. Chcesz sam znaleźć sprawcę.

– Sprawczynię.

– Jeden pies! – uniósł się Osica, a potem uderzył dłońmi o kierownicę. – Na Boga, Forst, dlaczego wcześniej się do mnie nie zwróciłeś?

Było to pytanie, którego nie chciał słyszeć. Wiedział bowiem doskonale, jak brzmi odpowiedź.

Podsunął lewy rękaw, a potem prawy. W obydwu miejscach było tak dużo niewielkich strupów, że nie było się już gdzie wkłuć. Przez moment trwał w bezruchu, zastanawiając się, czy musi cokolwiek dodawać.

Osica patrzył na ślady po iniekcjach w milczeniu.

– Tragedia… – mruknął w końcu.

– W żadnym wypadku.

Edmund spojrzał na niego z zawodem.

– Tragedia ma miejsce, kiedy ktoś niemal wygrywa, ale w ostatniej chwili ponosi porażkę – dodał Wiktor. – Ja byłem daleki od wygranej, panie inspektorze.

Osica cmoknął i odpalił silnik.

– Musisz sięgać po takie złote myśli, Forst?

– Udzieliło mi się rosyjskie dążenie do elokwencji.

– Co?

– Nic – zbył temat Wiktor, a potem wskazał przed siebie. – Nie wie pan, dokąd jechać.

– Nie, ale zaraz mi powiesz.

Nie pomylił się. Im dłużej w żyłach Forsta płynęła krew pozbawiona opioidów, tym bardziej utwierdzał się w przekonaniu, że to on powinien ująć zabójczynię. Na Boga, o czym on dotychczas myślał?

Przez moment wydawało mu się, że widzi świat klarownie. A w nim jasno odznacza się jego rola.

Chwila jednak minęła. Na pierwszy plan znów wysunęło się to, by jak najszybciej dostarczyć sobie heroiny.

– Muszę najpierw...

– Nie ma mowy, Forst. Będziesz wił się jak węgorz, ale przecierpisz.

Wiktor popatrzył w lusterko, dostrzegając tam odbicie oczu Osicy.

– Nie dam rady – powiedział. – Pociągnę jeszcze godzinę, najwyżej dwie. A potrzebujemy znacznie więcej czasu, żeby znaleźć mordercę.

– Trudno.

– Trudno? – prychnął Forst. – Teraz nie liczy się to, czy jestem naćpany, czy nie. Ważne jest, żeby...

– Nikogo więcej nie zabije.

– Skąd ta pewność?

– Bo te ostatnie zabójstwa miały wywabić cię z kryjówki, tak? Całe to stylizowanie ich na dzieło Bestii z Giewontu jest niczym innym, jak próbą podjęcia z tobą gry. Nie mylę się?

– Nie, nie myli się pan.

– Gra się więc rozpoczęła – oznajmił Edmund. – Suka skupi się teraz na tobie.

Wiktor zmarszczył czoło i zerknął z ukosa na komendanta.

– No co? – burknął Edmund. – Nie pasuje ci określenie? A na faceta, który zabija Bogu ducha winne ofiary, można mówić, że skurwysyn? Można. To i nic nie wadzi temu, żeby słownie przysrać kobiecie. Jest równouprawnienie.

Wyjechał z parkingu, a potem rozejrzał się po Jagiellońskiej.

– Dokąd? – spytał.

Wiktor sprawdził lusterka. Nie zauważył, by ktokolwiek za nimi ruszył. Na dobrą sprawę Osica mógł nikogo nie poinformować o tym, że zabiera Forsta z komendy. Rzeczywiście rozumieli się bez słów.

– No, Forst.

– Niech pan moment zaczeka…

– Jeśli poczekam jeszcze chwilę, ktoś się zorientuje, że wyjeżdżamy.

– Nie powiedział pan nikomu?

– Nie.

Rzeczywiście na to wyglądało. Wiktor w końcu uznał, że w najgorszym wypadku ogon spowoduje komplikacje, ale nie przekreśli tego, co miał zamiar zrobić.

– W takim razie jedźmy na Pardałówkę.

– A konkretnie?

– Na razie niech pan po prostu skręci w prawo. A potem pojedzie główną.

Mondeo z cichym jękiem wytoczyło się na Jagiellońską. Po chwili minęło Bulwary Słowackiego i skręciło w lewo, w Chałubińskiego. Edmund wytrzymał jeszcze moment, zanim znów zapytał, gdzie się kierują.

Na rondzie, które znał każdy turysta schodzący z Kuźnic w kierunku centrum, zjechali w Drogę na Bystre.

– Może teraz jest dobra pora, żebyś powiedział mi, dokąd konkretnie zmierzamy?

– Do celu, panie inspektorze.

Osica przewrócił oczami, a Wiktor po raz kolejny upewnił się, że nikt za nimi nie jedzie. Kiedy w końcu dotarli na Pardałówkę, odetchnął. Nie zanosiło się na komplikacje, przynajmniej jeśli chodziło o ewentualny ogon.

– Gdzie teraz?

– Pan stanie pod tym domem. – Forst wskazał jeden z budynków po lewej stronie.

– Przecież to…

– Był tu pan?

– Bywałem od czasu do czasu. Gomoła zapraszał mnie, jak nie było jego żony.

Forst zaśmiał się cicho.

– Coś cię bawi?

– Jedynie to, że nie tylko pan bywał u niego, kiedy żona wyjeżdżała.

Edmund zaparkował przed niewielką zardzewiałą bramą, a potem spojrzał na Wiktora pytająco. Ten jednak nie miał zamiaru na tym etapie wyjaśniać Osicy czegokolwiek. Dawny przełożony dowie się wszystkiego na bieżąco.

Wysiedli z mondeo i weszli po nierównych schodach. Stan ganku i elewacji budynku od razu sugerowały, że gospodarz nie należy do nazbyt pracowitych.

Forst nacisnął dzwonek, ale nie usłyszał z wnętrza żadnego dźwięku. Uznał, że najlepiej będzie, jeśli załomocze do drzwi. I zrobił to bez ogródek.

Gomoła niemal natychmiast otworzył. W przypadku każdego innego policjanta Forst wolałby upewnić się, czy zastanie go w domu, ale ten nie zostawał w pracy choćby minutę dłużej, niż wymagały tego przepisy. O tej porze mógł być tylko tutaj.

Gomoła otworzył usta i popatrzył na dwóch niezapowiedzianych gości.

– Dobry wieczór, panie komendancie – powiedział.

Forsta zignorował. Właściwie nie było to niczym dziwnym, Wiktor był przyzwyczajony do podobnych reakcji z jego strony. Jeszcze zanim odsunięto go od pierwszego śledztwa w sprawie Bestii, a Gomoła zajął jego miejsce, między nimi wiele było napsutej krwi.

– Coś się stało? – spytał gospodarz.

– To się okaże.

Osica popatrzył na dawnego podkomendnego.

– Powinienem się spodziewać… – zaczął Gomoła.

– Tak, powinieneś – uciął Forst. – Jak każdy inny idiota, który ma kogoś na boku i niespecjalnie się z tym kryje.

– O czym ty mówisz?

– O tym, że wpadłeś, Gomoła.

– Co?

– Nie co, ale w co. W wyjątkowo głębokie gówno.

Forst ruszył przed siebie, a policjant mimowolnie ustąpił mu miejsca. Dopiero po chwili jakby uświadomił sobie, że nie ma obowiązku wpuszczać byłego komisarza do swojego domu. Stanął w nieco większym rozkroku, ale nie dodało mu to wiele pewności siebie.

– Żona wie, co robisz, kiedy jej nie ma? – spytał Wiktor.

Gomoła ostatecznie się usunął, a dwóch gości weszło do korytarza.

– Czy mam jej powiedzieć? – dodał Forst, rozglądając się. – Zastaliśmy panią domu?

– Panie komendancie…

– Spokojnie, spokojnie – zaapelował Osica. – Wszystko jest w porządku. Po prostu odpowiadaj na pytania.

– Ale…

– Jest tu? – spytał Forst. – Czy nie?

Ustalenie, że kobieta jest na zakupach, zajęło znacznie dłużej, niż Wiktor planował. Później za to poszło mu o wiele sprawniej. Na każde wspomnienie o romansie widział przerażenie w oczach Gomoły.

Po krótkiej rundzie gróźb i zaprzeczeń w końcu Wiktorowi udało się przekonać rozmówcę, że najlepiej będzie, jeśli spuści z tonu.

Stali naprzeciwko siebie w korytarzu, Gomoła sprawiał wrażenie wypompowanego, jakby rozmowa trwała nie kilkanaście minut, ale parę godzin. I jakby przy każdym kolejnym zdaniu wypowiadanym przez Forsta obrywał prosto w twarz.

Raz po raz patrzył na przełożonego, szukając ratunku. Osica jednak ani razu się nie odezwał. Ograniczył się do zdawkowego westchnienia, kiedy podwładny w końcu oznajmił, że kobieta, z którą się widuje, jest leciwą turystką i przyjeżdża z Krakowa na weekendy.

– Gdzie się zatrzymuje? – zapytał Forst.

Gomoła milczał.

– Mów, jeśli nie chcesz, żeby żona miała niespodziankę po powrocie z zakupów.

– Niedaleko.

– Gdzie konkretnie?

– W pensjonacie na skrzyżowaniu Broniewskiego z Antałówką – mruknął policjant.

– Tam się spotykacie?

– Tak.

– Prowadź – odparł Forst, wskazując drzwi.

– Nie ma jej tam teraz.

– Gówno prawda.

Nie był przekonany, czy rzeczywiście zastaną kochankę Gomoły w pensjonacie. Był to właściwie strzał w ciemno, równie dobrze mogła być u siebie w Krakowie.

– Wyjechała, rozumiesz?

– Kiedy?

– Niedawno, parę dni temu.

Forst zaklął pod nosem. Wyszedł z założenia, że zabójczyni nakryła Gomołę stosunkowo niedawno, szukając haka na kogokolwiek w policji. Wiktor znał ją na tyle dobrze, by wiedzieć, że nie brnęłaby dalej w swoich planach, gdyby nie miała planu awaryjnego. Najwyraźniej jednak zadbała o skonstruowanie go wcześniej.

– Mówię prawdę – zastrzegł Gomoła.

Wiktor zbył to zapewnienie milczeniem.

– Gdzie ją znajdę? W Krakowie? – spytał.

– Nie, wyjechała na jakiś czas.

– Dokąd?

– Do Gruzji.

Forst syknął cicho. Łudził się, że uda mu się wszystko rozwiązać za jednym zamachem. Najwyraźniej heroina jeszcze w pewnym stopniu na niego wpływała, kazała mu nie tracić resztek narkotykowego optymizmu.

Poczuł lekkie ćmienie w skroniach.

– Co tam robi? – zapytał.

– Jest na wakacjach, ona często…

– Na jak długo poleciała?

– Nie wiem. Nie jesteśmy aż tak…

– Planowała to czy wybrała się na ostatnią chwilę?

Gomoła podrapał się za uchem i przez moment zastanawiał. W końcu wzruszył ramionami.

W korytarzu zaległa cisza.

– Jeśli planowała wcześniej, to nic mi nie mówiła.

Wiktor zbliżył się do niego.

– Daj mi jej numer – powiedział.

Uznał w duchu, że nie wszystko jeszcze stracone. Jeśli kobieta opuściła kraj w pośpiechu, być może wynikało to z tego, że zabójczyni rzeczywiście utkała swój plan skrupulatnie. I rozpuściła pierwsze wici szantażu, z którego w dogodnym momencie mogłaby skorzystać.

Musiało tak być.

Inaczej nie zjawiłaby się pod domem Osicy, twierdząc, że ma możliwość, by go stamtąd wyciągnąć.

Wiktor pozwolił sobie na lekki uśmiech. Zrozumiał, co się wydarzyło i w jaki sposób. I dało mu to nadzieję, że jeszcze dzisiaj doprowadzi całą tę sprawę do finału.

A potem zaszyje się gdzieś. Sam ze strzykawką.

12

Odbierając połączenie od nieznanego numeru, Dominika spodziewała się usłyszeć właściwie głos każdego oprócz tej jednej, konkretnej osoby. W tej sytuacji nie miał powodu, by dzwonić do niej z nieznanego numeru. Poza tym wedle wszelkiego prawdopodobieństwa znajdował się raptem kilkanaście metrów dalej, w jednym z pokojów na końcu korytarza.

– Wiktor?

– Mam coś dla ciebie – oznajmił z satysfakcją Forst.

Siedziała w gabinecie Osicy, od kilku minut zbierając się do tego, by w końcu go opuścić i rozmówić się z Wiktorem. Szukała wymówki, by odłożyć to w czasie, ale właściwie wszystkie jej się skończyły, kiedy prokurator generalny jasno dał do zrozumienia, że Forst nic powinien być dłużej traktowany jako potencjalny sprawca.

– Jesteś? – spytał.

– Tak. Zastanawiam się, czy powinnam zwrócić uwagę na to, że zrezygnowałeś z jakiejkolwiek formy powitania, czy po prostu to zignorować.

– Zdecydowanie zignoruj.

– W porządku.

– Ale jeśli jednak potrzebujesz namiastki savoir-vivre'u… hej.

– Hej – odparła.

Przez moment na linii panowała cisza.

– Co to za numer? – odezwała się w końcu Dominika.

– *Pre-paid*. Potrzebowałem na jakiś czas czegoś nowego.

– Zarejestrowany?

– Oczywiście. Prawo przecież tego wymaga.

– Czyli nie.

– Mhm…

– I mówiłeś, że masz dla mnie prezent?

– Mam – potwierdził, a w jego głosie znów usłyszała satysfakcję. Nie, coś więcej. Dumę. – I jest wyjątkowo trafiony.

– Wiesz o tym z góry?

– Ufam mojemu instynktowi śledczemu.

Mówił, jakby ten nigdy go nie zawiódł, ale prawda była taka, że sprowadził go na manowce mniej więcej tyle samo razy, ile miało to miejsce w jej przypadku. Także w sprawie Bestii z Giewontu. A może przede wszystkim jej. Oboje zostali oszukani, choć na różne sposoby.

Może dlatego tak się do siebie zbliżyli? Może obopólne zrozumienie było podwalinami tej relacji, a wszelkie romantyczne wyobrażenia, jakie miała, stanowiły tylko…

Upomniała się w duchu, by nie kontynuować tego toku myśli. Zarazem uświadomiła sobie, że po raz pierwszy przyznała przed samą sobą, jak naprawdę postrzega naturę łączących ich stosunków.

– Nie chcesz wiedzieć, co to za prezent?

– Chcę.

– W takim razie wyciągnij coś do pisania.

– Mam przed sobą komputer, Forst. Żyję w dwudziestym pierwszym wieku.

– Ale Portishead nadal słuchasz z płyt CD, a nie USB, choć twój samochód ma wejście w podłokietniku.

Uniosła nieznacznie kąciki ust, ciesząc się, że tego nie widzi.

– Jeśli chcesz zaimponować jakiejkolwiek prokurator, musisz wykazać się czymś więcej niż tylko znajomością jej upodobań muzycznych.

– W porządku. Co powiesz na rozwiązanie sprawy głośnych zabójstw?

– Hmm...

– To mogłoby zaimponować takiej hipotetycznej prokurator?

– Zależy, czy hipotetyczny były komisarz rzeczywiście dotarłby do czegoś konkretnego.

– Dotarł – zapewnił ją, poważniejąc nieco. – Znasz Gomołę?

– Spotkałam go kiedyś. Pod Kościelcem.

Nie musiała dodawać nic więcej, doskonale zdawał sobie sprawę, w jakich okolicznościach się to wydarzyło.

– Okazuje się, że miał romans – odezwał się po chwili milczenia Forst. – I nasza zabójczyni do tego dotarła.

– Zabójczyni?

– Chciała to później wykorzystać – ciągnął, ignorując pytanie. Głos miał spokojny, wyważony, ale słyszała gdzieś w nim z trudem tłumiony entuzjazm.

Entuzjazm właściwy dochodzeniowcowi, który dotarł do czegoś znaczącego. Trudno było pomylić to brzmienie z jakimkolwiek innym.

– Jak? – spytała Dominika.

– Szantażując go, oczywiście. Nie zdążyła skorzystać z okazji, ale przygotowała już grunt, kontaktując się bezpośrednio z kochanką Gomoły.

– Będziesz musiał mi to...

– Wyjaśnię ci wszystkie nieistotne niuanse później – przerwał jej, a potem zamilkł, jakby poniewczasie uświadomił sobie koszt tego *faux pas*. – Teraz ważne jest to, że kochanka dostała pogróżki.

– Od…

Urwała, ale Forst odczekał moment, by mieć pewność, że tym razem nie wpadnie jej w słowo.

– Od naszej zabójczyni, tak – powiedział w końcu. – Oznajmiła, że wie o romansie i wykorzysta to, jeśli kochanka Gomoły nie będzie postępować tak, jak powinna.

– Czyli? Czego od niej oczekiwała?

– Na początek deklaracji o pełnym podporządkowaniu. I otrzymała ją – wyjaśnił ciężko Wiktor. – Przypuszczam, że chodziło o wyciągnięcie mnie z domu Osicy. Nie starczyło jednak czasu, by to rozegrać, bo… sama wiesz, jak potoczyły się sprawy.

– Wanad przy głowie, samobójca w sypialni… tak, coś kojarzę.

– Istotne jest to, że możesz namierzyć telefon, z którego dzwoniła nasza sprawczyni.

Wadryś-Hansen z trudem przełknęła ślinę. Naprawdę zbliżyli się tak bardzo do rozwiązania sprawy? Nie wiedziała, w jaki sposób Forst dotarł do informacji o kochance, ale przypuszczała, że prędzej czy później wszystko z niego wyciągnie.

– Ten, przez który kontaktowała się ze mną, jest już nieaktywny, ale to było do przewidzenia.

– Nie rozumiem, o czym…

– Natomiast ten, z którego dzwoniono do kobiety Gomoły, jest zastrzeżony, ale to nie powinien być problem – ciągnął Wiktor. – Mam datę i czas połączenia. Zapiszesz?

Przez moment się nie odzywała.

– Dominika?

– Tak, dyktuj.

Sięgnęła po kartkę i długopis, ani przez moment nie myśląc o tym, by użyć stojącego na biurku laptopa. Chwilę później miała wszystko, czego potrzebowała, by z pomocą jednej uczynnej osoby w firmie telekomunikacyjnej w końcu ruszyć tropem, który powinien doprowadzić ją do sprawcy.

Telefon, z którego dzwoniono do kochanki Gomoły, znajdował się w zasięgu trzech stacji bazowych. Triangulacja logowań nie nastręczała żadnego problemu.

Wadryś-Hansen nie poinformowała Forsta o tym, gdzie znajdowało się urządzenie. Przypuszczała jednak, że Osica z pewnością to zrobi, kiedy tylko dotrą do niego dobre wieści.

Mimo to Wiktor zadzwonił do niej, jeszcze zanim zdążyła opuścić apartament przy Krupówkach. Namyślała się przez chwilę nad tym, czy powinna odbierać. Wiedziała, że zdradzi mu zapewne znacznie więcej, niż powinna.

W końcu przyłożyła komórkę do ucha.

– Macie ją? – spytał Forst.

– Tak.

– Gdzie jest?

– W jednym z pensjonatów w Małym Cichym.

– O ironio – odparł Wiktor.

Nie odzywali się. Dominika spojrzała w stronę drzwi, upominając się, że niebawem powinna wyjść. Z pewnością będzie musiała poczekać na grupę antyterrorystów gdzieś po drodze, ale wolała być tam pierwsza.

– Zrobi się tam wyjątkowo głośno – dodał po chwili Forst.

– Bez wątpienia.

– Uważajcie – mruknął Wiktor. – I nie mam na myśli waszego bezpieczeństwa, tylko jej.

– To znaczy?

– Wiem, jak to działa.

– A ja nadal nie rozumiem, do czego zmierzasz.

– Do tego, że do takich ludzi jak ona najpierw się strzela, a dopiero potem zadaje pytania.

– Nie jesteśmy w kraju Trzeciego Świata, Wiktor.

– Ano nie – przyznał. – Ale zamachowców tak samo traktuje się na ulicy w Mediolanie, w podejrzanej dzielnicy w Brukseli czy na promenadzie w Nicei. Zasada jest jedna: jeśli pozwolisz im przeżyć, stworzysz obiekt kultu.

Była to właściwie tajemnica poliszynela. Terrorystów zwyczajnie nie opłacało się pozostawiać przy życiu. Nie mogli zdradzić niczego istotnego, bo najczęściej byli samotnymi wilkami, pozbawionymi bezpośredniego kontaktu z kimś wyżej w hierarchii. Nawet najskuteczniejsze metody przesłuchań do niczego nie prowadziły.

Za to pozostawienie ich przy życiu oznaczało, że całe tłumy im podobnych będą upatrywały w nich męczenników gnijących za więziennymi murami za ich wspólną sprawę.

– Wiesz dobrze, że w tym wypadku jest inaczej – odezwała się.

– Ja? Tak, ja o tym wiem, ale mam wątpliwości co do…

– Mnie?

– Nie, tobie ufam nawet bardziej niż sobie samemu.

Nie odpowiedziała. I miała nadzieję, że nie pociągną tego tematu, nie teraz.

– Muszę kończyć – oznajmiła. – Niebawem ruszamy.

– Ruszajcie – odparł ciężko. – Tylko miej oko na tych z AT. To im nie ufam.

– Dali ci jakieś powody?

– Tylko takie, że lubią strzelać do ludzi, którzy w ich mniemaniu na to zasługują.

Przytrzymując telefon ramieniem, Wadryś-Hansen zaczęła zakładać buty. Nie szło najłatwiej, ale mimo że jeszcze przed momentem zamierzała zbyć Wiktora, nie miała zamiaru się rozłączać.

– W tym przypadku się mylą? – spytała. – Twoim zdaniem ta kobieta na to nie zasługuje?

– Nie.

– Dlaczego?

– Bo jest winna w takim samym stopniu co ja.

– To gruba przesada – odparła Wadryś-Hansen, prostując się. – Zadręczasz się, podczas gdy tak naprawdę nic nie zrobiłeś.

– To prawda – przyznał nieco ciszej. – Nie zrobiłem nic. A powinienem.

– Daj spokój.

– Odpowiadałem za te dziewczyny. To ja zapakowałem je na pokład, to ja powinienem się upewnić, że wszystko z nimi w porządku. I sprawdzić, czy...

– Czy żadnej z nich nie odbije? Nie mogłeś tego zrobić.

Zamilkł, a ona wiedziała, że żadnym argumentem nie przemówi mu do rozumu. Może gdyby jego rozsądku nie przesłaniała heroina, sam by to zrobił, ale teraz nie wchodziło to w grę. Z każdą mijającą godziną zanurzał się coraz bardziej w stworzonym przez narkotyki bagnie wyrzutów sumienia i absurdalnych myśli.

– Mimo wszystko uważajcie na nią. Nie zasługuje na śmierć.

– Zabiła kilka osób, Wiktor.

– Wiem.

Dominika pomyślała o ofiarach. Najpierw wciąż niezidentyfikowana dziewczyna na placu budowy, potem Wika Bielska w jaskini, a ostatecznie dziewczyna na Krupówkach. I dwie monety. Monety, które zdawały się stanowić potwierdzenie tego, że sprawcą jest osoba z poważnymi zaburzeniami.

Wadryś-Hansen wyszła z apartamentu i zamknęła za sobą drzwi, zamyślona. Po krótkiej chwili musiała wrócić, by sprawdzić, czy na pewno przekręciła klucz.

Kołatało jej się w głowie zbyt dużo myśli. Chciała zapytać Forsta o wiele spraw, ale wolała zrobić to w drodze oficjalnego przesłuchania, kiedy w drugim pokoju siedzieć będzie osoba, której przez ten cały czas szukali.

Przeszła kawałek, wciąż z telefonem przy uchu.

– Jesteś tam jeszcze? – zapytała.

– Tak.

– Więc dlaczego się nie odzywasz?

– Z tego samego powodu co ty.

Wyszła na ulicę i się rozejrzała. Gerc miał na nią czekać na Drodze Oswalda Balzera, przed zjazdem na Małe Ciche. Miała jeszcze trochę czasu, by choć pobieżnie poruszyć kwestie, które nie dawały jej spokoju.

W końcu uznała, że rozezna tylko teren.

– Znałeś tę pierwszą ofiarę? – spytała.

– Tak.

Nie usłyszała w jego głosie żadnego bólu, nawet rozrzewnienia. Przypuszczała, że była to powierzchowna znajomość.

– Kim była?

– Edi? – spytał. – Jedną z dziewczyn, które los ciężko doświadczył. Ale nie tak ciężko jak Łucję.

To do niej wracał najczęściej. Ona stanowiła powód, dla którego poleciał do Hiszpanii, i z jego relacji wynikało, że czuł się za nią odpowiedzialny nawet bardziej niż za Myszę, którą przecież poznał najlepiej.

Wszystko wynikało z jakiegoś chorego poczucia misji, stwierdziła pewnym momencie Wadryś-Hansen. To ono było dla Forsta ważniejsze niż jakakolwiek nić sympatii nawiązana *ad hoc*. W taki sposób ukształtowała go policja, a może także życie. A może jedno i drugie było dla niego tym samym, choć nie był gotów tego przyznać.

– Sporo przeszła, naprawdę sporo.

– Wiem. Mówiłeś o skrzywieniach Roberta.

Forst ze świstem wypuścił powietrze. Przypuszczała, że jest albo o krok od dania sobie w żyłę, albo przed momentem to zrobił.

– Wszystko w porządku?

– Tak – odparł.

Nie wiedziała, jak sformułować pytanie, które naprawdę chciała zadać. Nie miała doświadczenia w obchodzeniu się z narkomanami. Zresztą nawet gdyby je posiadała, prawdopodobnie niewiele by to zmieniło.

Zatrzymała się przy samochodzie, a potem oparła o dach.

– Brałeś dzisiaj? – spytała w końcu.

– Brałem.

Szybka odpowiedź bez sekundy zawahania była jak cios.

– Grunt, że jesteś szczery – powiedziała, siląc się na względnie spokojny ton, by go nie zrazić. Wiedziała, że niewiele trzeba, by ta rozmowa skończyła się w okamgnieniu. Nie potrzebowała obeznania w kontaktach z ćpunami, by zdać sobie sprawę, że sprowadzają się właściwie do nawigowania po polu minowym.

Cisza w słuchawce przeciągała się niemiłosiernie. Dominika wsiadła do auta, zamknęła drzwi, a potem uznała, że to nie pora ani okoliczności, by o tym rozmawiać. Forst jednak najwyraźniej był innego zdania.

– Nie mogę się już cofnąć. Nie mam gdzie.

Mruknęła cicho do mikrofonu.

– To dość wymowny komentarz – przyznał.

– Na więcej nie licz, bo stawiasz mnie sytuacji, za którą nie przepadam.

– To znaczy?

– Zmuszasz mnie do sięgnięcia po komunały typu: zawsze jest gdzie się wycofać, odwrót nie jest przyznaniem się do porażki, tylko gromadzeniem sił przed wygraną. Jeśli znała go tak dobrze, jak sądziła, mogła założyć, że choćby lekko się uśmiechnął. Włączyła silnik, a potem wbiła wsteczny. Ostatecznie uznała, że nie ma sensu ciągnąć dłużej tego tematu. Porozmawiają, kiedy będzie po wszystkim.

– Odłóżmy to na później – powiedziała.

– W porządku.

Oboje wiedzieli, że sprawa prędzej czy później wróci. Podobnie jak masa pytań, które wiązały Forsta z morderczynią. W dodatku w końcu będzie musiał wyjawić prawdziwą tożsamość Roberta Kriegera i pozwolić służbom działać. Jego przyjaciel nie poniesie tak dotkliwych konsekwencji jak sprawczyni, ale odpowie za ukrycie ciał, obstrukcję działań wymiaru sprawiedliwości i kilka innych rzeczy. Forst nie będzie mógł kryć go w nieskończoność.

Westchnęła, wyjeżdżając na główną drogę. Czekały ich trudne godziny.

Nie miała jednak pojęcia, jak bardzo trudne.

13

Powinnam traktować to jako potwarz. Być może bym to zrobiła, gdybym miała niższe mniemanie o sobie. Ostatnie wydarzenia uświadomiły mi jednak własną wartość. To dla mnie duża zmiana. Zanim zaczęłam moją małą krucjatę, towarzyszyły mi głównie wątpliwości. Nie, nie dotyczyły samej misji, o jej słuszności byłam absolutnie przekonana. Wiedziałam też, że uda mi się wykonać każdy element planu, tak jak sobie to założyłam.

Brakowało mi jednak wiary w swoją wartość. Postrzegałam siebie jako zwyczajne narzędzie, którego ktoś zamierzał użyć do wykonania zadania. Tylko tyle i aż tyle.

Wynikało to z mojej przeszłości. Niepewności, która towarzyszyła mi przez całe życie. Ze zgnojenia, zgniecenia, a w końcu upodlenia. Z tego wszystkiego, co mnie spotkało. I tego, jak traktowali mnie inni ludzie.

Pomiatano mną, spluwano na mnie, odnoszono się do mnie jak do najgorszej szmaty.

Jak miałam widzieć w sobie jakąkolwiek wartość?

Po tym, jak zabiłam Edi, wszystko się zmieniło. Nie od razu, sama zresztą nie dostrzegłam pierwszych znaków. Potem jednak stało się dla mnie jasne, że to, co robię, świadczy o mojej wyjątkowości.

Gdyby nie to, posunięcia Wiktora naprawdę potraktowałabym jak potwarz.

Ale nie zrobiłam tego. Podeszłam do sprawy na spokojnie. Było dla mnie oczywiste, że po naszej rozmowie będzie mógł bez trudu wpaść na mój trop. Kiedy oznajmiłam, że wiem o romansie Gomoły, podsunęłam mu smakowity kąsek. A jego instynkt śledczy nadal działał. To chyba jedyny atut Forsta, którego nie przytłumia heroina ani alkohol.

Po tym, co powiedział u Osicy, wiedziałam też, że zaszła w nim jakaś zmiana. Nie miał zamiaru dłużej mnie kryć. Praktycznie wyspowiadał się przed śledczymi.

Tylko kwestią czasu było, nim po sznurku dotrze do kłębka. A ja zostawiłam go w rękach tej kobiety, która poleciała do Gruzji. Rozwinięcie go nie mogło zająć dochodzeniowcom wiele czasu.

Jak mogli sądzić, że okazali się sprytniejsi ode mnie? Jak on mógł tak pomyśleć? Nie powinien. Popełnił błąd.

A teraz Wadryś-Hansen jechała do miejsca, w którym zostawiłam telefon.

Zupełnie nieświadoma tego, że robi to, co chciałam.

Ani tym bardziej tego, że jadę kawałek za nią. Że czekam na odpowiedni moment. Że niebawem będzie już po wszystkim.

Gdyby popatrzyła w lusterko, rozpoznałaby mnie. Widziałyśmy się już, choć nigdy w jednym momencie. Dzielił nas czas. Czas i zupełnie odmienne życie, inna rzeczywistość.

Jej świat był ułożony. Wychowała się w dobrym domu, nie znała problemów, z jakimi ja musiałam się borykać. Nikt jej nie wykorzystywał, nikt nie gnębił, nie robił z niej dziwki, tak jak ze mnie.

Dzieli nas wszystko.

A połączy ten jeden moment, teraz.

Przyspieszam, widząc, że Dominika zbliża się do zakrętu, który wybrałam. Wiedziałam doskonale, którędy będzie jechała do Małego Cichego. Nie miała zresztą wielkiego wyboru. Czy mnie widzi? Nie wiem. Być może, ale jeszcze nie uświadamia sobie, co oznacza zbliżający się samochód.

Przyciskam pedał gazu, wduszam go z impetem w podłogę, kiedy jej samochód znajduje się w skrajnym miejscu zakrętu.

Maska uderza w tył jej auta. Nie potrzeba wielkiej siły, by wyrzucić pojazd, gdy znajduje się na zewnętrznej. Wystarczyłoby lekkie popchnięcie, ale ja chcę mieć pewność.

Rozlega się nieprzyjemny dźwięk zderzenia dwóch karoserii. Odbija mi się w głowie echem. Przyjemnym, niemal upajającym. Słyszę pisk opon, Wadryś-Hansen próbuje hamować, ale nie ma najmniejszych szans na wytracenie prędkości.

Samochód wypada z drogi, przebija barierki ochronne i zatrzymuje się w rowie.

Staję kilka metrów dalej. Jedyną ceną, jaką płacę za to zdarzenie, jest wgniecenie z przodu samochodu. Wychodzę z niego, oglądam najpierw uszkodzenia, a dopiero potem przenoszę wzrok w stronę rowu.

Z silnika wydobywa się para, poduszka powietrzna od strony kierowcy jest pokryta krwią. Obchodzę zgiętą barierkę, a potem zaglądam do samochodu. Pognieciona blacha i rozbite szkło mogły stanowić mogiłę, ale prędkość nie była dostatecznie duża, by zabić Dominikę.

Jest półprzytomna, mamrocze coś pod nosem.

Prostuję się i rozglądam. W okolicy nikogo nie ma, co utwierdza mnie w przekonaniu, że wybrałam dobre miejsce.

Słyszę, że moja ofiara jęczy z bólu. To przyjemny dźwięk, sprawia, że serce zaczyna mi szybciej bić.

Naprawdę jestem wartościowa. W jakiś sposób fakt, że mam taką władzę nad innymi, to potwierdza.

Kopiując to, co robiła Bestia, początkowo nie rozumiałam. Teraz zdaję sobie sprawę z tego, co ją napędzało. To pierwotne, piękne, nieskalane konwenansami społecznymi uczucie. Nie da się go opisać. Nie da się go zrozumieć, o ile samemu nie zadecyduje się o czyimś życiu lub śmierci.

O ile samemu nie zyska się władzy. Władzy, jaką mają lekarze nad pacjentami, Bóg nad ludźmi. Ma to wymiar praktyczny i teoretyczny. Jeden sprowadza się do decydowania bezpośredniego, drugi do abstrakcyjnego. Ja łączę obydwa.

Jestem wyjątkowa.

– Kim... kim ty...

Pochylam się i przyglądam mojej ofierze. Jej życiu nic nie grozi. A raczej nic by nie groziło, gdybym teraz ją tu zostawiła.

– To...

Urywa i nie dodaje nic więcej. Mruga oczami, bo krew zaczyna spływać jej z czoła. A może robi to dlatego, że nie może uwierzyć w to, co widzi.

– Dlaczego...

Ma powierzchowne obrażenia, ale w niczym nie przypominają tych, które zadałam jej, kiedy razem z Osicą przyjechali do Słupska.

– Jak...

Znów się prostuję. Czas to skończyć.

Sięgam po monetę do kieszeni. Zamierzam wepchnąć ją tak głęboko w jej gardło, że się nią zadusi.

– Robert.

Ten głos. To imię.

Ta potwarz.

A więc jednak.

14

Wiktor Forst nie odrywał wzroku od oczu dawnego przyjaciela.

Wiedział, że Krieger nie da się podejść, że będzie próbował go ograć i nie znajdą go tam, gdzie namierzyli telefon. Wiedział także, że Robert skorzysta z okazji i ruszy za Wadryś-Hansen.

Na Boga, miała być przynętą, ale on miał zapewnić jej bezpieczeństwo. Zareagować w porę. Nie pozwolić, by cokolwiek się jej stało.

Spóźnił się jednak minimalnie. Przypuszczał, że Krieger uderzy w jej samochód chwilę później, przy jednym z ostrzejszych zakrętów, za którymi znajdowały się rozległe pola. Wyszedł z założenia, że Robert nie będzie ryzykował, zamierzając wziąć ją żywcem i uwięzić.

Powtórzyć *modus operandi* Bestii. Ale pomylił się.

A ona niemal przypłaciła to życiem.

– Odsuń się od samochodu – polecił.

Powinien spodziewać się po Robercie wszystkiego. Był niestabilny, ostatnio coraz bardziej.

Nie, nie ostatnio. Zawsze taki był.

Od kiedy się poznali, Forst wiedział, że ma do czynienia z człowiekiem, który nie tylko nie akceptuje samego siebie, ale też nie potrafi się zdefiniować.

Krieger wychował się w patologicznej, żyjącej na skraju ubóstwa rodzinie. Matka i ojciec pili właściwie od świtu do zmierzchu. Ona do nieprzytomności, on do momentu, kiedy tracił nad sobą jakąkolwiek kontrolę. Nie znał granic. Zmuszał młodego Roberta do rzeczy, o których młody chłopiec nie powinien nawet słyszeć.

Trwało to latami. Właściwie skończyło się, dopiero kiedy Robert uciekł w szeregi policji. W mundurze znalazł schronienie. Dodał mu nie tylko odwagi w przeciwstawianiu się ojcu, ale także pewności siebie.

Wydawało mu się wtedy, że opanował swoją własną seksualność. Że policyjne naramienniki i inne atrybuty stróża prawa stanowią potwierdzenie jego męskości. Że wszystkie te myśli, wątpliwości i nieustanna niepewność co do swojego ja zejdą dzięki temu na drugi plan.

Opowiadał o tym Forstowi nieraz przy wódce. I za każdym razem w jego głosie Wiktor słyszał głębokie przekonanie.

A mimo to co jakiś czas Krieger wracał do swoich pierwotnych problemów. Do zaburzeń tożsamości, które nauka określała jako dysforię płciową. Ostatecznie przyznawał przed sobą, że czuje się bardziej kobietą niż mężczyzną. Koło się zamykało – i trwało to bez końca.

Okresy zaprzeczenia, wypierania swojej seksualności przeplatały się z okresami akceptacji. Zupełnie jakby stanowiło to najwyższy i najniższy punkt jego egzystencji. Wszystko, co pomiędzy nimi, było jego własną życiową deniwelacją.

Kilkakrotnie był gotowy zrezygnować ze służby, a nawet się ujawnić. Czasem był bliski tego, by zdecydować się na operację zmiany płci.

Podczas ostatniej popijawy w Słupsku oznajmił jednak, że nigdy tego nie zrobi. Przeciwnie, deklarował, że zapuści brodę, wygoli głowę i zrobi wszystko, by wyglądać jak osoba, którą nie jest.

Twierdził, że to kara za to, co wydarzyło się z Łucją. I za to, że pozwolił jej odejść.

Obwiniał się, nie dostrzegając przy tym, że kopiuje wszystko to, co spotkało go z rąk jego ojca. Forst starał się do niego przemówić, ale Krieger od pewnego momentu przyjmował już wyłącznie własne argumenty.

Uważał się za więźnia we własnym ciele. Kobietę, która została okaleczona przez naturę.

I za człowieka, którego los pokarał adekwatnie do jego przewinień.

W pewnym momencie jednak coś się zmieniło. Skruchę i chęć wymierzania sobie kary zastąpiły diametralnie inne uczucia. Teraz Wiktor nie potrafił nawet stwierdzić jakie. Wiedział jedynie, kiedy nastąpiła zmiana.

Katalizatorem było odnalezienie ciała Łucji i innych dziewczyn. To, co stało się później, było rezultatem ciągu przyczynowo-skutkowego, w który wpadł Krieger.

Zabił Edytę. Dziewczynę, która uruchomiła silnik jednego z samochodów w hangarze Hespéridesa. Zaufała mu, kiedy powiedział, że przysłał go Siergiej. Nie znała go, nigdy wcześniej nawet go nie widziała. Była stanowczo zbyt ufna, zbyt naiwna. Ale gdyby było inaczej, być może nigdy nie łudziłaby się, że odzyska zaufanie Bałajewa, mordując pozostałe dziewczyny. Robert zaś dokonał zemsty. I poczuł zew krwi.

Forst był przekonany, że na tym się skończy. Nie zamierzał mieszać się w tę sprawę, wystarczająco zawinił. Chciał zostawić wszystko w rękach policji i prokuratury.

I zapewne tak by się stało, gdyby przyjaciel nie postanowił wywabić go z kryjówki.

Teraz spojrzał na niego. Na nią.

Uniósł pistolet, który oddał mu Osica. Krieger nie zasługiwał na to, by ginąć ani od wanada, ani od jakiejkolwiek innej broni. Był w równym stopniu ofiarą, jak i sprawcą.

– Odsuń się od niej – powtórzył Wiktor.

Spojrzeli na siebie, jakby obaj patrzyli na swoje odbicia w lustrze. Wyglądali podobnie, jeden i drugi miał gęstą brodę i krótkie włosy. Podobieństwa były jednak nie tylko wizualne, Forst traktował tego człowieka jak bratnią duszę. Obydwaj przeszli więcej, niż ktokolwiek powinien. Obydwaj zagubili się gdzieś w swoim życiu i nie odnaleźli drogi powrotnej.

Wiktor zbliżył się o krok.

– Nie powiem tego trzeci raz – odezwał się.

– Wiem.

Krieger nadal jednak się nie odsunął. Jeszcze przez moment wbijał wzrok w Forsta, a potem przeniósł spojrzenie na Wadryś-Hansen.

– Nic jej nie grozi – zapewnił Robert.

Wiktor pokręcił głową.

– Dotychczas ani razu mnie nie okłamałeś – powiedział. – Nie zaczynaj teraz.

Były komisarz doskonale zdawał sobie sprawę z tego, kto stoi naprzeciwko niego. Nie był to ten sam człowiek, którego znał przez pół życia. Przeciwnie, stanowił obcą osobę. Osobę, która powstała wskutek głębokiej traumy, ostatecznie zastąpionej wybuchem samouwielbienia.

Krieger zasmakował tego, czym upajali się zabójcy. I nie dawkował sobie narkotyku, tak jak Forst robił to z heroiną. Przyjmował dawkę za dawką, za każdym razem je zwiększając.

Nie było już dla niego odwrotu. Świadom tego, Wiktor wiedział także, że przyjaciel zrobi wszystko, by kontynuować. By pokazać, że nadal to on ma pełną władzę.

– Cofnij się – powiedział Forst.

– Miałeś kolejny raz się nie powtarzać.

– Po prostu rób, co mówię.

Robert uniósł dłonie i odwrócił się w stronę Wiktora. Uśmiechnął się lekko, jakby wyzywająco.

– Ja nie mam broni, a ty zamiaru, by skorzystać ze swojej – zauważył. – W dodatku żaden z nas nie chce robić niczego, czego byśmy później żałowali.

Forst spodziewał się, że zaraz nastąpi atak. Ostatnia desperacka próba utrzymania kontroli.

– Oby – odezwał się.

Krieger przez chwilę trwał w bezruchu. Potem spojrzał na uniesione dłonie.

– Jestem bezbronny, Forst.

Zabrzmiało to, jakby nie miał na myśli sytuacji, w której się znaleźli.

– Poza tym zaraz będą tędy przejeżdżać inne samochody policyjne – dodał Robert. – Czego się obawiasz? Spodziewasz się, że będę niepotrzebnie ryzykować? – Spojrzał na Dominikę. – Że rzucę się na nią i spróbuję odebrać życie ostatniej ofierze, zanim strzelisz?

– Nie wiem, czego się po tobie spodziewać.

Krieger prychnął i powoli opuścił ręce.

– Naprawdę myślisz, że straciłem rozum?

– Zacząłeś kopiować Bestię, do kurwy nędzy – syknął Forst. – Sam odpowiedz sobie na to pytanie.

– Zrobiłem to tylko po to, żebyś włączył się w sprawę.

– Tym bardziej każe mi to sądzić, że zwariowałeś.

– Nie, nie… – zaoponował Krieger i pokręcił głową, na moment chowając twarz w dłoniach. – Dążyłem do tego, żebyś ruszył moim tropem. Żebyś mnie złapał, Forst. Nic nie rozumiesz?

Zrobił pół kroku w jego stronę, po czym spojrzał prosto w lufę i się zatrzymał.

Wiktor zobaczył w jego spojrzeniu coś, czego wcześniej nie dostrzegał. Wstyd? Trudno było jednoznacznie przesądzić. Gdzieś jednak w całym jego szaleństwie zdawało się prześwitywać coś jeszcze. Coś ludzkiego.

– Nie zwariowałem… nie do końca.

Forst przypuszczał, że to ocenią już biegli.

– Wiedziałem, co się ze mną dzieje. I wiedziałem, że odpuściłeś, że uznałeś mnie za niewinnego…

– Nigdy tego nie zrobiłem.

– Może nie świadomie. Ale w pewnej mierze mnie rozgrzeszyłeś. I to tylko dlatego, że czułeś się odpowiedzialny za to, co się stało.

Forst się nie odezwał. Planował przeczekać odpowiednio długo, by zjawili się policjanci. Raz po raz kontrolnie zerkał na Dominikę. Wyglądało na to, że Krieger nie kłamał, a jej rany były jedynie powierzchowne.

By to zakończyć bez dalszego rozlewu krwi, musiał tylko utrzymać dostatecznie długo *status quo*. Robert z pewnością się teraz nie podda, ale kiedy zjawią się posiłki, nie będzie miał wyjścia.

– Ja tymczasem byłem winny – ciągnął. – Nie. Jestem winny.

Znów się zbliżył.

– Stój.

Uśmiechnął się lekko, choć w jego oczach nie było nawet cienia wesołości.

– Obawiam się, że będziesz musiał strzelić, Forst.

– Zatrzymaj się.

Nie posłuchał. Nadal podchodził, powoli, jakby z każdym kolejnym centymetrem rzucał mu kolejne wyzwanie.

– Nie zamierzam spędzić reszty życia w więzieniu – powiedział Krieger. – Obaj wiemy, jak to się skończy. A ja już raz przechodziłem tę gehennę w domu. Nie skażę się na to po raz kolejny.

Wiktor zrozumiał, że nie ma wyjścia.

– Albo pozwolisz mi odejść, albo pociągnij za spust – dodał Robert, stawiając kolejny krok w jego kierunku. – Trzeciej możliwości nie ma.

Forst nabrał tchu.

Wybrał drugą opcję.

15

Robiła wszystko, by nie stracić przytomności. Postawiła sobie za punkt honoru, by trzymać rękę na pulsie przez cały czas, przynajmniej na tyle, na ile było to możliwe. Próbowała się odezwać, słuchając wymiany zdań między Forstem a Kriegerem, ale nie była w stanie. Udało jej się za to nie uronić ani jednego słowa. A potem zarejestrować każdy szczegół tego, co się wydarzyło. Najpierw rozległ się strzał, potem jęk bólu. Usłyszała dźwięk upadającego ciała.

I kolejną wymianę zdań.

Przypuszczała, że Forst wycelował w udo, łydkę lub inne miejsce, które było stosunkowo bezpieczne.

Chwilę później zobaczyła go przez wpółprzymknięte powieki. Nachylał się nad nią, pytał, czy wszystko w porządku, ale nie potrafiła odpowiedzieć. Zapewnił ją, że posiłki już jadą i nic jej nie grozi.

Wiedziała, że ma rację. Nie czuła upływu czasu, zdawało się, że policjanci pojawili się zaraz po tym, jak Wiktor się do niej odezwał. Chwilę po nich na miejsce dotarli strażacy, którzy wyciągnęli ją z samochodu. Trafiła na nosze, a potem prosto do karetki. Zawieziono ją do Zakopanego.

Na miejscu okazało się, że jest z nią gorzej, niż przypuszczała. Podano jej sporo środków przeciwbólowych, ale stanowczo oponowała przed czymkolwiek, co sprawiłoby, że zaśnie. Miała obrażenia klatki piersiowej, kilka połamanych żeber. Minęła godzina, może dwie, zanim w końcu udało jej się odezwać.

Poprosiła jednego z policjantów, by przyprowadził Forsta. Funkcjonariusz nawet się nie zawahał – skinął głową, oznajmił, że komisarz czeka w jednej z sal, a potem wyszedł na korytarz.

Wrócił sam po dziesięciu minutach, oznajmiając, że nigdzie nie udało mu się znaleźć dawnego przełożonego. Zapewnił jednak, że niebawem zjawi się u niej sam komendant.

Osica nie kazał długo na siebie czekać. W dodatku przyniósł niewielki bukiet goździków. Dominika spojrzała na kwiaty z niedowierzaniem, ale skwitowała prezent jedynie lekkim uśmiechem.

Patrzyli na siebie w milczeniu.

– Forsta nie ma? – zapytała w końcu.

– Wrócił do domu.

Oboje zdawali sobie sprawę w jakim celu. Żadne z nich jednak nie ciągnęło tematu. Edmund przysiadł na łóżku, a potem położył na szafce bukiet i gazetę. Kupił jej „Wprost".

– Nie wiem, czy zdążę przeczytać – bąknęła. – Nie zamierzam długo tu zostać.

Osica chrząknął i wskazał na klatkę piersiową Wadryś--Hansen. Prokurator poczuła się cokolwiek nieswojo.

– Przepraszam – wydusił. – Chciałem tylko… Wie pani. Wszystko w porządku?

– W jak najlepszym – zapewniła. – Co z Kriegerem?

– Właściwie tak się nazywa.

Przypomniała sobie ostatnią wymianę słów między Forstem a zabójcą. Słyszała ją jak przez szybę, ale pamiętała, że Wiktor użył prawdziwego imienia Kriegera. Ten jednak oznajmił, że tamten człowiek dawno nie żyje.

– Nazywał – powiedziała cicho.

– Słucham?

– Nieważne – odparła i spojrzała na goździki. Wyglądały jak żywcem wyciągnięte z czasów PRL-u. – Jest w areszcie śledczym czy w szpitalu?

– Ani tu, ani tu. Trzymamy go jeszcze na komendzie.

– Gerc jeszcze się do niego nie dobrał?

– Próbował.

Wadryś-Hansen skinęła głową. Przypuszczała, że to duże niedopowiedzenie – Aleks zapewne poruszył już niebo i ziemię, by policja jak najszybciej przekazała Kriegera krakowskiej prokuraturze.

– Forst złożył zeznania? – spytała.

– Tak.

– Pobraliście odciski z palców z samochodu?

– Owszem.

– A…

– Zapewniam panią, że zrobiliśmy wszystko, co trzeba, żeby ułatwić oskarżycielowi pracę – rzekł ciężko Osica. – Spowiadałem się już ze wszystkiego pani towarzyszowi. I była to znacznie mniej przyjemna rozmowa niż nasza.

Dominika nie miała wątpliwości, że sąd wyda wyrok skazujący. Krieger dochował wprawdzie najwyższej staranności, ale jego DNA musiało znajdować się w każdym z miejsc, gdzie doszło do zabójstw. Za tydzień, w porywach dwa, technicy przedstawią wyniki, które jednoznacznie rozwieją wszelkie wątpliwości. A wraz z zeznaniami złożonymi przez Wiktora prokuratura będzie miała wszystko, czego potrzebowała.

Sprawa była zamknięta. Pozostawało już tylko dopełnić ostatnich formalności.

– Forst podał panu tożsamość tamtych dziewczyn? – zapytała Wadryś-Hansen. – Tych spod Giewontu?

– Tak.

– A Wika Bielska? Powiedział, kim była?

– Tylko oględnie.

– To znaczy?

– Poznał ją na jakimś jachcie, pomógł jej. Więcej nie chciał mi zdradzić.

Dominika na moment się zamyśliła.

– Nie tylko jej próbował pomóc – zauważyła.

– Mhm.

– Odpowie za to, że nie ujawnił informacji o Kriegerze?

– Wedle mojej najlepszej wiedzy żadnych nie posiadał.

Wadryś-Hansen zauważyła, że komendant patrzy na nią porozumiewawczo. Lekko skinęła głową, przekonana, że tyle wystarczy, by się ze sobą zgodzili. Cisza się przeciągała. Dominika miała jeszcze wiele pytań, ale przypuszczała, że odpowiedzi na nie uzyska, dopiero kiedy porozmawia z Wiktorem.

Przeszło jej przez myśl, że to nie będzie łatwa rozmowa. Będą musieli zmierzyć się z tym, co między nimi jest. Lub czego nie ma.

– Forst twierdzi, że Krieger uratował mu życie – dodał Osica, jakby chciał usprawiedliwić dawnego podkomendnego. – Telefonem nad jeziorem solnym.

– Co proszę?

– Nic więcej nie wiem. Nie mieliśmy za dużo czasu na rozmowę.

– Rozumiem.

Znów zaległo milczenie.

– Ale wracając do ofiar, skontaktowaliście się już…

– Na litość boską, długo będzie mnie pani wypytywać? Zrobiliśmy wszystko, co trzeba, proszę się nie martwić.

Pokiwała głową.

– W takim razie czas najwyższy zająć się ostatnią sprawą – zauważyła.

– To znaczy?

– Forstem.

– Jeśli „zająć się" to eufemizm oznaczający zatłuczenie go gołymi rękoma, jestem gotów to zrobić.

– Miałam na myśli raczej uporanie się z problemem... opioidowym.

– Z tym musi sam sobie poradzić.

– W takim razie równie dobrze może spisać go pan na straty.

Przez moment mierzyli się wzrokiem.

– Nie da sobie z tym rady – dodała. – Nie sam.

– Więc mu pani pomoże. Ja zamierzam się trzymać od tego z daleka.

Spodziewała się, że to tylko pusta deklaracja, ale już kilka godzin później przekonała się, że Osica rzeczywiście nie chciał mieszać się w walkę, którą Forst jego zdaniem powinien stoczyć sam.

Komendant pomógł jej wprawdzie dostać się na Piaseckiego, ale postawiwszy mondeo pod budynkiem, w którym znajdowało się mieszkanie Wiktora, oznajmił, że od tej pory musi poradzić sobie sama.

– Mógłby pan chociaż pomóc mi wejść na górę.

– Poradziła sobie pani bez problemu z wypisaniem się ze szpitala, więc pokona też pani kilka schodów.

Uniosła brwi i odczekała moment, przypuszczając, że zmieni zdanie.

– O ile dobrze się orientuję, musiała pani odnaleźć w sobie dość dużo energii, by przekonać lekarzy.

– Niespecjalnie.

– Jakoś w to wątpię.

– Lekarze zawsze oponują w takich sytuacjach, sam pan wie.

Popatrzył na ciemne okulary, którymi znów musiała zasłonić siniaki na twarzy, jakby chciał przejrzeć przez szkła.

– Nie potrzebuje pani mojej pomocy – zauważył.

– W wejściu na piętro być może nie. Ale później chętnie z niej skorzystam.

Przekonywała go jeszcze przez moment, ale był nieugięty. Nie powiedział tego wprost, ale odniosła wrażenie, że swoją obecność w mieszkaniu uznał za bezproduktywną. Zupełnie jakby miał zrazić Forsta samym faktem, że interesuje się jego losem.

Wadryś-Hansen była świadoma, że taka interwencja to stąpanie po kruchym lodzie. Znała wszystkie konsekwencje brania heroiny, ale żeby przypomnieć o nich Wiktorowi, będzie musiała być bardziej przekonująca niż podczas rozprawy prowadzonej przez wyjątkowo nieprzychylnego sędziego.

Tym bardziej że Forst postrzegał opioid przede wszystkim jako lekarstwo na swoje chroniczne bóle. Nie tylko te migrenowe, ale także te, które dokuczały jego duszy. Heroina doskonale radziła sobie z jednymi i drugimi.

Oprócz tego jednak w dłuższej perspektywie zmieniała rytm pracy serca, ciśnienie, obniżała aktywność elektryczną mózgu, zaburzała cykle snu, funkcje kognitywne czy w końcu powodowała nagłe wahania nastroju. I depresję. W przypadku Forsta szczególnie ten ostatni element martwił Dominikę.

Najbardziej dostrzegalną przez samych heroinistów zmianą były jednak problemy z wypróżnianiem się. Niechętnie się do tego przyznawali, ale stanowiły one jeden z najpowszechniejszych – i najbardziej wymownych – pierwszych sygnałów związanych ze zbyt częstym przyjmowaniem opioidów.

Wadryś-Hansen odsunęła od siebie te myśli i popatrzyła na Osicę. Wszystko po kolei, uznała w duchu.

– Przyda mi się pan, panie inspektorze – oznajmiła. – Jako zderzak.

– Zderzak?

– Zły policjant, jeśli pan woli. Ja będę tym dobrym, który pozornie akceptuje nawyki Wiktora.

– Ach...

– Poradzi sobie pan w tej roli.

– To przytyk?

– Poniekąd – przyznała z uśmiechem. – Musiałam jakoś się odegrać za „Wprost".

Przekonywała go jeszcze przez moment. Wprawdzie niechętnie, ale w końcu się zgodził. W drodze do klatki schodowej Dominika zdążyła jeszcze szybko wypalić cienkiego papierosa. Przy każdym zaciągnięciu się miała wrażenie, jakby coś eksplodowało jej w piersi.

Mimo że najgorszy okres z pewnością miała już za sobą, ani myślała o rzuceniu. Zbyt długo w jej życiu nie było żadnej trucizny. Stanowiło zbyt idealny, sztuczny twór. I być może dlatego tak mocno odczuła zmianę, która nastąpiła po ujęciu Bestii.

Zgasiła niedopałek na brzegu niewielkiego kosza, a potem weszła do budynku. Dopiero teraz uświadomiła sobie, że mogła przecież zapalić u Forsta. Cóż, musiała jeszcze wyrobić sobie kilka nikotynowych nawyków.

Kiedy stanęli pod drzwiami Wiktora i Osica przycisnął dzwonek, Wadryś-Hansen zastanawiała się, od czego zacząć. Należałoby chyba od podziękowań. Gdyby nie Forst, nigdy nie opuściłaby samochodu żywa.

Ułożyła w głowie krótką formułkę, ale Wiktor nie otwierał. Osica zadzwonił jeszcze raz, a potem załomotał do drzwi.

Wciąż żadnej odpowiedzi.

– Ma pan klucze?

– Mam, ale… – Obejrzał się przez ramię. – Niekoniecznie chciałbym z nich korzystać.

– Spodziewa się pan zaćpanego, zapitego Forsta?

– Nie. Spodziewam się, że poszedł po fajki do kiosku i jak wróci, zastając nas w swoim mieszkaniu, nie będzie w skowronkach.

Uśmiechnęła się lekko, choć towarzyszył jej pewien niepokój.

– Proszę otworzyć.

– Na pani odpowiedzialność?

– Na moją – potwierdziła.

Chwilę później poczuli wyraźny zapach papierosów i zobaczyli smużki dymu unoszące się pod sufitem. Najwyraźniej Forst niedawno był w mieszkaniu. Rozejrzeli się, ale nigdzie go nie dostrzegli.

Na stole stał otwarty laptop, a obok niego leżała komórka.

– Widzi pani? Poszedł na zakupy.

Ta wersja rzeczywiście była prawdopodobna, choć Dominika przypuszczała, że celem Wiktora nie był kiosk. Być może skończyła mu się heroina. Nie wiedziała, czy gdzieś w Zakopanem można ją dostać, ale biorąc pod uwagę liczbę turystów, którzy byli skorzy oderwać się od szarej rzeczywistości, należało przypuszczać, że tak.

Wadryś-Hansen westchnęła, a potem podeszła do drzwi balkonowych – czy raczej dużego okna, bo mieszkania przy Piaseckiego zamiast balkonów wyposażono w kraty na elewacji.

Osica usiadł przed laptopem, westchnął głęboko, a potem uderzył w jeden z klawiszy, jakby komputer mu czymś zawinił. Dominika popatrzyła na niego pytająco.

– Przepraszam – burknął. – Jestem przyzwyczajony do traktowania wszystkiego, jakby był to ruski sprzęt.

– Mhm.

– Mam u siebie raczej przedpotopowe…

Urwał i zmarszczył czoło, wbijając wzrok w ekran.

Dominika nagle poczuła niepokój. Wystarczająco dużo razy widywała taki wyraz twarzy inspektora, by wiedzieć, że nie oznacza niczego dobrego. Przeciwnie, stanowił zazwyczaj preludium tragedii.

– Panie komendancie?

Edmund głośno i z wyraźnym trudem przełknął ślinę.

– Co się stało?

Osica podniósł wzrok. Spojrzał na Dominikę, a potem pokręcił głową, jakby chciał zaprzeczyć temu, co właśnie zobaczył.

– Co pan znalazł?

– To…

Ruszyła w jego kierunku.

– To niemożliwe – powiedział.

– Co takiego?

– Niech… niech pani sama spojrzy.

Stanęła obok i skierowała wzrok na ekran. Widniała na nim otwarta wiadomość w skrzynce mailowej Forsta. Rozejrzała się, potrząsając głową. Odniosła wrażenie, że wszystko wyglądało tak, jakby Wiktor po przeczytaniu maila zerwał się z kanapy i wybiegł z mieszkania.

Po chwili prokurator zrozumiała, że w istocie tak mogło być. Wiadomość była napisana cyrylicą, Dominika nic nie rozumiała.

– Nie znam rosyjskiego – powiedziała. – Co tu napisano?

Spojrzała na nadawcę. Adres skrzynki kończył się na „.ru", a login sugerował, że mail przysłała kobieta o pseudonimie lub imieniu Dolly.

– Panie komendancie!

– Zaraz… tak…

– Co ta kobieta napisała?

– Pyta… ona…

– Niech pan się odsunie.

Dominika usiadła obok, zamierzając szybko skopiować treść do translatora Google'a.

– Nie miałaby powodu, żeby… – Osica urwał, a potem potrząsnął głową. – Nadawczyni pyta…

Umilkł, ściągając mocno brwi. Przez moment panowała kompletna cisza.

– Pyta, kim jest Olga Szrebska…

Wadryś-Hansen zamarła. Ciarki przemknęły jej po plecach, od karku do odcinka lędźwiowego.

– Słucham?

Edmund znów głośno przepchnął ślinę przez gardło.

– Jest pan pewien?

– Zaraz potem podaje numer skrytki bankowej w Torrevieja – dodał Osica.

Oboje zastygli w bezruchu, milcząc.

Dopiero po chwili Dominika się otrząsnęła. Spojrzała w kierunku drzwi. Tych, które zamknął za sobą Forst, wybiegając z mieszkania. Obawiała się, że więcej ich nie otworzy.

Posłowie

Nie mogę być pewien – bo dopóki książka nie wyjdzie drukiem, to nieprzesądzone – ale wydaje mi się, że zaczynaliśmy tę przygodę jakieś pięćset stron temu. Towarzyszyło nam wtedy pytanie, gdzie jest Wiktor Forst. I właściwie towarzyszy nam ono także teraz.

Wówczas było przyczynkiem do tego, byśmy mogli wspólnie stworzyć historię, która kontynuowała pierwotną trylogię – teraz stanowi zaproszenie do dalszej przygody. A przynajmniej mam taką nadzieję.

Odpowiedź na pierwsze pytanie znaleźliśmy po kilku rozdziałach. Odpowiedzi na to drugie sam jeszcze nie znam. Wiem mniej więcej, dokąd zmierza Forst, zdaję sobie też sprawę z powodu, dla którego to robi – przypuszczam jednak, że weźmie sporo objazdów, zdążając do celu. Tak jak to ma w zwyczaju.

Lubi mnie tym zaskakiwać, za co darzę go niejaką sympatią. Początkowo planowałem, by historia jego i Bestii z Giewontu zamknęła się w trzech tomach, ale wygląda na to, że toczyć się będzie nieco dłużej... (Cieszy mnie to niezmiernie, bo zdążyłem przyzwyczaić się zarówno do niego, jak i Osicy, Wadryś-Hansen i reszty).

Koniec końców, pytaniem nie jest, „czy" powstanie kolejna część, ale „kiedy". Przypuszczam, że w 2018 roku, ale konkretny termin zależy od tego, ile determinacji Forst wykaże w nagabywaniu mnie, bym sprawdził, dokąd się udał i co go spotkało.

Podziękowania należą się jak zawsze Dagmarze i moim Rodzicom, całej ekipie z Wydawnictwa Filia oraz z Meles--Design. Winą za osadzenie części akcji w Hiszpanii obarczyć muszę Bognę i Jacka, którzy zaprosili mnie do swojego mieszkania w Orihueli. Pierwotnie planowałem, że Forst dotrze w inne miejsce, ale widocznie tęsknota za hiszpańskim klimatem zrobiła swoje.

Szczególne podziękowania kieruję do zbójnika z Raby, Andrzeja Paka. Dostarczył mi mnóstwa góralskich materiałów, których planowałem użyć jako tła w tym tomie – okazały się jednak zbyt ciekawe, by były tylko elementem większej całości. W rezultacie staną się kanwą dla innej opowieści, być może z Wiktorem w roli głównej.

Najpierw jednak Forst musi uporać się z tym, co czeka na niego w skrytce bankowej w Torrevieja…

A ja czekam niecierpliwie, aż ją razem otworzymy.

Remigiusz Mróz
6 stycznia 2017 roku

REMIGIUSZ MRÓZ

SERIA Z KOMISARZEM FORSTEM

Z OKAZJI PREMIERY **DENIWELACJI** ZAPRASZAMY DO JEDYNEGO W SWOIM RODZAJU ESCAPE ROOMU PRZEZNACZONEGO DLA FANÓW **REMIGIUSZA MROZA**.

W TRAKCIE UCIECZKI ZE SPECJALNIE PRZYGOTOWANEGO POKOJU NATKNIECIE SIĘ NA CZERWONĄ KOSZULĘ FLANELOWĄ, GUMY FIRMY **BIG RED** I WIELE TROPÓW WPROST Z KART POWIEŚCI O KOMISARZU **FORŚCIE!**

ZAPRASZAMY:

WWW.WYJSCIEAWARYJNE.PL